Nuevas
tendencias y desafíos
de la
migración
internacional
México-Estados Unidos

AMERICA LATINA Y EL NUEVO ORDEN MUNDIAL

Colección **Alternativas**

Nuevas
tendencias y desafíos
de la
migración
internacional
México-Estados Unidos

Raúl Delgado Wise
Margarita Favela
Coordinadores

CONOCER
PARA DECIDIR

Colección Alternativas

Universidad
Autónoma
de Zacatecas

MÉXICO • 2004

Esta investigación, arbitrada por pares académicos,
se privilegia con el aval de las instituciones coeditoras,
propietarias de los derechos correspondientes.

La H. CÁMARA DE DIPUTADOS, LIX LEGISLATURA,
participa en la coedición de esta obra al incorporarla
a su serie CONOCER PARA DECIDIR

Coeditores de la presente edición:
   H. CÁMARA DE DIPUTADOS, LIX LEGISLATURA
   UNIVERSIDAD AUTÓNOMA DE ZACATECAS
   UNIVERSIDAD NACIONAL AUTÓNOMA DE MÉXICO
   Centro de Investigaciones Interdisciplinarias
      en Ciencias y Humanidades
   MIGUEL ÁNGEL PORRÚA, librero-editor

Primera edición, diciembre del año 2004

© 2004
   UNIVERSIDAD AUTÓNOMA DE ZACATECAS

   UNIVERSIDAD NACIONAL AUTÓNOMA DE MÉXICO
      Centro de Investigaciones Interdisciplinarias
      en Ciencias y Humanidades

© 2004
   Por características tipográficas y de diseño editorial
   MIGUEL ÁNGEL PORRÚA, librero-editor

   Derechos reservados conforme a la ley
   ISBN 970-701-555-1

Imagen en portada con base en la fotografía de Ricardo Ramírez
Arriola, tomada de *Mexicanos entre dos siglos,* Grupo Editorial Miguel
Ángel Porrúa, México, 2003.

IMPRESO EN MÉXICO PRINTED IN MEXICO

www.maporrua.com.mx
Amargura 4, San Ángel, Álvaro Obregón, 01000 México, D.F.

Presentación

Margarita Favela Gavia
Raúl Delgado Wise

Es INDISCUTIBLE que en las últimas décadas la migración de mexicanos hacia Estados Unidos ha adquirido creciente importancia y desarrollado una gran complejidad. Las estimaciones más recientes sobre la magnitud del fenómeno revelan que actualmente residen en el vecino país del norte poco más de 22 millones de habitantes de origen mexicano, sumando a los ciudadanos estadounidenses de ascendencia mexicana y a los migrantes residentes, a los documentados e indocumentados. De ese total, 8.2 millones nacieron en nuestro país y poco más de la tercera parte son migrantes indocumentados, mientras que el flujo de migrantes temporales oscila entre 800,000 y un millón de desplazamientos por año; además, anualmente alrededor de 300,000 mexicanos establecen su residencia permanente en Estados Unidos. Asimismo, el flujo de mexicanos que en la última década emigraron a ese país, medido a partir del flujo neto anual, es 10 veces superior al registrado dos décadas atrás. Ello ha dado como resultado un éxodo anual promedio de connacionales, tomando como referente los censos de los Estados Unidos de 1990 y 2000, de 480,000 personas, lo que sitúa al país como el principal emisor de emigrantes en el mundo.

En correspondencia con la tendencia ascendente que acusa la migración internacional, se aprecia también un significativo incremento del flujo de remesas o migradólares de Estados Unidos a México, que alcanzaron en 2002 un máximo histórico de 9,814.5 millones de dólares. Con ello, la exportación de fuerza de trabajo logra situarse como la tercera fuente de divisas en importancia del país, con una contribución a la balanza de pagos ligeramente superior a la correspondiente al turismo. Lo anterior sitúa a México no sólo como el principal país receptor de remesas familiares en América Latina, sino prácticamente a la par de India, de acuerdo con datos del FMI –Global Development Finance, 2003– en el primer escalafón mundial.

A la par del espectacular crecimiento cuantitativo que ha tenido la migración y las remesas –que socialmente se expresa en el hecho de que uno de cada cinco hogares mexicanos está relacionado con el fenómeno–, hay consenso entre los especialistas en el sentido de que la migración internacional, al margen de las continuidades que registra, ha venido experimentando cambios cualitativos de primer orden. Entre otras cosas, se aprecian modificaciones en la geografía migratoria y diversificación de las regiones de origen y destino, así como una mayor presencia de las zonas urbanas; en las políticas migratorias; en el espectro ocupacional de los trabajadores transfronterizos, con nuevos ámbitos de inserción en el mercado laboral estadounidense; en los patrones migratorios (edad, sexo, escolaridad, posición en el hogar, tiempo de estancia, estatus legal, etcétera); en la problemática de género; en los montos, mecanismos de envío/recepción, usos e impactos de las remesas familiares; y en la diversidad de formas de organización, prácticas sociales, culturales y creencias de los propios migrantes. El tema de las constantes violaciones a los derechos humanos de los migrantes, por su amplitud y complejidad, requiere un tratamiento especial.

Para examinar estas temáticas, en noviembre de 2002 un conjunto de investigadores organizamos el seminario denominado Nuevas Tendencias y Desafíos de la Migración Internacional México-Estados Unidos, auspiciado por el Centro de Investigaciones Interdisciplinarias en Ciencias y Humanidades y el doctorado en estudios del desarrollo de la Universidad Autónoma de Zacatecas. Este libro reúne algunos de los trabajos presentados en ese seminario, por investigadores de centros de educación superior de nueve entidades federativas, todas ellas representativas del amplio espectro de la problemática migratoria: Zacatecas, Veracruz, Oaxaca, Coahuila, Jalisco, Sinaloa, Michoacán, Nayarit y Distrito Federal.

Los ensayos que presentamos están organizados en cuatro núcleos temáticos, antecedidos por una introducción general en donde Raúl Delgado presenta una panorámica sobre algunos de los aspectos más polémicos de la actual situación de la migración, donde subraya que en el diseño globalizador de la economía mundial, a México le corresponde el papel de exportador de fuerza de trabajo, indirectamente a través de la fabricación de artículos de exportación cuyo principal componente es la fuerza de trabajo barata, o directamente, como trabajadores que migran a Estados Unidos.

I. "Organización social de los migrantes". Dos ensayos forman este apartado. En "Las organizaciones de migrantes, su impacto y evolución en la recepción de personas y el envío de recursos", Rodolfo Morán identifica los dos tipos de razones que mueven a los migrantes a organizarse: la necesidad de mantener su cultura y tradiciones originales y la necesidad de integrarse de la mejor manera a la sociedad de llegada. Al examinar la experiencia de los zacatecanos en Estados Unidos, destaca el hecho de que sus organizaciones han buscado primordialmente facilitar la integración a la sociedad de arribo, pero manteniendo sus vínculos con las comunidades de origen, pues entre los migrantes prevalece la idea del retorno. En el segundo ensayo Cecilia Imaz presenta una detallada descripción de la experiencia de los nayaritas de Jala, avecindados en California, y nos descubre la relevancia que su organización ha tenido tanto en los migrantes como en los habitantes de la comunidad de origen. Imaz subraya la paradójica influencia de los migrantes, pues a la vez que refuerzan la vigencia de ciertas tradiciones populares, también impulsan un incipiente proceso de modernización de la vida rural de Nayarit.

II. "Diversificación de los destinos y mercados laborales". Los cuatro estudios aquí reunidos ponen de relieve que, junto con el mantenimiento de los destinos tradicionales de los migrantes, están emergiendo nuevos. A través de tres experiencias distintas –Guillermo Ibarra se refiere a los mexicanos en la industria de la ropa en Los Ángeles, Judith Sánchez a los migrantes en Napa y Sonoma en California, y Paz Trigueros a la participación de las mujeres mexicanas en el mercado laboral de Estados Unidos– podemos percibir una imagen clara de la situación laboral de los migrantes mexicanos. Los autores analizan las características del mercado laboral, su tiempo de estancia, la existencia y construcción de redes sociales, el nivel educativo, la experiencia y capacitación laboral y el dominio del inglés, entre otros de los factores que definen las precarias condiciones de inserción laboral de los migrantes mexicanos. Por su parte, en "Patrones de la migración internacional: un análisis regional del estado de Veracruz", un conjunto de investigadoras encabezado por Patricia Zamudio examina la expansión del fenómeno migratorio en la entidad, tratando de identificar patrones de regularidad y buscando establecer su relación con las características socioeconómicas de las regiones, especialmente con los niveles de marginación, la composición sectorial y el nivel de ingreso de la población ocupada. Esta contribución confirma que a partir de la década de 1980 comienza a gestarse un cambio cualitativo en el patrón migratorio, con una expresión territorial cada vez más amplia y diversa, donde sobresale la emergencia de nuevas rutas y destinos.

III. "Importancia social y económica de las remesas para el desarrollo local y regional". En los últimos años se ha producido un abrupto crecimiento de las remesas. Esta fuente extraordinaria de ingresos, más allá de contribuir a mitigar el fuerte déficit en la balanza de pagos del país, ha tenido un impacto multiplicador muy restringido y, a pesar de las expectativas fincadas en ello, no han contribuido significativamente al desarrollo local y regional. Por el contrario, se ha incrementado la dependencia de algunas entidades respecto a este tipo de ingresos. Además de seguir cubriendo las necesidades de subsistencia familiar, las remesas han venido a llenar un vacío con relación a los servicios que tradicionalmente proveía el Estado, sobre todo salud y educación, a lo que se agrega el problema de la tendencia hacia la disminución promedio por envío.

En este apartado se analiza esta problemática en los casos de Zacatecas, Oaxaca y Coahuila. García Zamora presenta un panorama amplio y bien documentado de los esfuerzos que llevan a cabo los clubes de migrantes zacatecanos del sur de California para consolidar un programa de desarrollo para sus comunidades de origen. El autor refiere el inicio del Programa Tres por Uno como el origen de todos estos esfuerzos y va analizando el modo en que las organizaciones de migrantes zacatecanos han evaluado, corregido y desarrollado la propuesta inicial hasta convertirla en un verdadero programa de desarrollo regional.

Rafael Reyes Morales, a la cabeza de un conjunto de investigadores, nos presenta el caso de Oaxaca; analizan los flujos migratorios de las regiones mixteca y valles centrales, evaluando su impacto en el desarrollo local y regional. A partir del análisis de los mercados laborales regionales, los autores llegan a la conclusión de que la emigración por localidad depende de la proporción de mano de obra asalariada que se emplea local o regionalmente. El estudio concluye con una detallada e interesante propuesta de desarrollo, basada en el empleo de las remesas y en el despliegue de políticas públicas novedosas.

En el tercer ensayo de esta sección, Héctor Rodríguez Ramírez nos presenta los primeros resultados de una investigación amplia sobre la migración en Coahuila. Nos cuenta, entre otros hallazgos, que no obstante en términos absolutos la migración de coahuilenses es aún poco importante, tiende a crecer; que es predominante la emigración permanente y que aun en la migración temporal, los periodos de estancia tienden a ser mayores. Finalmente, señala como, a partir del examen de las remesas se puede observar que el promedio mensual de ingreso por concepto de remesas que reciben los hogares en Coahuila está muy por encima del promedio nacional y cómo constituye un factor primordial para la reducción del nivel de pobreza de dicha población.

IV. "Participación política extraterritorial y política migratoria". En este apartado conjuntamos tres ensayos referidos tanto a la organización social de los migrantes como a la política migratoria mexicana. Miguel Moctezuma nos ofrece una detallada visión de la participación social y política binacional de los zacatecanos radicados en Estados Unidos. Ilustra lo que podrían ser tres momentos –consecutivos y simultáneos– del desarrollo de la participación. El primero se expresó en los programas Dos por Uno y Tres por Uno, destinados al desarrollo de infraestructura y servicios básicos en las comunidades de origen de los migrantes. En el segundo momento se han subrayado las posibilidades de promover proyectos más directamente relacionados con inversiones productivas, que estimulen el desarrollo económico de la entidad. En un tercer momento se ha puesto el acento en la necesidad de crear las condiciones para que los migrantes puedan ejercer plenamente sus derechos ciudadanos, especialmente los de votar y ser votados. En este recuento, el autor destaca que la demanda de respeto al pleno ejercicio de sus derechos ciudadanos está respaldada no sólo por la experiencia de participación cívica de algunos líderes zacatecanos en los Estados Unidos, sino precisamente por la tradición de participación que representan los programas Dos por Uno y Tres por Uno.

En el segundo ensayo Genoveva Roldán reflexiona sobre cuáles son las características de la política de Estado aplicada en años recientes en materia migratoria, con la intención de precisar las causas y los cambios estructurales indispensables para la búsqueda de soluciones de corto, mediano y largo plazo a la problemática migratoria. El ensayo, que incluye una revisión de la política migratoria reciente de Estados Unidos, concluye que en comparación con ésta, la política mexicana sigue siendo, en el mejor de los casos, parcial y desarticulada, y en el peor de ellos, una política que renuncia al ejercicio de la soberanía y a la defensa de sus habitantes.

El libro cierra con el ensayo de Margarita Favela, donde plantea que los cambios recientes en la política migratoria responden tanto a la liberalización del sistema político mexicano como al activismo de los propios migrantes. La creación de programas y oficinas gubernamentales, la reorganización de institutos, la promulgación de leyes y la propuesta de otras varias políticas y actividades relacionadas con la situación y condición de los migrantes, son expresión de este proceso de reconocimiento gubernamental a la condición ciudadana de los migrantes mexicanos. El avance es visible, sin embargo, es necesario ampliarlo y consolidarlo, en el doble sentido de fortalecer la transición democrática, y con ella los derechos de los migrantes, y de desarrollar una política de desarrollo que tienda a disminuir el flujo migratorio.

Antes de dejar que el lector haga su propio juicio sobre lo que presentamos, los coordinadores queremos dejar constancia de nuestro agradecimiento a todos los que en el Centro de Investigaciones Interdisciplinarias en Ciencias y Humanidades participaron en la realización de este proyecto, en especial a Magdalena Hernández, quien además de colaborar en la organización del seminario y en la preparación del original, participó, junto con Claudia del Río, en la revisión final de los textos.

Introducción

Globalización y migración laboral internacional. Reflexiones en torno al caso de México

Raúl Delgado Wise

A RAÍZ del agotamiento del largo ciclo de expansión capitalista que siguió a la Segunda Guerra Mundial, la migración laboral internacional cobró creciente importancia y complejidad. Bajo el influjo de la globalización neoliberal,[1] el cúmulo de migrantes transfronterizos y de remesas enviadas por éstos a sus lugares de origen, se incrementó aceleradamente. Por un lado, el *stock* mundial de emigrantes se duplicó en un lapso de 25 años, para alcanzar en el 2000 un máximo histórico de 150 millones de personas.[2] Por el otro, el flujo de remesas se elevó a un ritmo aún mayor, al pasar de 45 a casi 80,000 millones de dólares, entre 1992 y 2000 (Meyers, 2001).

Lo importante a destacar de este fenómeno –sin precedentes en la historia del capitalismo contemporáneo– es que encierra una amplia e intrincada gama de situaciones, que van desde modificaciones en la geografía migratoria (con sus correspondientes diferencias en los planos regional, nacional e intranacional),[3] hasta cambios en los patrones migratorios, en el espectro ocupacional de los trabajadores transfronterizos y en los montos y modalidades de las remesas. Pero no sólo esto: dichos cambios se asocian, en un sentido más profundo, a las *nuevas formas de dominación imperialista* que caracterizan al capitalismo contemporáneo.

El objetivo central del presente trabajo es avanzar en esta dirección, tomando como referente el caso de la migración México-Estados Unidos. Nos

---

[1] Con este apellido intentamos diferenciarnos del discurso vulgar, retórico, sobre la globalización, tendiente a oscurecer la naturaleza del fenómeno y presentarlo como algo inevitable, caracterizado por John Saxe-Fernández (1999) como "globalismo pop" y por James Petras y Henry Veltmeyer (2001), como "globaloney".

[2] Datos de la ONU referidos a la población residente de un país que nació en otro distinto.

[3] Es pertinente acotar que la mayor parte de los desplazamientos opera en dirección sur-norte, como lo demuestra el hecho de que a lo largo de estos años el grueso de los inmigrantes se haya dirigido hacia Estados Unidos y Canadá, Europa y Oceanía. Con todo, no debe perderse de vista que el fenómeno abarca también importantes movimientos poblacionales en dirección sur-sur, sea hacia los países de acelerada industrialización del sudeste asiático o los países productores de petróleo de Medio Oriente (Lozano, 2000).

proponemos, en particular, profundizar en cuatro dimensiones estratégicas –geoeconómicas y geopolíticas– del fenómeno, a la luz de la compleja trama de relaciones que se teje entre ambas naciones. Tómese en consideración que:

- Estados Unidos es el país que cuenta con los niveles más elevados de inmigración en el mundo.
- De todos los estadounidenses nacidos en el exterior, los mexicanos constituyen, con mucho, el núcleo mayoritario (27 por ciento).
- La población de origen mexicano que reside en el vecino del norte asciende a 22.9 millones de personas, entre emigrantes –documentados o no– nacidos en México (8.5 millones) y ciudadanos norteamericanos de ascendencia mexicana (14.4 millones).
- De este cúmulo de residentes, 62.3 por ciento corresponde a población económicamente activa ocupada, que recibió un salario mensual promedio de 1,673 dólares y que en su mayoría (85 por ciento) laboró tiempo completo.
- El flujo de mexicanos que emigraron al vecino del norte en la última década medido a partir del flujo neto anual, es 10 veces superior al registrado dos décadas atrás.
- Las remesas enviadas a México se multiplicaron por 10 en el curso de las últimas dos décadas, para alcanzar en 2001 un monto de 8,895 millones de dólares.[4]
- La frontera entre los dos países –cuya extensión es de poco más de 3,000 kilómetros– es la más transitada del planeta, con alrededor de un millón de cruces diarios.

Para los fines analíticos planteados el trabajo se subdivide en cuatro apartados:

a) la naturaleza de las relaciones comerciales que la economía mexicana establece con el imperialismo norteamericano bajo la égida neoliberal;
b) la dialéctica particular que, en dicho contexto, se genera entre el crecimiento exportador mexicano (léase: acentuado proceso de transferencia de excedentes en beneficio del gran capital estadounidense) y la migración internacional;

---

[4] Ello no sólo sitúa al país como el segundo receptor de este tipo de ingresos en el mundo, ligeramente después de India, sino que coloca a los "migradólares" como la tercera fuente de divisas en importancia –como veremos más adelante– de la economía mexicana.

c) el contenido y alcances de la agenda bilateral en materia migratoria; y

d) las principales respuestas y procesos de creación de alternativas emergidas desde la base misma de la comunidad migrante.

El verdadero rostro del intercambio comercial entre México y Estados Unidos

Dos antecedentes resultan de particular relevancia para introducir este punto:

a) La conformación de tres bloques hegemónicos tras la disolución del "orden" de posguerra (la llamada tríada) y el establecimiento de una estrategia –que John Saxe-Fernández (2001a: 171) denomina neomonroista– tendiente a intensificar la hegemonía de Estados Unidos en el continente, especialmente en su patio trasero: América Latina, donde a México se le asigna el papel de una suerte de "conejillo de indias".

b) La necesidad de aquel país de hacer frente a sus rezagos en materia de competitividad e innovación tecnológica respecto de Alemania y Japón, y revertir con ello –o al menos atemperar– su agudo problema de endeudamiento externo.[5] Tómese en consideración que Estados Unidos pasó de ser el principal acreedor del mundo, a convertirse en el principal deudor.

En esta perspectiva se inscriben las reformas de inspiración neoliberal y los dolorosos programas de ajuste estructural impuestos a México, al igual que al resto de las naciones latinoamericanas, por las diferentes agencias internacionales (FMI-BM-BID) que operan al servicio del Estado norteamericano y de los poderosos intereses que representa: banca y corporaciones transnacionales. Más que hacer referencia a ellas, cuestión que ha sido ampliamente abordada en la literatura sobre neoliberalismo (véase entre otros: Valenzuela, 1996; Guillén, 1997; y Veltmeyer, 2000), nos proponemos profundizar en torno a uno de los objetivos estratégicos hacia donde tales medidas se orientan: la transformación del sector exportador del país, para convertirlo en el eje fundamental de la reorientación de la economía mexicana y ponerlo al servicio del poder imperial estadounidense.

---

[5] Mediante esta aseveración, empíricamente verificable, no pretendemos, ni mucho menos, sugerir que compartimos una postura determinista con relación al desarrollo científico-técnico. Por el contrario, coincidimos con los argumentos que aporta Petras (2001a: 333) para descartar cualquier pretensión de concebir la fase actual del capitalismo global "como producto y causa de la revolución en las tecnologías de la comunicación".

Para tal efecto y en virtud de la ilusión óptica que genera el reposicionamiento de México como primera potencia exportadora de América Latina y octava en el mundo, resulta crucial llevar a cabo una operación de desenmascaramiento, a través de la cual se haga posible esclarecer, ¿qué es lo que verdaderamente exporta el país? y, ¿quiénes son los principales actores y beneficiarios del "auge" exportador?

Al examinar el tipo de exportaciones mexicanas, lo primero que llama la atención es el elevado dinamismo y peso específico alcanzado por las empresas maquiladoras, concebidas como plantas de ensamble asociadas a procesos productivos internacionalizados, con muy escasa integración a la economía nacional. De 1982 a 2001 las ventas al exterior de la industria maquiladora se multiplicaron por 25, para alcanzar en el último año una proporción cercana a la mitad del total de las exportaciones manufactureras (48.5 por ciento). Más todavía, esta proporción asciende al 54 por ciento si se considera exclusivamente el excedente de exportación, *i.e.* la diferencia entre el valor de las exportaciones y sus requerimientos de importación (Cypher, 2000: 16). Aunado a esto se aprecia un crecimiento espectacular de la manufactura sin maquila, cuyas exportaciones se incrementaron 20 veces en el mismo lapso. Y algo que nos parece aún más significativo: en algunos de sus segmentos más dinámicos, como el automotriz, se observan ciertas tendencias a la maquilización, bajo una lógica de segmentación y deslocalización industrial con un altísimo componente importado.[6]

Otra pieza importante de este peculiar engranaje es la abrumadora presencia –estimada entre 65 y 75 por ciento– del comercio intrafirma con Estados Unidos (Baker, 1995: 402); cuestión que además de contravenir el "libre juego de mercado" pregonado por la ortodoxia neoliberal, pone de relieve el fuerte saqueo al que por esta vía es sometida la economía mexicana. No debe perderse de vista que el concepto de producción compartida inherente al comercio intrafirma, no implica utilidades compartidas. Los precios de exportación en este tipo de comercio son fijados artificialmente por las compañías, sin declarar "utilidades", lo que posibilita no sólo una transferencia neta de ganancias al ex-

---

[6] Los vehículos exportados a Estados Unidos tienen entre el 85 y 90 por ciento de sus componentes importados. Kurt Unger (1990: 77). En un artículo reciente Gerardo Fujii (2000:1014) resalta esta característica en los siguiente términos: "...el dinamismo del sector exportador no arrastra al resto de la economía, sino que se filtra al exterior, en primer lugar, a Estados Unidos. Ejemplos son dos ramas exportadoras muy dinámicas: automóviles e industria electrónica. Ambos sectores se caracterizan por el predominio de empresas transnacionales, que concentran en el país la fase de ensamble del producto final con componentes en su mayoría importados. En este sentido, parece que el sector industrial tiende a asemejarse a la industria ensambladora de la zona fronteriza con Estados Unidos". Por otro lado, abonando a esta misma línea de análisis, James Cypher (2001: 12), sostiene que: "El «milagro» exportador de México se explica, en buena medida, por las estrategias de globalización creadas en Detroit –la industria automotriz de Estados Unidos da cuenta aproximadamente de uno de cada cinco dólares de las exportaciones no petroleras mexicanas en 1997."

terior, sino que permite incluso subsidiar, con cargo a la economía mexicana, cada empleo generado.

Lo paradójico del caso es que, a pesar de la fuerza con la que la economía mexicana se vuelca hacia las exportaciones, cuyo monto se eleva de 22 a 158,000 millones de dólares, entre 1982 y 2001, ello no contribuye a mitigar el agudo problema del déficit externo, sino que, por el contrario, implica en una expansión aún mayor de las importaciones. Resulta particularmente revelador, en este sentido, que de 1988 a 1994 las exportaciones manufactureras crecieran a una tasa media anual (5 por ciento) menor a la mitad de la registrada por las importaciones de dichos productos (12 por ciento).[7] Y aunque esta dinámica se interrumpe momentáneamente con la crisis de 1995, se reanima de 1997 a 2001, presentando un déficit de poco más de 6,000 millones de dólares en el primer año y que supera los 16,000 millones de dólares en el último.

Todo lo anterior acota y relativiza los alcances de la nueva dinámica exportadora, dejando en claro que se trata de un proceso que, en contraste con lo que supondría el tránsito hacia un patrón secundario-exportador (*i.e.* especializado en las exportaciones manufactureras): *a*) no se eslabona –o lo hace en un sentido muy reducido– con las condiciones generadas por la acumulación interna, y *b*) minimiza sus impactos multiplicadores sobre ella.

Lo hasta aquí expuesto, aparte de mostrar la fragilidad y volatilidad del dinamismo exportador, nos plantea la necesidad de valorar, en su justa dimensión, la naturaleza y alcances de lo que verdaderamente exporta el país. A este respecto, es evidente que al segmento mayoritario de comercio exterior de México, aquel que se inscribe en la órbita del comercio intrafirma y que engloba preponderantemente al sector maquilador, le queda grande la categoría de exportación manufacturera, pues, como bien lo apunta Carlos Tello (1996: 50), lo que en el fondo se vende al exterior es "fuerza de trabajo" sin que ésta salga del país. De aquí que, tras el velo del supuesto avance en la perspectiva secundario-exportadora, se encubra el achicamiento de una parte de la economía mexicana, a la que se le compele a fungir como reserva laboral para el capital foráneo.

Tal vez no salga sobrando agregar que esta línea de especialización de las exportaciones guarda una cierta relación con la exportación directa de fuerza de trabajo de México hacia Estados Unidos, vía migración laboral, imprimiendo un sello característico a la naturaleza del intercambio comercial entre ambas naciones. En uno y otro caso implica la *transferencia neta de ganancias al exterior*.

---

[7] A tal grado operan estas tendencias que Enrique Dussel se refiere a esta modalidad de industrialización como "orientada a las importaciones". Véase Enrique Dussel (1996: 80).

Para concluir este apartado y redondear nuestra visión acerca de la naturaleza de la reinserción de la economía mexicana en la órbita del capitalismo estadounidense, dos breves apuntes resultan pertinentes:

1. Además de *fuerza de trabajo* (que constituye, con mucho, la principal mercancía de exportación del país, con una contribución neta a la balanza
comercial superior a los 28,000 millones de dólares en 2001),[8] México exporta *recursos naturales* (principalmente petróleo) y *activos*. Hacia esto último –*i.e.* la adquisición de activos, a precios de remate, provenientes, sobre
todo, de la privatización de empresas públicas–[9] se ha dirigido el grueso
de la inversión extranjera directa, poniendo de relieve no sólo el carácter
no productivo de este tipo de inversión, sino su denodada contribución a
los procesos de concentración y centralización del capital de las grandes
empresas transnacionales.
2. Quizás lo que mejor sintetiza el carácter extremadamente restringido
que, bajo las circunstancias descritas, asume el proceso de acumulación
de capital en México, sea la despiadada e inmoral transferencia –o mejor
aún: saqueo– de excedentes que se produce en el contexto neoliberal y
bajo la égida del imperialismo norteamericano. Al respecto, John Saxe-
Fernández y Omar Núñez (2001: 150-151) estiman que el monto total de
excedentes transferido por el país, principalmente a Estados Unidos, entre 1982 (año en el que inicia el viraje de la economía mexicana hacia la
producción para la exportación) y 1997, asciende a 457 billones de dólares, a precios constantes de 1990.[10] La contundencia de esta cifra –que no
incluye la transferencia de ganancias vía exportación directa e indirecta
de fuerza de trabajo– cobra su verdadera dimensión si se considera que
América Latina descuella como la primera región tributaria del mundo
subdesarrollado y que, en el contexto latinoamericano, nuestro país se sitúa a la cabeza.

---

[8] Para esta estimación se considera, por un lado, el valor agregado de la industria maquiladora, en
tanto indicador aproximado de la exportación indirecta de fuerza de trabajo y, por el otro, las remesas
derivadas de la exportación directa de fuerza de trabajo.

[9] Vale la pena agregar que, a últimas fechas, esta inversión se ha canalizado hacia la compra del sector financiero del país –a través de la adquisición de Bancomer por el Banco Bilbao Vizcaya y, más recientemente, de Banamex por el City Bank, en una operación de 12,500 millones de dólares, con todas las
implicaciones que ello tiene en función del "control nacional" de nuestra economía y el pago de la deuda interna del país, cuyo servicio (amortización y pago de intereses) se estima en 9,736 millones de dólares para 2002.

[10] Este cálculo comprende transferencias de dos tipos: *a*) las referentes al pago del servicio de la deuda, y *b*) lo que los autores conciben como pérdidas por intercambio, sea a través de la balanza comercial
o por renta, vía franquicias y concesiones o derechos de patente.

Dialéctica entre crecimiento exportador y migración internacional

La contraparte del actual rostro exportador de la economía mexicana –que le confiere una fisonomía de "enclave"[11] (Delgado Wise y Mañán, 2000)– está dada por la pauperización de la mayor parte de la población, la profundización de las desigualdades sociales y la generación de una masa, cada vez mayor, de trabajadores que no encuentran acomodo en el mercado laboral formal del país. Y es esto último, precisamente, el caldo de cultivo que nutre al vigoroso proceso migratorio transfronterizo que se registra en la actualidad.

Para dar una idea de la magnitud alcanzada por el fenómeno, las siguientes cifras resultan más que elocuentes:

a) el número de personas nacidas en México que residen en el vecino del norte asciende a 8.5 millones de personas, de las cuales poco más de la tercera parte son migrantes indocumentados;

b) el flujo de migrantes temporales (*sojourners*) oscila entre 800,000 y un millón de desplazamientos por año; y

c) anualmente alrededor de 300,000 mexicanos establecen su residencia permanente (*settlers*) en Estados Unidos (Tuirán, 2000).

Aun cuando la migración laboral México-Estados Unidos es un fenómeno que cuenta con una larga historia, que data de la segunda mitad del siglo XIX, en su fase actual se caracteriza por exhibir una intensidad y un dinamismo sin precedentes.[12] Pero no sólo eso: conlleva también transformaciones cualitativas de primer orden, tanto en la geografía migratoria (diversificación de las regiones de origen y destino, así como una mayor presencia de las zonas urbanas), como en el espectro ocupacional de los trabajadores transfronterizos (nuevos ámbitos de inserción en el mercado laboral estadounidense), los patrones migratorios (edad, sexo, escolaridad, posición en el hogar, tiempo de estancia, estatus legal, etcétera) y los montos, mecanismos de envío/recepción, usos e impactos de las remesas.

Los siguientes datos –todos referidos al año 2000– ponen de relieve algunas de las nuevas aristas del fenómeno:

[11] Sobre el uso de la noción de enclave es pertinente advertir que, en sentido estricto, no estamos empleando el concepto en su acepción clásica. Nos referimos a él como expresión del saqueo y expropiación de una porción –no necesariamente compacta– del territorio nacional por el capital foráneo, bajo un montaje que reclama de "condiciones macroeconómicas" altamente destructivas y restrictivas de la esfera doméstica de la economía.

[12] Para ilustrar este punto, basta señalar que el flujo migratorio internacional anual neto correspondiente a la última década, es 10 veces superior al registrado dos décadas antes (Tuirán, Fuentes y Ramos, 2001: 6).

• Aun cuando la intensidad de la migración internacional varía territorialmente, el 96.2 por ciento de los municipios del país registra algún tipo de vínculo con este tipo de migración. Algo similar ocurre en Estados Unidos, donde la población residente de origen mexicano –no obstante estar concentrada en un puñado de estados– tiene presencia en prácticamente todo el país, incluyendo Alaska y Hawai, donde radican poco más de 100,000 mexicanos.

• El 55 por ciento de la población de 15 años y más nacida en México que reside en Estados Unidos, cuenta con una escolaridad de secundaria completa o más. Esta cifra baja a 40.7 por ciento en el núcleo de migrantes temporales o circulares y se eleva a 71.8 por ciento al considerar todo el espectro de la población de origen mexicano establecida en aquel país. La media para México en este renglón es de 51.8 por ciento, lo que significa que –en términos generales y contra lo que comúnmente se supone– se está yendo más fuerza de trabajo calificada que la que tiende a quedarse en el país.

• Un tipo de desplazamiento poco visible y que se sale de los estereotipos de la migración laboral, es el correspondiente a los mexicanos residentes en Estados Unidos que cuentan con un nivel de escolaridad equivalente a licenciatura o posgrado. En este caso, el monto asciende a poco más de 250,000 personas.

• El porcentaje de ocupación de la población económicamente activa de mexicanos establecidos en Estados Unidos supera en 15 puntos al registrado por la población que vive en el país.

• La masa de trabajadores migratorios nacidos en México que cuenta con ocupación formal en el vecino del norte es de aproximadamente cinco millones, monto equivalente a una cuarta parte de la población empleada en el sector formal del país.

• El 36.2 por ciento de los emigrantes laboran en el sector secundario (*i.e.* industrial), mientras que en México sólo lo hace el 27.8 por ciento. Esta situación contrasta con la visión estereotipada del migrante como trabajador agrícola, mostrándonos un cambio fundamental en el mercado laboral transfronterizo.

A la par de estas características, se aprecia un significativo incremento en el flujo de remesas enviadas de Estados Unidos a México, las cuales se multiplicaron por 3.5 en el curso de la última década, para alcanzar, en 2001, un máximo histórico de 8,895 millones de dólares (véase cuadro 1). Ello no sólo consolida la posición del país como principal receptor de remesas o "migradólares" en América Latina y segundo a nivel mundial (Waller Meyers, 2000: 275;

Lozano, 2000: 160-161), sino que sitúa a la exportación de fuerza de trabajo como la tercera fuente de divisas en importancia del país,[13] con una contribución a la balanza en cuenta corriente que supera la correspondiente al turismo y a las exportaciones agropecuarias.

CUADRO 1

IMPORTANCIA DE LAS REMESAS EN LA GENERACIÓN DE DIVISAS
(Millones de dólares)

Año	Remesas	Turismo	Petróleo	Manufactura	Agropecuario
			Sector de origen		
1991	2,660	4,340	8,166	32,307	2,373
1992	3,070	4,471	8,307	36,169	2,112
1993	3,333	4,564	7,418	42,500	2,504
1994	3,475	4,855	7,445	51,075	2,678
1995	3,673	4,688	8,423	67,383	4,016
1996	4,224	5,287	11,654	81,014	3,592
1997	4,865	5,748	11,323	95,565	3,828
1998	5,627	6,038	7,134	106,550	3,796
1999	5,910	5,869	9,920	122,819	4,144
2000	6,572	5,953	14,884	145,261	4,263
2001	8,895	6,538	12,801	141,346	4,007

Fuente: Elaborado con datos del Informe Anual del Banco de México, México, 1999 e INEGI, Indicadores Económicos, México, 2001.

La trascendencia de las remesas como factor compensatorio del desequilibrio externo se vuelve aún más evidente, si analizamos la contribución neta de cada sector a la generación de divisas. En este caso, como se aprecia en el cuadro 2, se muestran como la segunda fuente de ingresos netos, después del petróleo.[14]

Que las remesas hayan logrado escalar a esta posición, erigiéndose en la fuente de divisas que registra el crecimiento más consistente a lo largo de la década de los noventa, no sólo las hace más visibles y apetecibles para el capital

[13]Nos referimos exclusivamente a la balanza en cuenta corriente, es decir, la balanza de bienes y servicios (factoriales y no factoriales). En caso de hacer referencia a la balanza de pagos e incluir, por tanto, la cuenta de capital, las remesas pasarían a ocupar el cuarto sitio después de la inversión extranjera directa (IED), las exportaciones manufactureras y el petróleo. Haciendo a un lado la operación de compra de Banamex por City Bank (que obviamente se trata de un hecho extraordinario que distorsiona el análisis) las remesas representarían alrededor de tres cuartas partes de la IED en 2001, llegando incluso, en 1993, a situarse a la par de éstas.

[14]Incluso, en 1998, a raíz de la caída en los precios internacionales del petróleo, tales ingresos llegaron a colocarse en el primer sitio.

financiero internacional, sino que pone en claros aprietos a los apologistas del "milagro" exportador mexicano: ¿cómo encubrir ahora, ante la contundencia de estas evidencias, la naturaleza subdesarrollada de la economía mexicana o el carácter profundamente asimétrico de las relaciones de intercambio que se tejen con el capitalismo norteamericano?

CUADRO 2

APORTACIÓN DE LAS REMESAS AL SALDO COMERCIAL NETO
(Millones de dólares)

			Sector de origen			
Año	Agropecuario	Petróleo y gas	Minería y otras actividades extractivas	Manufactura	Turismo	Remesas
1991	242	7,030	395	−14,660	1,905	2,660
1992	−746	6,896	360	−22,066	1,788	3,070
1993	−129	6,054	319	−19,068	1,948	3,333
1994	−693	6,265	291	−23,350	2,305	3,475
1995	1,373	7,507	−133	−117	3,028	3,673
1996	−1,079	10,469	74	−124	3,327	4,224
1997	−345	9,227	758	−6,023	3,710	4,865
1998	−976	5,406	544	−9,881	3,760	5,627
1999	−554	8,954	−446	−10,363	3,768	5910
2000*	−161	9,385	1,388	−12,969	2,854	4,564
2001*	−843	11,006	−483	−13,356	2,981	6,700

Fuente: Elaborado con datos del Informe Anual del Banco de México, México, 2001 e INEGI, Indicadores Económicos, México, 2001.
* Datos hasta el tercer trimestre del año.

Al trasladarnos al plano social, la importancia estratégica de la migración no sólo se ratifica, sino que se redimensiona, ya que, como bien lo destaca Rodolfo Corona (2001: 38):

El fenómeno migratorio y las remesas constituyen aspectos generalizados en la vida del país, pues involucran a uno de cada cinco hogares mexicanos, elevándose tal proporción en algunas regiones, como las áreas rurales de nueve entidades federativas del centro-occidente de la República, donde de cada dos hogares uno está relacionado con el vecino país del norte por recibir dólares, porque entre sus miembros hay alguno o algunos que vivieron o trabajaron (o trabajan) en Estados Unidos o porque de esta unidad doméstica salió alguna persona para radicar en Norteamérica.

A fin de completar el cuadro sobre la dinámica contradictoria que se genera entre migración y crecimiento económico bajo la égida neoliberal, es pertinente traer a colación lo siguiente:

1. Sin menoscabo de su importancia como fuente de divisas para el país y de subsistencia para numerosos hogares mexicanos, las remesas entrañan, en el fondo –como apuntamos antes–, una transferencia neta de ganancias al exterior.

2. A diferencia de la fuerza laboral que se exporta indirectamente (vía maquila), la que emigra y se establece en Estados Unidos consume en ese país una parte muy significativa de sus ingresos salariales, con la consecuente transferencia de su impacto multiplicador potencial a la economía norteamericana. Tómese en consideración que los ingresos de los trabajadores de origen mexicano en Estados Unidos fueron, en el año 2000, del orden de los 250,000 millones de dólares, de los cuales 87,000 millones correspondieron a emigrantes nacidos en México. Estas cantidades contrastan significativamente con las remesas enviadas al país, las cuales, por más impresionantes que parezcan, alcanzaron en el mismo año un monto de 6,572 millones.

3. Desde un punto de vista fiscal, los migrantes internacionales aportan más de lo que reciben en prestaciones y servicios públicos.[15] Contribuyen, en este sentido, a la dinamización de la economía receptora, mediante la transferencia de recursos al fondo de capital social a disposición del Estado norteamericano.

4. Aunque es difícil medirlo, al presionar sobre el mercado laboral, los migrantes tienden a incidir adversamente en el incremento de los salarios, sobre todo en los campos en los que se desempeñan. A este respecto, un estudio reciente de Jean Papail (2001), pone de relieve que la brecha entre el ingreso promedio que reciben los migrantes mexicanos y el salario mínimo federal de Estados Unidos ha tendido a reducirse en el curso de los últimos 25 años, y peor aún: medido a precios constantes de 2000, se redujo 38 por ciento en el mismo lapso (al caer de 11.7 a 7.2 dólares por hora). Lo paradójico del caso, es que esta situación se genera a la par de los cambios en el perfil laboral de los migrantes arriba descritos.

[15] De acuerdo con información de The National Immigration Forum, en 1997 la población migrante en Estados Unidos aportó al fisco 80,000 millones de dólares más de lo que recibió en términos de beneficios del gobierno norteamericano en sus tres niveles: local, estatal y nacional.

Queda evidenciado así el círculo perverso en el que se halla atrapado el proceso migratorio de México hacia Estados Unidos, donde los dados se encuentran claramente cargados a favor de los intereses hegemónicos de este último.

La política del Estado mexicano en materia migratoria: de la "no política" a la subordinación abierta

Bajo estrechos cálculos de costo-beneficio –con el claro propósito de evitar una confrontación con Estados Unidos, sobre todo con relación a la migración indocumentada–, el gobierno mexicano optó por seguir, entre 1974 y hasta hace relativamente poco tiempo, una estrategia *sui generis* que García y Griego (1988) denomina "la política de la no política" y que consistía en no tener, al menos explícitamente, una política en materia migratoria.

La negociación y suscripción del Tratado de Libre Comercio de América del Norte se convierte en un referente fundamental para el curso subsecuente de la relación bilateral y, en particular, de la migración internacional. Que el gobierno mexicano haya aceptado excluir el tema migratorio de la agenda de negociaciones y adherir acríticamente el principio de libre flujo de capitales y mercancías, ratifica no sólo su falta de compromiso con el sector migrante, sino su franca y, en este caso, abierta subordinación a los intereses hegemónicos de Estados Unidos.

En la misma tesitura se ubica la tibia postura asumida por el gobierno mexicano frente a la feroz embestida del gobierno de Washington en contra de los derechos humanos y laborales de nuestros connacionales. Entre las múltiples medidas implementadas por dicho gobierno para instaurar un *régimen de terror* en su franja fronteriza con México, que en nada se corresponde con lo que debiera ser una política civilizada de "buena vecindad" entre dos socios comerciales,[16] sobresalen los múltiples operativos desplegados por el Servicio de Inmigración y Naturalización de Estados Unidos (SIN)[17] para contener, a cualquier costo, el creciente flujo de migrantes laborales mexicanos.[18] Coincidiendo con el espíritu xenofóbico de la frustrada Proposición 187 del gobernador de California, Pete Wilson, el 30 de septiembre de 1996 entra en vigor la llamada Ley para Reformar la Migración Ilegal y la Responsabilidad de los Inmigrantes. Lo trascendente –y aberrante a la vez– de esta ley aún vigente, es que

---

[16]Tómese en cuenta que México figura como el segundo socio comercial de Estados Unidos.

[17]Tales como las operaciones Guardián, Salvaguarda y Río Grande.

[18]Un claro indicador de la fuerza con la que se lleva a cabo esta política antiinmigrante, es el cada vez más fuerte –por no decir, exorbitante– presupuesto asignado al SIN, que en 1999 asciende a 4,188 millones de dólares.

institucionaliza la *criminalización de la migración laboral*, a través de una serie de normas arbitrarias de procedimiento, que trasgreden los derechos humanos y laborales de los trabajadores transfronterizos, tales como:

• Agilizar los procedimientos para la expulsión de los migrantes indocumentados que sean detenidos por las autoridades migratorias, incluyendo la expulsión sumaria sin derecho de audiencia, en los casos de personas con antecedentes penales.
• Instruir al Departamento de Justicia para que a través del Servicio de Inmigración y Naturalización, establezca planes piloto para detectar a trabajadores "ilegales", quienes deberán ser reportados por sus potenciales empleadores.
• Penalizar severamente al migrante que reincida en ingresar a Estados Unidos sin la documentación requerida, quedándole prohibido hacerlo en por lo menos 10 años; ello sin perjuicio de hacerse acreedor a ser denunciado ante un juez migratorio, quien podría sentenciarlo a purgar una pena de hasta un año de cárcel.
• Conceder al oficial de migración en los puntos de ingreso terrestre, aéreo o marino de Estados Unidos, una mayor discrecionalidad para decidir sobre la internación de un extranjero, someterlo a "inspecciones secundarias", remitirlo a un juez migratorio, o inclusive poder negarle el acceso cuando tenga "sospecha fundada" de que no tiene derecho a permanecer en el país.
• Hacer extensivo a nivel nacional el sistema iniciado en plan experimental en la zona de San Diego, por el cual los migrantes indocumentados son "fichados" mediante el registro de sus huellas dactilares. Se busca establecer un sistema global de control que detecte a la persona registrada en el sistema en cualquier momento y punto del territorio, cuando intente regresar a Estados Unidos.
• Trasladar la carga de la prueba al migrante despedido o afectado negativamente por decisiones discriminatorias por parte de su patrón (Mohar, 2001: 51).

Uno de los saldos más oprobiosos de esta "línea dura" de la política de inmigración estadounidense es, sin duda, la multiplicación de las muertes de mexicanos en la franja fronteriza, las cuales ascendieron, entre 1998 y 2000, a un total de 1,236; cuestión que evidencia el recurso a "...la muerte como elemento disuasivo de la migración" (Villaseñor y Morena, 2002: 13), ratificando la predisposición al terrorismo de Estado como ingrediente esencial de la política exterior y de seguridad interna de Estados Unidos.

No está por demás agregar que:

La principal respuesta del gobierno mexicano a los retos de la realidad migrante resultó ser una medida tardía y confusa: la ley de la no pérdida de la nacionalidad mexicana. Poco después de haber sido aprobada la 187, y de que ONG estadounidenses iniciaran esfuerzos legales para comprobar su inconstitucionalidad, funcionarios mexicanos e intelectuales allegados al poder empezaron a difundir la idea de modificar la Constitución de nuestro país, para permitir a los connacionales radicados en los Estados Unidos que se naturalizaran, defender mejor sus derechos... Desde un principio, la ley fue diseñada para extender a esos mexicanos la posibilidad de recuperar una "nacionalidad" que les permitiría tener derechos culturales y económicos. De manera contundente se excluían derechos políticos (Martínez, 1999: 251).

A reserva de que más adelante ahondemos en el punto, es pertinente acotar que la referida ley –que entró en vigor el 20 de marzo de 1998– ha sido retomada y recodificada al seno de la comunidad migrante mexicana organizada en los Estados Unidos, para exigir, con mayor fuerza cada vez, el ejercicio pleno de sus derechos políticos.

El arribo de Vicente Fox a la Presidencia de México, en diciembre de 2000, baña con nuevos tintes el complejo y complicado escenario que se ha venido delineando, especialmente en lo que hace a la revaloración del tema migratorio. Sobre este cambio de postura en la política exterior mexicana, el canciller Jorge G. Castañeda (2001: 89) puntualiza:

El más prominente y, por distintos motivos, el tema prioritario en la actual agenda bilateral de México y Estados Unidos es, por supuesto, la negociación para atender en forma integral el fenómeno migratorio. Este tema siempre ha estado presente en la relación entre los dos países, pero nunca formó parte de la agenda negociadora de los gobiernos. Incluso en el caso del "acuerdo bracero" de 1942, que algunos consideran un antecedente en esta materia, puede argumentarse que se trató más bien de un acuerdo diseñado por Estados Unidos para obtener mano de obra barata durante la Segunda Guerra Mundial, en el cual el papel negociador de México fue muy limitado. A diferencia de aquel efímero antecedente, en la actualidad ambos gobiernos han reconocido la necesidad de contar con un marco ordenado para la migración, que garantice un trato humano, protección legal adecuada y condiciones laborales dignas para los migrantes. Hoy ambos gobiernos conciben el tema migratorio como una fuente de desafíos y oportunidades, así como de los principales vínculos que unen a nuestras naciones.

¿Cómo interpretar el cambio de postura de ambos gobiernos en torno al tema migratorio? Por encima del tono arrogante y amnésico e infundado triunfalismo del balance hecho por el canciller mexicano, ¿qué lectura debemos hacer de la agenda de negociación convenida?, ¿a qué intereses responde? y ¿cuáles son sus verdaderos alcances?

Más aún, tomando en consideración los cinco grandes temas agendados: regularización de la situación migratoria de connacionales, programa de trabajadores temporales, ampliación del número de visas, fortalecimiento de la seguridad en la frontera (con especial énfasis en el combate al tráfico de personas y la prevención de muertes de migrantes) e impulso a programas de desarrollo en las zonas de alta migración, ¿qué ponderación cabe hacer acerca de los avances en la negociación? Sobre esta base y bajo el tamiz del contexto estructural en el que se desenvuelven las relaciones de México con Estados Unidos, ¿qué puede concluirse en torno al viraje emprendido por la administración foxista en materia migratoria?, ¿se trata de un viraje estratégico en la política exterior mexicana o de un simple cambio escenográfico de corto alcance? Finalmente, ¿hay o no, tras el ropaje de la nueva postura de México en materia migratoria, una agenda oculta? y, de ser así, ¿cuál es su contenido y consecuencias previsibles?

Lo primero que cabe destacar en torno al conjunto de interrogantes planteadas, es que el cambio de postura de los gobiernos mexicano y norteamericano con relación al tema migratorio, tiene como trasfondo el reconocimiento de una realidad: el desbordante crecimiento del fenómeno migratorio –a contracorriente de lo previsto o pregonado por la doctrina neoliberal– y la incapacidad de Estados Unidos para contenerlo (o mejor aún: regularlo) de manera unilateral y bajo estrictas medidas de corte policiaco o militar, como las contempladas por la ley de 1996 (Mohar, 2001: 54). A raíz de la recesión por la que atraviesa la economía estadounidense y de su impacto procíclico sobre la mexicana, esta problemática se acentúa aún más y se redimensiona bajo el prisma de la seguridad hemisférica de la primera potencia capitalista del mundo.

Una segunda consideración importante es que los cinco grandes temas incorporados a la agenda bilateral, aun cuando abordan asuntos de interés para la comunidad migrante, hacen abstracción de una cuestión que resulta fundamental desde la óptica de los intereses estratégicos de México: la liberalización de los flujos migratorios. Se trata, en este sentido, de una *agenda estructuralmente limitada*, que no ataca las causas de fondo de la migración internacional y que, por el contrario, apunta –como el propio gobierno mexicano lo pregona– a "transitar hacia un régimen de flujos ordenados" o regulados. No es difícil advertir que los dados en la negociación están cargados hacia los intereses estratégicos de Estados Unidos, quien, en el peor de los casos, continuará beneficiándose del usufructo de una reserva de mano obra barata proveniente de tierras mexicanas. De aquí que resulte imprecisa la presunción del presidente Fox, plasmada en el texto de su Primer Informe de Gobierno y ratificada en el informe anual de labores del canciller Castañeda, en el sentido de que "por primera vez en la historia, Estados Unidos ha aceptado negociar con otra nación, en este caso México, el tema de la migración de manera integral".

Sobre los "avances" logrados en cada uno de los temas de la agenda binacional, las siguientes observaciones y consideraciones resultan pertinentes:

1. A la fecha no hay prácticamente nada importante que consignar con relación a la regularización de la situación migratoria de poco más de tres millones de connacionales que cargan con el estigma de "ilegales". La única información que tenemos al respecto, es que la posibilidad de la "amnistía" (término inherente al discurso que criminaliza la migración laboral) prácticamente fue descartada por el gobierno de Estados Unidos, para reemplazarla por un programa más modesto de "ajuste adquirido" (Miller y Seymour, 2001: 1). En esta perspectiva se inscribe el anuncio de que podrían beneficiarse de la llamada "amnistía" tardía alrededor de 300,000 mexicanos, efectuado por el SIN en febrero de 2002.

2. Sin lugar a dudas, el tema de los trabajadores temporales es uno de los que mayor interés ha despertado entre las autoridades y legisladores de Estados Unidos. Como bien lo destaca Genoveva Roldán (2001: 85):

Tal pareciera que… todo está encaminado hacia el proyecto –que en el Congreso estadounidense ya se ventilaba entre septiembre y octubre de 2000–, de un nuevo Programa Bracero, o al aumento de la cuota de visas que anualmente entrega Estados Unidos a los mexicanos. El senador de Texas, Phill Gramm, ha esbozado un nuevo proyecto de ley que permitiría a… indocumentados provenientes de México trabajar legalmente con un salario mínimo garantizado y acceso a algunos fondos de salud, pero a condición de que regresen a su país de origen luego de un año de estancia; el número de trabajadores a los que se les permitiría registrarse sería ajustado anualmente en respuesta a cambios en las condiciones económicas estadounidenses, específicamente la tasa de desempleo.

A través de este programa, bautizado como de *trabajadores huéspedes* –tal vez con el afán de distinguirlo, aunque sólo sea de nombre, del desacreditado Programa Bracero–, se expresa, con nitidez, uno de los ejes fundamentales de la postura de Washington en el proceso negociador. Bajo la "generosa" oferta de sacar de la "sombra de la ilegalidad" a millones de migrantes laborales mexicanos y "concederles" derechos laborales mínimos, el programa se propone, en palabras del propio senador Gramm, "fortalecer la economía de Estados Unidos y estimular [mediante las remesas enviadas a nuestro país y las habilidades adquiridas por los trabajadores «huéspedes» a través del programa] el largamente postergado desarrollo económico de México". En sintonía con esta concepción se llevó a cabo una experiencia "piloto" en el estado de Zacatecas, con la participación de las empresas norteamericanas LEH Packing Company, ACME Brick; Kanes, San Angelo y Marcus Drake (García Zamora y Moctezuma, 2001).

Y aunque todo indica que el programa cuenta con la bendición del presidente Fox, la Conferencia Unida de Mexicanos en el Exterior, que aglutina a una veintena de organizaciones políticas de migrantes, manifestó su abierto "rechazo al Programa de Trabajadores Huéspedes o Temporales" y expresó su inconformidad por la exclusión de representantes de la comunidad migrante en las negociaciones (*El Universal*, 5/01/02).

3. No existe información disponible sobre posibles avances en la cuota de visas disponibles para mexicanos.[19] El único dato que tenemos es que en el programa de visas H-2a –correspondiente a trabajadores agrícolas temporales–, la cuota asignada a México disminuyó respecto de otras nacionalidades, entre 1995 y 2000.

4. De los cinco temas que integran la agenda bilateral, el relativo a la *seguridad fronteriza* es, con mucho, el que más atención ha recibido de parte de ambos gobiernos y sobre el que se han dado los mayores "acercamientos". En este caso, al igual que en el programa de trabajadores huéspedes, se ha impuesto la visión e intereses de Washington. Un claro ejemplo de ello, es el Plan de Acción para la Cooperación sobre Seguridad Fronteriza, suscrito el 22 de junio de 2001, el cual incluye:

...declarar zonas de alto riesgo vastas extensiones en la región limítrofe entre México y Estados Unidos; un nuevo programa de reconocimiento aéreo en las áreas desérticas; prevé un proyecto piloto para que la Patrulla Fronteriza reemplace el armamento letal por otro no letal y disuasivo; revisión de los operativos Salvaguarda, Guardián, Bloqueo y Río Grande; incremento hasta en 40 por ciento del número de integrantes del Grupo Beta; el fortalecimiento de medidas para prevenir el acceso a cruces en zonas de alta peligrosidad; prohibir el paso de personas hasta tres kilómetros al sur de la frontera; y efectuar operativos de "disuasión" de la migración entre la Patrulla Fronteriza y los Grupos Beta, e intercambiar información entre la Procuraduría General de la República (PGR) y el Servicio de Inmigración y Naturalización (SIN) para combatir a bandas de polleros (Sandoval, 2001: 252).

[19] La información del SIN por países está actualizada únicamente al año 1999, lo mismo que la consignada en la página web de la embajada de Estados Unidos en México.

Se trata, ostensiblemente, de un conjunto de operativos coordinados, a través de los cuales cuerpos policiales de México son puestos al servicio de la seguridad de Estados Unidos, asignándoles tareas de combate a la migración indocumentada, bajo el supuesto compromiso de proteger los derechos humanos de quienes intentan cruzar la frontera. Las 377 muertes de migrantes mexicanos ocurridas en 2001, el aumento del presupuesto del SIN en un 29 por ciento (anunciado por el presidente George W. Bush el 29 de enero de 2002) y la decisión de incrementar en casi 800 por ciento el número de elementos de la Guardia Nacional apostados en la franja fronteriza (notificada por la Casa Blanca el 6 de febrero de 2002), son señales inequívocas de que los derechos humanos no figuran entre las prioridades de Washington. Por su parte, la tibieza con la que las autoridades mexicanas han reaccionado frente a la violencia y terrorismo desencadenados por el gobierno de Estados Unidos, mediante ridículas campañas de "disuasión" emprendidas por el coordinador de la Oficina Presidencial para Mexicanos en el Exterior, Juan Hernández, revelan que tampoco para la administración del presidente Fox los derechos humanos son una prioridad. Y peor aún: a cambio de ciertas prebendas con relación a la migración laboral mexicana –que hasta ahora no han sido sino falsas promesas– el gobierno de México ha aceptado desempeñar el papel de "centinela" de los Estados Unidos en su frontera sur, mediante el impulso de dos programas complementarios: el Plan Puebla Panamá y el Plan Sur.

El primer programa, como bien lo apunta Juan Manuel Sandoval (2001: 251), se inscribe en una estrategia de integración de

...la región sur-sureste de México y el istmo centroamericano en la dinámica del neoliberalismo, para aprovechar los recursos naturales y energéticos, así como la mano de obra barata de la región, y construir un puente entre América del Norte y América del Sur para facilitar la creación del Área de Libre Comercio de las Américas (ALCA).

El segundo, que inició el 1o. de julio de 2001, tiene por objeto "...reducir la porosidad de las líneas divisorias entre nuestro país y Guatemala y Belice, mediante el incremento de la presencia policiaca y militar... en el marco del compromiso adquirido ante Washington por la administraíón de Fox en el sentido de reducir el flujo de inmigrantes indocumentados que llegan a la frontera común" (Sandoval, 2001: 252). Se trata, en esencia, de una operación de "sellamiento" de nuestra frontera sur, mediante un control policiaco y militarizado de la misma, que reproduce, en territorio mexicano, el sistema de seguridad diseñado por Estados Unidos, delegando al gobierno de México las tareas encaminadas a contener la migración centro y sudamericana, en un acto de servilismo y subordinación sin precedentes. El reciente ofrecimiento hecho por el presidente Vicente Fox al gobierno de Estados Unidos de endurecer el control sobre el flujo de migrantes, reafirma, sin ambages, esta postura (*La Jornada*, 14/02/02).

5. El desarrollo regional en las zonas de más alta intensidad migratoria constituye otro de los puntos de la agenda bilateral en el que los "avances" logrados son prácticamente nulos. Hasta ahora no hay visos de una iniciativa de esta naturaleza que involucre a los gobiernos de ambos países. Lo único que existe son programas promovidos por gobiernos estatales, como el Tres por uno de Zacatecas y "Mi Comunidad" de Guanajuato,[20] así como la iniciativa recientemente impulsada por la administración Fox, bajo lema "adopta una comunidad" (*Reforma*, 20/01/02). Lo singular de esta iniciativa –dirigida a cinco entidades de la República– es que está concebida como una estrategia de combate a la pobreza, partiendo, como lo subraya Jorge Santibáñez (2002), de una percepción equivocada de la relación entre marginación y migración internacional.[21]

De lo hasta aquí expuesto queda claro que el saldo de la negociación bilateral en materia migratoria resulta favorable, única y exclusivamente, a los intereses estratégicos geopolíticos (seguridad hemisférica)[22] y geoeconómicos (aprovechamiento de las ventajas que ofrece México en términos de fuerza de trabajo barata y recursos naturales) de Estados Unidos. Se presenta, en este sentido, como un juego de suma cero, donde lo que uno gana el otro pierde. Y lo peor de todo es que, en este proceso asimétrico de negociación –que nada tiene que ver con el principio de "responsabilidad compartida"–, el rostro digno que por largo tiempo caracterizó a la política exterior mexicana acabó siendo desfigurado y reemplazado por el de la *subordinación abierta*.

La comunidad migrante frente a los desafíos de la globalización neoliberal

Para concluir nuestro análisis, es oportuno traer a colación –como lo subraya James Petras (2001: 85)– que:

[20] Ambos programas buscan encauzar fondos colectivos de los migrantes, mejor conocidos como remesas colectivas (Torres, 1998), hacia el financiamiento de obras sociales, en el caso del Tres por Uno, y maquiladoras en el caso de "Mi Comunidad", aprovechando la disposición y el potencial de financiamiento solidario que en la actualidad tienen los clubes y organizaciones de migrantes en Estados Unidos.

[21] Cabe señalar que, aun reconociendo las severas restricciones estructurales impuestas por el contexto neoliberal (Veltemeyer y O'Maley, 2001), ninguno de estos programas se plantea, con seriedad, la posibilidad de aprovechar el potencial de las remesas –así como otros recursos a disposición de la comunidad migrante– para contribuir al desarrollo local y regional (Delgado Wise y Rodríguez, 2001).

[22] Es importante agregar que, tras los ataques terroristas del 11 de septiembre, se plantea "...la creación de un «sistema defensivo de América del Norte» que incluya a México y Canadá como un «requisito esencial para la defensa de EU», ya que según un informe de inteligencia, «otras alternativas serían inútiles» (Saxe-Fernández, 2001b: 15).

La imagen que tienen algunos intelectuales de que existe la necesidad de crear una alternativa es, por supuesto, una expresión de su ignorancia de las alternativas existentes en el proceso de creación y/o su aceptación inconsciente de lo que argumenta la globalización: que no existen alternativas. En vez de repetir clichés desgastados por el tiempo sobre la "necesidad de alternativas", es más apropiado relacionarse ahora con las alternativas en el proceso de elaboración que llevan a cabo los movimientos en lucha.

Las alternativas están ahí para que se les dé mayor sustancia, coherencia y proyección en el Estado-nación o incluso más allá.

Desde esta perspectiva, lo primero que cabe advertir es que la comunidad migrante se parece hoy cada vez menos, en su fisonomía, a una población aislada, dispersa y desorganizada. Como subproducto contradictorio de la evolución histórica y maduración de las redes sociales migratorias, se produce un tránsito –cada vez más perceptible y significativo– del migrante individual hacia lo que Miguel Moctezuma (2001) concibe como un agente colectivo binacional y transterritorial.

Dicho proceso se materializa en la conformación de una amplia constelación de clubes, más de 500 en la actualidad, de asociaciones de éstos, de federaciones por entidades en varios estados de la unión americana y de alianzas múltiples y coaliciones de organizaciones de diversas entidades que tienen un horizonte nacional y binacional. Lo significativo a resaltar en torno a este punto, es que por esta vía la comunidad migrante avanza hacia esquemas organizativos superiores, caracterizados, entre otras cosas, por: *a*) disponer de una organización formal relativamente permanente; *b*) fortalecer, a partir de ella, los lazos de identidad cultural, pertenencia y solidaridad con sus lugares de origen; *c*) abrir perspectivas de interlocución ante diferentes instancias públicas y privadas, tanto de México como de Estados Unidos, y *d*) contar con un no despreciable potencial financiero –a través de fondos colectivos, que superan las limitaciones y rigideces propias de las remesas individuales o familiares– para destinarlo a obras sociales y, eventualmente, proyectos de desarrollo local y regional.

A la par de este proceso, no cabe duda que la demanda que mayor convocatoria e interés ha concitado al seno de la comunidad migrante organizada en Estados Unidos y que le ha permitido tender puentes con organizaciones de la sociedad civil del país, es la correspondiente al ejercicio pleno de los derechos ciudadanos de los mexicanos en el extranjero. En esta demanda –que es una consecuencia inmediata de la reforma constitucional de 1992 sobre la "no pérdida de la nacionalidad"– se sintetizan cuatro reivindicaciones que apuntan en dirección opuesta a la ideología y práctica propias de la globalización neoliberal: *a*) fortalecimiento de la identidad nacional (mexicanidad) *vs*. la tendencia desintegradora y desarticuladora inherente al globalismo; *b*) impulso colectivo al desarrollo local y regional, en contraposición al impacto destructivo del mercado interno y a las bases productivas nacionales, propio de la reestructuración neoliberal; *c*) democracia desde abajo, atacando la separación entre clase política y sociedad civil inherente a la "democracia" neoliberal (Petras y Veltmeyer, 2001, cap. 6), y *d*) fortalecimiento del Estado de bienestar, frente a la negación del derecho a la seguridad social que caracteriza al Estado neoliberal.

En otro plano, las demandas de la comunidad migrante en Estados Unidos apuntan hacia la regularización del estatus legal, los derechos ciudadanos plenos y la conformación de una sociedad multicultural, en contraste con la exclusión política, la marginación socioeconómica y la formación permanente de minorías étnicas (*ghettos*). Y podemos apuntar aquí también la demanda de apertura de fronteras, dirigida hacia uno de los puntos neurálgicos de la estrategia de dominación imperialista que impera en el marco de las relaciones México-Estados Unidos (Wihtol de Wenden, 1999).

Organización social de los migrantes

Las organizaciones de migrantes, su impacto y evolución en la recepción de personas y el envío de recursos

Luis Rodolfo Morán Quiroz*

Las organizaciones y su papel de recepción

LA LITERATURA que describe los flujos migratorios en nuestro planeta (por ejemplo Sassen, [1996] 1999; Castles y Miller, [1993] 1998: 28) insiste en que los individuos y los grupos que realizan el tránsito de un espacio a otro suelen conservar sus lazos con el lugar de origen, construir y aprovechar los recursos que ofrecen sus redes de parentesco y oriundez, para luego preocuparse por la orientación hacia la sociedad de destino, a medida que se da el asentamiento definitivo y las nuevas generaciones van sustituyendo a las originalmente emigradas. En este contexto de evolución en la orientación de los esfuerzos de individuos y grupos migrantes, las asociaciones de extranjeros y las organizaciones de inmigrantes surgen a raíz de una necesidad sentida de apoyar la comunicación con el terruño, la conservación de la cultura de origen entre los emigrados y sus descendientes, de buscar la aceptación de los individuos y elementos culturales en la sociedad de destino, y establecer vínculos definitivos con los miembros de esa sociedad de llegada. En las líneas que siguen se deta-

---

*En un trabajo previo (Morán, 2001) propongo que algunas asociaciones acumulan funciones y que no pasan propiamente por etapas, sino por una acumulación de tareas. En estas asociaciones, más que el abandonar esfuerzos por la comunicación con el terruño o el apoyo a los recién llegados, se añaden los esfuerzos de los miembros por integrar a sus hijos y a sí mismos a la actividad de la sociedad de recepción y hacer que se respete y conozca la cultura de la que provienen. Lo propuesto aquí no contradice necesariamente lo expresado en aquel texto desde la perspectiva de la existencia de las asoaciaciones en un medio relativamente hostil a los inmigrados; pero sí plantea, desde la perspectiva de la transformación organizacional, la posibilidad de que los inmigrantes se conviertan en miembros de minorías étnicas y en miembros plenamente integrados de la sociedad receptora, haciendo superfluo el conservar asociaciones que ya no responden a necesidades que han dejado de ser sentidas por las nuevas generaciones. Ello no significa que los conflictos y las diferencias generacionales no estén presentes. En algunos casos incluso estas diferencias generacionales, de perspectiva y alcance, son precisamente las que dan lugar a escisiones, el surgimiento de otras asociaciones (por ejemplo con énfasis en las características étnicas y políticas en vez de las migratorias y culturales-lingüísticas) o a la extinción de organizaciones que parecen sostenerse en tradiciones que ya son obsoletas para las nuevas generaciones. De este modo, los antiguos inmigrantes que participaran en esfuerzos organizativos que respondían a necesidades y percepciones de los migrantes de otro tiempo, suelen expresarse como "viejitos gruñones" si se les ve desde la perspectiva de las nuevas generaciones y las nuevas organizaciones étnicas, que luchan por obtener un lugar en una sociedad multicultural.

lla este proceso de generación y transformación de las organizaciones de migrantes y la manera en que resultan vitales para la perpetuación de los flujos migratorios, no sólo en el caso de los traslados de México a Estados Unidos, sino también en muchos otros flujos de migrantes en el mundo.

Las organizaciones de oriundos e inmigrantes suelen originarse a partir de la inquietud que sienten los migrantes relativamente antiguos (es decir, que simplemente llegaron algunos años, meses o semanas antes que sus coterráneos) por apoyar a los recién llegados. Tanto quienes acaban de llegar como quienes tienen más tiempo de establecidos saben que el apoyo mutuo, así sea en términos de simple información, es una ayuda invaluable para comenzar a adaptarse al nuevo medio. Acciones tan básicas como conseguir vivienda, trabajo, contactos para la charla cotidiana en el lenguaje del terruño, tramitar documentos de estancia, realizar la compra de los víveres, localizar los servicios en la localidad receptora y encontrar productos que al menos se parezcan a los utilizados en el lugar de origen, son algunas de la necesidades más urgentes que se resuelven a partir de las redes informales de paisanos y parientes. Estas redes informales no son todavía organizaciones propiamente dichas, pero sí constituyen el núcleo de lo que puede llegar a ser una organización formal si existe un liderazgo, una cohesión social suficiente, recursos informativos y materiales mínimos, un número de miembros bastante como para ameritar el apoyo de manera cíclica y reiterada.

Una vez que los miembros de una red informal intercambian información y reconocen la necesidad de crear una asociación que se haga cargo de algunas de las tareas más urgentes de recepción de paisanos así como de comunicación con el terruño, las organizaciones están listas para ser fundadas. Algunas veces, las organizaciones se conciben a sí mismas como un recurso meramente espacial en que se genera la oportunidad de contactos informales. Así las asociaciones comienzan por establecer un local de reunión que eventualmente comienza a ofrecer comidas y bebidas. En algunas declaraciones de inmigrantes, miembros de asociaciones o funcionarios de estas organizaciones, los miembros de un grupo informal o medianamente organizado prefieren acudir a este local en vez de que sus casas sigan siendo el lugar de reunión de sus parientes. El contar con un local fijo (rentado, propio, prestado o en la forma de un espacio y tiempo delimitados, como el acudir a un restaurante en donde se sirva comida similar a la del terruño) abre la posibilidad de que estas asociaciones se constituyan como algo más que una tertulia que se reúne periódicamente y a partir de entonces se propongan fines de apoyo en al menos los dos frentes ya mencionados: la recepción de nuevos inmigrantes provenientes de terruños, regiones o "nacionalidades" afines, y la conservación de los lazos de comunicación y de los llamados vínculos de "mutua obligación" con los lugares de origen.

Por lo general, las asociaciones pasan históricamente por las siguientes etapas:

1. el planteamiento de la necesidad de conservar los lazos entre familiares y amigos en el lugar de llegada. En algunas ocasiones los individuos que se plantean esta necesidad se ciñen solamente a la función de establecer reuniones de habituales definidas por el origen local, étnico o lingüístico, y generar o perpetuar, en los locales en los que se reúnen, la tradición que en alemán suele llamarse *Stammtisch*, según la cual un grupo tiene horas y fechas reservadas para reunirse a charlar y arreglar el mundo desde un determinado lugar;

2. la discusión de cómo los esfuerzos discursivos por transformar su entorno inmediato en la sociedad de destino, o su entorno mediato en la sociedad de origen, no han sido suficientes todavía para realizar cambios que a ellos les parezcan llenos de significado y a la vez lo suficientemente notorios. En este caso, se discute cómo las aportaciones personales a la familia que se queda en el terruño podrían ampliarse para beneficiar a los proyectos de desarrollo local;

3. la argumentación en torno a cómo los esfuerzos colectivos organizados pueden hacer menos difícil la llegada y establecimiento de nuevos inmigrantes, a la vez que se plantean acciones específicas para apoyar el mejoramiento de un terruño al que sueñan volver en el corto, mediano o largo plazo;

4. la búsqueda de los medios legales, sociales y financieros para establecer una asociación u organización dentro de los márgenes que permiten la sociedad de origen y la sociedad de llegada. En los casos en que los emigrantes son además refugiados políticos o económicos, estos esfuerzos se dificultan tanto por parte de la sociedad de salida (si no hay recursos sociales o económicos suficientes de los cuales echar mano sin poner en peligro a quienes se quedan) como por parte de la sociedad de llegada (como cuando existe hostilidad hacia los inmigrantes en general o hacia determinados grupos étnicos en particular);

5. el establecimiento de organizaciones formalmente registradas, con estatutos, organigrama y tareas a realizar, que incluyen por lo general la protección de los recién llegados desde la nación de origen (o de la región o grupo lingüístico de los que son oriundos la mayoría de los fundadores), la conservación de la cultura del terruño frente a los esfuerzos de asimilación de la sociedad de destino, la difusión de los elementos culturales del terruño considerados valiosos (por ejemplo la música, el arte culinario, la religión, la lengua) y el apoyo a las localidades y nación de la que provienen los inmigrados;

6. el cambio en la orientación de los esfuerzos de los miembros de la organización, hacia la búsqueda de que las nuevas generaciones sean mejor aceptadas en las escuelas, iglesias y espacios públicos de la sociedad de destino. Las nuevas generaciones van transformando los intereses de los inmigrantes originales al ver éstos que el proceso de asentamiento será a largo plazo, si no es que definitivo;

7. la transformación de las organizaciones en parte del conjunto de instituciones que funcionan en la sociedad que alguna vez fue sociedad de destino, pero que para muchos acaba convirtiéndose en la sociedad terminal, en el sentido de que ya no se acaricia el proyecto del retorno y de que los miembros de un flujo migratorio desaparecen para dar lugar a una minoría étnica en vías de integración en la sociedad dominante.

Mientras que los párrafos anteriores apuntan a lo que Weber solía llamar "tipos ideales", quiero hacer explícito que en el caso de las organizaciones fundadas por los mexicanos recientemente inmigrados (más específicamente, por los zacatecanos en California e Illinois en Estados Unidos), su orientación sigue siendo hacia el beneficio del terruño y el impulso de la inversión y el desarrollo en la sociedad de origen, más que hacia la integración de sus miembros en la sociedad de destino. Cabe señalar que las organizaciones de inmigrantes recientes se han diferenciado de las organizaciones de carácter étnico en Estados Unidos.[1] Aun cuando existen vínculos históricos e incluso familiares entre las poblaciones de mexicanos recientemente inmigrados y la población chicana, las asociaciones fundadas por estos dos grandes grupos parecen diferenciarse cada vez más. Mientras las organizaciones chicanas luchan por el reconocimiento de este grupo poblacional como una minoría étnica reforzada en términos numéricos por la constante migración de mexicanos, las asociaciones

---

[1] Vale la pena resaltar que la formación de minorías étnicas tiene que ver con los flujos migratorios, pero no exclusivamente con la llegada de grupos étnicos minoritarios en posición subordinada. En casos notorios como los de Estados Unidos, Sudáfrica, México, determinados grupos étnicos colonizadores han contribuido a hacer de la diferenciación étnica una jerarquía y han forzado a que la resistencia de los grupos étnicos conquistados, sometidos y casi exterminados, se exprese en una búsqueda por el reconocimiento en pié de igualdad de *grupos étnicos* en vez de que se busque la integración de los *individuos* que los conforman en una sociedad "nacional", como pretenderían las visiones asimilacionistas. En las migraciones actuales del sur al norte y del este al oeste, los grupos de migrantes llegan en posiciones políticas y económicas subordinadas, con lo que su lucha por el reconocimiento en muchos casos se parece a la lucha que tuvieron que librar (o siguen librando) los pueblos colonizados por los europeos. Conservar la lengua en un contexto de exterminio por parte de colonizadores que se erigen en propietarios de las tierras que otrora fueron de los pueblos conquistados es muy diferente que la visión de que los inmigrantes tienden a contaminar el lenguaje que se utiliza en países industrializados, a los que llegan nuevos miembros con mayores intenciones de integrarse que de forzar a los demás a tornarse civilizados. La llegada de los europeos a América implicó que los aborígenes tuvieran que reconstruir sus identidades, sus resistencias y sus proyectos, en un contexto radicalmente diferente del que implica la llegada de africanos, asiáticos o latinoamericanos a Norteamérica o Europa.

de inmigrantes buscan apoyar a sus familiares en sus terruños. Es de esperarse que se generen alianzas, solidaridades y acuerdos entre estos dos grupos, pero es claro que las funciones que cumplen las organizaciones de unos y otros no son las mismas en el momento actual.

Como puede observarse, estas asociaciones han evolucionado de maneras distintas, dadas importantes diferencias en la orientación de sus miembros. La orientación hacia proyectos personales, familiares y de desarrollo en el terruño de parte de los inmigrantes recientes contrasta drásticamente con la orientación hacia proyectos de integración en la *Mainstream Society* a los que se abocan los chicanos, por más que en términos generales parecen responder a las etapas planteadas en los puntos anteriores. Ello nos lleva a insistir en el hecho de que los intereses de los miembros de las asociaciones y organizaciones suelen transformarse con el tiempo, el estatus migratorio y las intenciones de establecimiento para modificar contenido de lo realizado desde estas agrupaciones formales.

El papel de remitentes de las organizaciones

Como ya señalan los expertos en migración, los individuos migrantes pasan por un proceso paralelo al descrito para la formación de asociaciones, en lo que respecta a las remesas. Es decir, los individuos dejan de preocuparse únicamente por su bienestar personal y familiar para tratar de hacer más eficientes sus envíos de recursos hacia el lugar de origen. Las organizaciones sirven para que los individuos discutan, prioricen y aprovechen las remesas para incidir en la inversión regional y en las maneras de concebir lo que debe hacerse en los lugares de origen, a partir de lo que ellos logran proponer en los lugares de destino. Las organizaciones se convierten así en vehículos para remitir recursos y elementos culturales, en algunas ocasiones muy tangibles, como cuando los miembros cooperan para que se envíen objetos como ambulancias, refrigeradores, televisiones, equipamiento escolar u hospitalario, ropa o alimentos a los lugares de oriundez. Las organizaciones, en cuanto expresión colectiva, se convierten así en un factor de presión para las decisiones de las autoridades en al menos dos lugares: en el terruño, en donde las autoridades lucharán por orientar la inversión hacia proyectos que ellas consideran de importancia, y recibirán las sugerencias de quienes envían estos recursos; y en el lugar de llegada, pues muchos funcionarios estarán de acuerdo con que los recursos devengados por los trabajadores no deben salir del lugar del trabajo y deben reinvertirse, sea a través del consumo directo y el pago de impuestos, sea a través de inversiones de empresarios inmigrantes o de sufragar los gastos que conllevan los proyectos de desarrollo en la sociedad de destino.

Situadas en dos contextos geográficos y entre dos visiones alternativas de la manera en que los migrantes deben utilizar sus recursos, las organizaciones representan una forma de participación política y económica cuyo papel no resulta despreciable. Tanto los bancos locales en el lugar de trabajo y destino migratorio, como las demás agencias financieras (incluidas aquellas encargadas del envío de remesas) en el lugar de origen, concebido por los migrantes y los miembros de buena parte de las organizaciones como el lugar al que retornarán en un tiempo razonable, hacen esfuerzos por atraer los recursos financieros generados por el trabajo fuera del terruño. Esta situación incide en la importancia de que los migrantes logren organizaciones formales, con organigramas, fines, metas y orientaciones explícitas, pues en cuanto estructuras reconocidas tanto en la sociedad de origen como en la de llegada, logran participar en la toma de decisiones, en el establecimiento de jerarquías, en la realización de obras y en la motivación de individuos que de otra manera desconfiarían de las autoridades locales encargadas de administrar los recursos.

Es de señalar que las organizaciones de migrantes tienen una importante relación en el continuo "confianza-desconfianza". Mientras que muchas veces las organizaciones hacen propuestas para aprovechar mejor los recursos (por ejemplo, bajando el costo de los envíos, pero también optimizando el uso de las remesas, como en los programas en que los gobiernos se obligan a aportar recursos similares en programas como Tres por Uno en Zacatecas), lo hacen también como una forma de expresar que no están muy conformes con simplemente canalizarlos a las autoridades locales, municipales, estatales o federales. Muchas organizaciones tienen incluso sus orígenes en una desconfianza frente a las agencias de gobierno, los partidos organizados o las empresas constructoras. Sin embargo, el que los miembros de las organizaciones sean parte de redes informales en las que cada individuo puede llamar a cuentas a los demás, les facilita el entrar en relaciones que demuestran la confianza en un determinado liderazgo y que exigen (por sentir que tienen un derecho personal dada su posición de pariente u oriundo) cuentas claras a quienes participan como directivos en las asociaciones. Los miembros de una asociación, al igual que las organizaciones en conjunto, se convierten así no sólo en agentes dedicados a enviar recursos, sino en sujetos con derecho a recibir noticias respecto a lo sucedido con los recursos enviados y a exigir que sea visible el progreso en los proyectos en los que participan.

Así, los miembros de las organizaciones están en mejor posición, dado este continuo confianza-desconfianza, para organizar los apoyos al terruño local o ampliado (los inmigrantes de varias localidades pueden contribuir a apoyar a una determinada localidad en casos de urgencia o para aprovechar mejor recursos escasos), dado que se conciben como cercanos a los líderes y perciben a éstos como capaces de llamar a cuentas a los interlocutores en el desarrollo del terruño, e incluso en la solicitud de servicios e infraestructura en los lugares de destino.

Aunque algunos entrevistados (Morán 2001; 2002) señalan que algunos miembros directivos de las asociaciones quieren serlo para sentirse importantes y, para que las autoridades de las administraciones de los lugares de llegada o de los lugares de oriundez los visiten en sus locales o los inviten a sucesos que tienen que ver con la *política del lucimiento*, es claro que las organizaciones y sus líderes pueden lograr mucha mayor influencia como agentes colectivos que sus miembros individuales. Así, la *poilítica de lo cotidiano* y del trabajo en detalle, se constituyen en parte del ámbito de actuación de las organizaciones en modos y alcances a los que los individuos no pueden aspirar si no están organizados.

Las asociaciones de migrantes mexicanos en comparación con otras organizaciones de migrantes

Al plantear que existe un patrón general de evolución para las organizaciones de migrantes y de extranjeros en el mundo, he señalado que se trata de una propuesta de "tipo ideal", en el sentido en el que Weber señalaba que, al describir entes que realmente no existen en cuanto tipos puros, estamos aludiendo a características que es posible concebir a partir de casos empíricos que sí existen y nos sirven de base en la construcción de tipos para la reflexión heurística y teórica. Habrá algunos miembros de clubes, asociaciones u organizaciones de acuerdo con que su transformación específica entre los esfuerzos individuales y su consolidación para tomar parte como actores colectivos en la vida de su terruño o de su lugar de destino, concuerde con lo señalado párrafos arriba. Sin embargo, habrá que reconocer que para algunas asociaciones este esquema general no es directamente aplicable, dado que habrán surgido a partir de orientaciones específicas hacia lo inmediato en el espacio y, con un énfasis en la sociedad receptora o hacia lo inmediato en el afecto para enfatizar los elementos de la sociedad de origen.

El caso de la migración mexicana hacia Estados Unidos se caracteriza no sólo por la cantidad de personas que han cruzado la línea internacional, la duración que han tenido los flujos, la gran cantidad de discusiones entre los gobiernos implicados y el gran volumen de los análisis sobre el tema, sino también por incluir dinámicas cíclicas en los traslados que no parecen presentarse en otras díadas de migración internacional. No es sencillo analizar el caso mexicano bajo la categoría de *commuters*, pues aunque sí los hay, la condición cíclica de los traslados parece tener mayores matices que la distinción frente a la de migrantes definitivos. Es por ello que, en el caso de la operación de las organizaciones de migrantes mexicanos en Estados Unidos, resulta importante distinguir a los migrantes cíclicos de los inmigrantes definitivos y de otros tipos de extranjeros (por ejemplo, a partir de los códigos legales basados en la *ius sanguinis*), porque ello parece matizar el tipo de orientación y la definición de los objetivos de los clubes, asociaciones y organizaciones.

Mientras en otros casos de migración internacional el proyecto del retorno suele también estar presente, las condiciones de proximidad, amplitud de la frontera y extensión de las redes sociales de apoyo en ambos lados de la frontera, la difusión de la cultura en las regiones cercanas son exclusivas del caso mexicano. Ello influye, a mi parecer, en las posibilidades de actuación transnacional y transterritorial de los migrantes individuales y de sus organizaciones colectivas. El caso mexicano muestra cómo la orientación hacia la protección de las nuevas generaciones, se extiende en muchas comunidades hacia las nuevas generaciones tanto en el terruño como en el lugar de destino. Este destino en el extranjero suele ser percibido como temporal y meramente laboral, mientras la localidad de origen es vista como el lugar al que volverán de manera definitiva sea con ánimos empresariales (con el dinero ahorrado en el extranjero), sea con ánimos de retiro del trabajo (con la pensión devengada en Estados Unidos).

En contraste, las organizaciones de migrantes de otras latitudes no están en la misma postura de beneficiar con becas o apoyos materiales a las antiguas y nuevas generaciones, sino suelen enfocarse a la atención de aquellas generaciones con las que han convivido en el terruño (padres y abuelos) o con las que conviven en el extranjero (hijos y nietos), pero no a la atención simultánea de generaciones en dos espacios. Algunos de los inmigrantes en Europa suelen encontrarse con la necesidad de permanecer y frustrar su sueño del regreso, incluso con la necesidad de trasladar a las viejas o nuevas generaciones a un lugar que ellos consideraron durante buena parte de sus vidas como destino temporal. De nuevo, estas afirmaciones deben matizarse, aunque lo que me interesa enfatizar aquí es que las organizaciones de los mexicanos operan de maneras particulares, en el sentido de que perpetúan en buena parte la posibilidad de comunicación con el terruño, y ello aun cuando comiencen a vincularse con las instituciones y comunidades anglosajonas del destino.

Puede afirmarse, entonces, que los logros de las asociaciones de mexicanos actualmente existentes en Estados Unidos se deben en buena parte al potencial de vinculación entre los dos contextos nacionales y, así como al diferencial económico que se prolonga ya por generaciones. Ello permite que la migración laboral de mexicanos sea a la vez fuente de recursos para las comunidades y una manera de desincentivar la inversión en los mercados laborales de los lugares de expulsión. En los lugares de emigración y de retornos cíclicos, en combinación con recursos agrícolas e industriales escasos, es frecuente que los jóvenes esperen entrar al mercado de trabajo sólo a partir de que salen de las fronteras nacionales. Estas expectativas parecen teñir la definición de lo laboral y de las formas de operación de las organizaciones de migrantes mexicanos en Estados Unidos de una manera que resulta poco común en otros grupos nacionales de emigrados, quienes se trasladan y rompen con sus vínculos con el terruño por periodos más largos dadas las distancias y fronteras más insalvables.

Las organizaciones sociales de migrantes mexicanos en Estados Unidos: el caso del Club Social de Jala, Nayarit, en California y su gestión para la coexistencia de tradiciones populares

Cecilia Imaz B.

EL FENÓMENO de la migración mexicana ha sido ampliamente estudiado y documentado desde los años sesenta, pero falta aún mayor conocimiento sobre el impacto de los migrantes en México.

El presente estudio es resultado de una investigación[1] sobre las tradiciones culturales y la relación con la comunidad de origen de los emigrados nayaritas del municipio de Jala, Nayarit, México, establecidos en el condado de Los Ángeles, California, Estados Unidos.

Analizamos la vinculación de estos migrantes con su comunidad natal a través de una de las formas más comunes de organización comunitaria entre los mexicanos emigrados de primera generación avecindados en Estados Unidos: los clubes sociales por lugar de origen (CPLO) que establecen la relación entre ambas comunidades.

Estos clubes constituyen redes de apoyo para los migrantes, distintas de las familiares, que se forman en el proceso de establecimiento. Un aspecto sobresaliente de este tipo de organización no gubernamental, no lucrativa y de tipo asistencial es su presencia, en algunos casos, en la toma de decisiones de ambas comunidades: en la que forman en el país vecino y en el pueblo natal, pues han provocado cambios sociales en numerosas comunidades de México.

Nuestro sujeto de estudio son los mexicanos migrantes de primera generación del municipio de Jala, Nayarit, la mayoría residentes permanentes y con hijos nacidos en Estados Unidos. Nos centramos en los emigrados de primera generación, pues son los que mantienen más ligas con su comunidad de origen, y hacemos referencia a la participación que la segunda generación tiene en los festejos religioso-populares.

Jala es un municipio del occidente mexicano que conserva sus raíces culturales. A diferencia de otros municipios del occidente de México, no expulsa

---

[1] Beca para estudios culturales, 1995 del Fideicomiso para la Cultura México-USA, otorgada a la autora, con la colaboración de Jacqueline Lafon.

muchos migrantes y los que emigran mantienen sus costumbres por su arraigo con la comunidad natal, expresado en el mantenimiento de su identidad, lealtad e intereses en ella.

La investigación sobre la coexistencia de fiestas y tradiciones religioso-populares entre la comunidad de Jala en Nayarit y la establecida en California se realizó en el lapso de un año,[2] siguiendo el calendario de las principales fiestas de Jala, en las que destaca la Judea o Semana Santa, las fiestas de la Virgen de la Asunción, de la Virgen de la Natividad y la Navidad. En este trabajo nos referiremos a la fiesta patronal, la de la Virgen de la Asunción, en la que los emigrados conquistaron un espacio propio, el día dedicado a "los hijos ausentes".

Como la fiesta patronal es la más relevante dentro del calendario de fiestas religioso-populares, en ella participan los migrantes de una manera destacada. Nueve días previos al día de la Virgen de la Asunción llegan a la localidad con su "embajadora", una migrante de segunda generación, elegida reina de belleza de la comunidad jaleña en California y hacen el "rompimiento" de la fiesta. Sus actividades culminan con una peregrinación muy lucida, reservada a "los hijos ausentes" el día anterior al de la patrona del pueblo.

La importancia de los migrantes en esta comunidad ha quedado demostrada por su contribución a la economía, así como por los efectos modernizantes que han introducido en la vida cotidiana, por lo que se han convertido en factores de cambio y modernización.

Comenzaremos por describir las localidades de origen y de recepción, los mecanismos de organización de los jaleños en California y las formas de participación en sus fiestas religiosas, que muestran una relación transnacional de los emigrados con su comunidad de origen.

La migración de Jala, Nayarit

Las primeras migraciones de jaleños a Estados Unidos ocurrieron en los años treinta. Se recuerdan casos aislados, como el de un señor de apellido Santana y, un señor Benítez que nunca regresó y el de una señora que se fue, se casó en California y sólo regresó una vez de visita a Jala.

Durante los primeros años de los convenios intergubernamentales de braceros (1942-1964) algunos jaleños tuvieron la experiencia de emigrar bajo contrato laboral, pero en Jala el número fue bajo, menor a 50 personas.

[2] La autora agradece a los dirigentes del Club Social de Jala, Nayarit, en California, Víctor González y Samuel Carrillo, por abrirnos las puertas de sus casas en ambos países; así como al profesor Miguel González Lomelí de Jala, quienes dedicaron su tiempo libre para contribuir en la realizacion de este estudio.

Posteriormente, con la industrialización de la posguerra, las empresas norteamericanas comenzaron a demandar mano de obra sin contratación regulada y fue en esos años que se dió un impulso a la emigración de trabajadores de los estados del norte, centro y occidente de México.

En Jala este impulso a la migración inició en los años sesenta, y tuvo como apoyo a una generosa mujer quien creó la red que dio sustento a la ola de inmigrantes que iniciaron esa aventura. En 1952 aquella mujer había salido del pueblo abrumada por un embarazo no deseado. Llegó a Highland Park, en el condado de Los Ángeles, a casa de unos tíos que se habían ido de Jala desde los años cuarenta. Consiguió trabajo en un hospital y después una casa en Highland Park, donde dio posada y sustento a sus paisanos que decidieron emigrar. No regresó más a Jala, pero se le recuerda con cariño. Actualmente vive en Idaho con su hija.

Los migrantes de Jala que se fueron en busca de trabajo en los años sesenta y setenta, cuando las oportunidades de empleo eran muy amplias, han logrado mediante el desempeño laboral elevar sustancialmente su nivel de vida.

Los primeros migrantes que se fueron a través de los convenios de braceros se incorporaron en su gran mayoría al trabajo agrícola. La segunda oleada de migración encontró empleos en la industria y en los servicios, por lo que siempre vivieron en ciudades. Los de migración más reciente han tenido muchas dificultades para conseguir empleo, debido a la actual situación económica y cuando lo logran es con salarios abajo del mínimo, sólo temporalmente en la agricultura, la construcción o los servicios.

La mayoría de los jaleños se ha casado con mujeres del pueblo natal. Tienen en promedio 4.5 hijos, a los que dan educación privada religiosa cuando sus ingresos lo permiten. Algunos de los hijos logran acceder a un nivel superior de educación por medio del servicio militar (*Army*) o en universidades del condado. Para los hijos de trabajadores jaleños que no han tenido éxito las oportunidades son casi las mismas que las encontradas por sus padres cuando emigraron por primera vez. Y esta situación no es exclusiva de los jaleños; de hecho es una característica de la migración mexicana de las últimas generaciones.

Los que se encuentran en esta condición se quejan de que sus hijos no terminan la *high-school* y buscan cualquier trabajo mal remunerado y "se pierden". Aún los que la terminan no logran ir más allá, pues ingresan al mercado laboral en una situación desfavorable.

Además, el ambiente para los jóvenes de escasos recursos es muy violento en Los Ángeles. Las pandillas o *gangs* (gangas) que viven del tráfico de drogas, el robo y el crimen pandillero son una amenaza para las familias mexicanas, pues sus hijos se enredan en actividades ilícitas para obtener dinero fácilmente y este problema se ha extendido a los nuevos emigrados.

A lo anterior se añade el grado conflictivo al que ha llegado la emigración mexicana, en la que por un lado hay una sobreoferta de mano de obra al otro lado de la frontera, generando un clima de racismo y mayor discriminación; y por otro lado se han empobrecido más las pequeñas comunidades rurales mexicanas, sin tecnología y con siembra de temporal, pues el ausentismo de los trabajadores que ha emigrado en más de 20 estados expulsores ha disminuido la inversión en pequeña escala en la agricultura y en las manufacturas.

La localidad de Jala no es ajena a esta situación. No obstante no es un municipio altamente expulsor (de los emigrados provenientes de municipios nayaritas en Los Ángeles es de los de más bajo número).[3] Su situación económica sufre de estancamiento. Como signo alentador está el regreso de varios ex migrantes que han invertido en la localidad, lo que puede generar cierto crecimiento económico con visiones modernizadoras.

Aquí y allá. Para muchos mexicanos, aquí y allá difícilmente tiene una connotación distinta que México y Estados Unidos. En este estudio, aquí es Jala y allá son ciertos barrios del condado de Los Ángeles.

El municipio de origen: Jala, Nayarit

El municipio de Jala se localiza en la parte serrana sur del estado de Nayarit, a 85 kilómetros de la capital, Tepic, entre las ciudades de Ixtlán del Río y Ahuacatlán y a 7 kilómetros del entronque de la carretera federal México-Nogales.

El estado de Nayarit, junto con Jalisco, Colima y Aguascalientes y porciones de los estados de Guanajuato, Michoacán y Zacatecas forman la región centro-occidente de México. Esta región coincide *grosso modo* con el antiguo reino de la Nueva Galicia, e históricamente puede definirse como el área de influencia de la ciudad de Guadalajara.

En esta región predomina una cultura de raigambre española, pues ahí la presencia indígena es menor que en el centro y sur del país. Por lo mismo el catolicismo es un factor determinante de identidad y cohesión social, lo que en parte explica que haya sido escenario de las rebeliones cristeras (1926-1929 y 1932-1933), que dejaron en ella sentimientos de hostilidad y desconfianza hacia el gobierno federal.[4]

La cabecera del municipio tiene el mismo nombre. Es una localidad media con alrededor de 8,000 habitantes, a la cual se ha integrado un pueblo conti-

---

[3] Datos del consulado general de México en Los Ángeles.
[4] Etapas sucesivas en que la región del Bajío se levantó en armas contra el gobierno central obedeciendo las consignas de la jerarquía eclesiástica en contra de la ley que establecía el tratamiento dentro del fuero común de las infracciones en materia de culto. Atrás de esta medida antieclesiástica estaba la inconformidad respecto a cómo el gobierno pretendía solucionar el problema agrario (De la Peña, 1994).

guo llamado Jomulco (arrinconado). La población de Jala es mestiza con raíces coras y la de Jomulco es mestiza también, pero de origen tlaxcalteca, razón por la cual "comulgan separado".

El nombre de Jala proviene de los vocablos náhuatl *xali* y *tla* que se refieren a las abundantes arenas de la localidad, pues se encuentra en un valle arenoso denominado El Llano, formado por las erupciones del volcán Ceboruco. De acuerdo con las proyecciones de la población de Conapo en 2002 el municipio contaba con una población de 19,039 habitantes, repartida en 34 localidades.[5]

La cabecera del municipio cuenta con energía eléctrica, teléfono y agua potable. El pueblo tiene una altura sobre el nivel del mar de 1,060 metros y clima templado. La principal actividad económica de Jala es la agricultura y ganadería de subsistencia. Hay poca manufactura y la minería no se trabaja desde la Revolución.[6]

Durante la época colonial Jala fue una gran hacienda. Tras la Revolución la propiedad de la tierra quedó repartida en pequeña propiedad, ejido y tierras comunales en proporciones similares. En el 90 por ciento de las tierras se cultiva el maíz de temporal, sólo el 3 por ciento es de riego y sólo en una parte del municipio hay conflicto por la tenencia de la tierra, entre comuneros y ejidatarios.

La población da mucha importancia a la educación. Hay un jardín de niños, cinco escuelas primarias, una secundaria, una preparatoria y una escuela técnica; la profesión de maestro es muy socorrida entre los jaleños.

El gobierno de la localidad cuenta con un presupuesto reducido, como ocurre en la mayoría de los municipios del país. Hubo cierto auge en el gasto municipal a finales de los setenta, con el *boom* petrolero con el que se hicieron obras de infraestructura, pero como no generó actividades productivas de largo alcance el efímero bienestar decayó y la migración a California se incrementó.

En los últimos años ha aflorado la manufactura del empaque de la hoja del maíz que se vende en Monterrey, Distrito Federal y Estados Unidos. Es la empresa de un ex migrante, Juan Carrillo, y alrededor de 10 empacadoras emplean a más de 400 personas, a hombres en el corte y mujeres en el empaque.

La ciudad de arribo: Los Ángeles, California

La ciudad de Los Ángeles es una de las mayores y más ricas del mundo, no obstante, comprende áreas rurales y zonas fronterizas afectadas por dinámicas y problemas completamente ajenos al enfoque de las ciudades mundiales. Entre

[5] Población de México en Cifras. Proyecciones de la Población 1996-2050, Conapo, 2002, México, 2003.

[6] En la época colonial hubo explotaciones importantes de oro y plata en las minas Coapilla, El Liso, Chimaltitlán, Cofradía de Buenos Aires. Entrevista a Miguel González Lomelí, Jala, 1995.

esas zonas están las ocupadas por trabajadores manuales de origen mexicano, que desde hace más de un siglo han ido allá en busca de trabajo y a reunirse con familiares que habitaban en ese lado de la frontera.

Para el caso que nos ocupa, el vasto condado de Los Ángeles ha sido el lugar donde la mayoría de los jaleños ha ido en busca de trabajo y de un mayor salario, para lograr una mejor calidad de vida.

Como señalamos, la primera migración fue en los años veinte. Posteriormente, al término de los convenios de braceros la migración aumentó en los años setenta y de una manera muy acentuada e ininterrumpida a partir de los ochenta, despoblándose muchas ciudades medias y comunidades rurales de una quinta parte de los municipios de México.[7] Entre aquellos migrantes, algunos se quedaron, otros retornaron y emigraron varias veces y algunos más han regresado jubilados.

Desde las primeras migraciones al condado de Los Ángeles los jaleños han vivido en dos barrios: Highland Park y Cypress Park. Sólo algunos habitan en North Hollywood y en Echo Park; los de más reciente emigración viven en el valle de San Fernando y en el condado de Concord.

Quienes emigraron en los años setenta son en su gran mayoría obreros con militancia sindical. Algunos han elevado sustancialmente su nivel de vida y pocos han logrado emprender un negocio propio. Los de más reciente arribo encuentran empleo en la industria agrícola y de la comida, pero ya no sólo en Los Ángeles sino en Dallas o Florida.

La mayor parte de los miembros del Club Social de Jala en California viven en Cypress Park y en Highland Park, suburbios ubicados en la periferia de la ciudad de Los Ángeles. Cypress Park es una zona con buena infraestructura, pero de ambiente violento. Los miembros del Club Cora, formado a raíz de un rompimiento del club original de los jaleños, viven ahí, donde también se encuentra la iglesia del Divino Salvador, que es la parroquia de los jaleños en Los Ángeles.

La mayoría de los jaleños se han casado con personas del pueblo natal y los hijos de esta primera generación de emigrados son en su mayoría norteamericanos, pero aún guardan las tradiciones y costumbres de sus padres. Les gusta ir de vacaciones al pueblo, donde lo que más aprecian es la libertad y seguridad para desenvolverse, en contraste con lo que ocurre en muchas partes de la ciudad de Los Ángeles. Van en temporadas de fiestas y bailes. Participan con sus padres en la peregrinación anual y festejan sus bodas y 15 años en los salones del pueblo, negocios de una familia de migrantes.

---

[7] 20.1 por ciento de municipios de alta y muy alta intensidad migratoria, Conapo 2002, *Información sociodemográfica*, México, 2002.

En Highland Park también encontramos pequeños empresarios jaleños, como el señor Félix Ramos quien ha logrado tener un taller de cancelería y ventanas. Da empleo a cinco paisanos, viaja anualmente a Jala con algunos de sus siete hijos; sus padres, emigrados que ya retornaron, lo visitan frecuentemente. Félix se divorció de una norteamericana y se casó después con una muchacha de Jala.

Entre los jóvenes que emigraron en los años setenta se encuentra un actor, Francisco Verdín. Él coordina un grupo de ballet folclórico en el valle de San Fernando. Con 125 bailarines han hecho representaciones en Los Ángeles y en tres ocasiones han participado en el Festival Cervantino de la ciudad de Guanajuato y en la feria anual de Aguascalientes. El abuelo de Francisco era bailarín en las procesiones religiosas de Jala.

La identidad cultural como fuerza integradora

Es generalmente aceptado que la identidad sociocultural está determinada por el imperativo territorial, la recreación de la memoria e historia grupales y la exaltación de la propia cultura (Roque de Barros 1989:90 y ss.).[8] Igualmente es aceptado que la cultura es, en términos generales, un sistema de conocimientos y valores que mediatiza para los miembros de cada sociedad, la construcción de su identidad, su visión del mundo y de la vida. Frecuentemente este universo de sentido (la cultura) se expresa a través de símbolos de pertenencia, de solidaridad, de jerarquía, de evocación del pasado; símbolos nacionales, regionales, étnicos, religiosos, míticos. Es decir, a través de un sistema de signos que lo representan y evocan.

A la vez, toda forma cultural se halla inscrita en contextos sociales estructurados que implican relaciones de poder, formas de conflicto y desigualdades, en términos de distribución de recursos. Por lo tanto, la cultura es también la forma y el medio a través de la cual se expresan el poder, las relaciones sociales y la economía.

Existe una clara continuidad entre cultura e identidad, en la medida en que esta última es resultante de la internalización peculiar y distintiva de la primera por los actores sociales.

Asimismo, la identidad puede concebirse como la percepción de un sujeto con relación a los otros. Según Bonfil (1987),[9] la identidad subjetiva emerge y se afirma sólo en la confrontación con otras identidades, en el proceso de una interacción social que frecuentemente implica relación desigual y, por ende, luchas y contradicciones.

[8] Laira Roque de Barros, 1989.
[9] Guillermo Bonfil Batalla, 1987.

Los jaleños en Los Ángeles, al ubicarse a sí mismos como mexicanos, jaleños y coras, establecen una distinción entre paisanos y "gringos" (a quienes llaman "bolillos" por el color claro del cabello, semejante al trigo tostado), entre parientes y extraños, entre jefes y subalternos, etcétera. Estas clasificaciones arrastran consigo muchos significados de creencias y sentimientos, que definen y dan sentido a estas diferencias (Gendreau y Giménez, 1995). Por ejemplo, con relación a la identidad regional Jala se encuentra en la región llamada genéricamente occidente de México. Esta región, cuyo centro cultural, económico y político es la ciudad de Guadalajara, tiene diferencias culturales significativas con las regiones norte, centro, golfo y sur de México; diferencias en las fisonomías, dialectos, formas de vida, estilos étnicos, maneras de pensar y formas de concebir el mundo. De acuerdo con De la Peña (1994), el dominio que la capital de Jalisco ejerce sobre su *hinterland* es mucho más fuerte que el de la ciudad de México sobre el país. Este centro político y económico tiene como brazo derecho el poder de la Iglesia católica en una de las arquidiócesis más importantes de América Latina, por su tamaño, riqueza y número de parroquias, clérigos, diocesanos y regulares, conventos, seminarios y casas de formación religiosa. Por lo que no es extraño que la religión sea un factor de identidad en la región y que el discurso religioso logre articularse con otras esferas de la vida cotidiana de los pueblos.

Además de estas diferencias en cada región podemos ubicar diferentes identidades culturales en los espacios geográficos y culturales más tangibles, que son las comunidades o los pueblos.

En Jala encontramos dos ejes que estructuran la matriz cultural regional: la ciudad de Guadalajara y la Iglesia católica; y dos elementos básicos que definen su identidad cultural local: las raíces coras y la cultura milpera tradicional. No es aleatorio que los equipos de futbol de los jaleños en California se hayan denominado "los coras" y "los eloteros". Otro ejemplo de cultura autónoma en Jala es el uso de la agricultura milpera tradicional, que implica cierto tipo de conocimientos, de instrumentos agrícolas, de formas de organización del trabajo y rituales asociados.

Con relación a los migrantes de Jala establecidos en Los Ángeles, la identidad grupal se externó a través del Club Social del Municipio de Jala en California, un grupo local de autoayuda que se integró por la pertenencia a un grupo, los de Jala, por referencia a ideas y valores que trascienden las fronteras del aquí y ahora (los valores tradicionales de la familia rural mexicana del centro occidente) y por contraste, por distinción y oposición a los "otros", a los norteamericanos y a los de otras regiones, estados y municipios de México.

Mediante el club social se manifestó públicamente la identidad grupal en una forma de asociación cívica, que por definición es típicamente voluntaria y expresa el consenso de un grupo de individuos en torno a ciertas metas y estrategias para lograrlas (De la Peña, 1994).

A la vez, la identidad del grupo étnico, no obstante ser un fenómeno social, se expresa también individualmente, lo que permite explicar situaciones en las que un individuo no ejerce la cultura propia de su grupo, pero mantiene su identidad étnica. Este es el caso de muchos emigrados, que en un contexto ajeno pueden manipular su identidad de origen, afirmándola o negándola, según las circunstancias en su relación con los otros.

En nuestro caso de estudio, el club social como grupo primario de organización social, funciona como esquema ordenador de la vida colectiva. Y así sucede con muchas de las diásporas en las que la memoria colectiva resguardada individual y familiarmente el ejercicio de ciertas prácticas domésticas como la lengua, la observación de ritos familiares y personales. También la esperanza de reconstruir el grupo de origen y reintegrarse a la cultura autónoma, parecen ser suficientes para dar fundamento a la persistencia de la identidad étnica (Bonfil, 1987).

Sin embargo la identidad, frecuentemente exaltada en los migrantes, no es estática. Entre diversos grupos de migrantes la identidad local es arraigada, pero inmersa en un proceso de cambio, sobre todo a lo largo de las generaciones sucesivas. Recordemos que migración implica movilidad del lugar de residencia y conocimiento de entornos diferentes. La estancia en California facilita el acceso de los migrantes a la cultura de masas, a procesos más democráticos, a la sindicalización, al concepto amplio de los derechos humanos, a las nuevas tecnologías de comunicación electrónica y a otras nuevas experiencias, lo cual produce cambios considerables en los comportamientos culturales y en la autopercepción de los migrantes.

De esto se deduce que la modernización, por aculturación o transculturación, no implica por sí misma una mutación de identidad, sino sólo su redefinición adaptativa. Incluso la modernización puede provocar la reactivación de la identidad mediante procesos de exaltación regenerativa, tesis que ha sido frecuentemente verificada por la sociología de las migraciones.

Se ha visto que la migración amplía los roles y los espacios sociales de los migrantes, pero en la primera generación no se produce la aculturación, que es la modalidad adaptativa del cambio de identidad, pues aculturación no es lo mismo que asimilación total, que implicaría una mutación de identidad, sino que es un paso hacia ella. Por eso es más probable que ocurra la asimilación en la segunda generación y con seguridad en la tercera.

El Club Social del municipio de Jala en California

En los condados de Los Ángeles y Concord, California, los nayaritas de primera generación, aproximadamente 5,000, se organizaron a principios de los años setenta en clubes sociales por municipio de origen.[10]

Los clubes son dirigidos por líderes comunitarios y sus actividades son básicamente de tipo asistencial. Algunos orientan su acción a la comunidad radicada en Estados Unidos, otros a la de México y otros a ambas; pero además de ayudarse en casos de necesidad tienen como prioridad realizar el festejo de sus tradiciones religioso-populares, entre las que sobresale la peregrinación al pueblo natal en honor del santo patrón.

Durante mucho tiempo estas organizaciones se mantuvieron casi invisibles, pues pertencen al México pobre, al México "profundo", al que vive y se desarrolla en una esfera aparte a la de los grandes centros de influencia económica y política. Sin embargo en los últimos años, por el acercamiento de los consulados mexicanos a sus comunidades de inmigrantes, se empezó a hacer difusión de la existencia de estas asociaciones y a propiciar que su número se incrementara.

Es altamente probable que muchos de los mexicanos emigrados,[11] hayan formado agrupaciones comunitarias por oriundez en varios de los estados de la Unión americana (véase cuadro), sobre todo en California, Texas, Arizona, Illinois, Nuevo México, Colorado y Nueva York, que son los que concentran más población de origen mexicano. No obstante, no podemos establecer una relación causal de grandes comunidades de mexicanos con organizaciones de este tipo, ya que en esas comunidades encontramos una vasta gama de intereses, antecedentes y metas, que varían de acuerdo con el nivel que ocupan los individuos en los diferentes estratos sociales.

Los integrantes de estas organizaciones son trabajadores mexicanos residentes en Estados Unidos y algunos temporales, que provienen de diferentes estados del país (véase cuadro). Estas organizaciones de mexicanos por lugar de origen y con fines asistenciales han existido desde tiempos pasados. Como grupos primarios de autoayuda se formaron desde principio del siglo pasado, como sociedades mutualistas de defensa ante la discriminación laboral y social. Con el tiempo algunas de estas organizaciones se convirtieron en sindicatos de trabajadores y otras quedaron como asociaciones de beneficiencia o clubes sociales.

Durante la crisis de 1929 la labor asistencial de las organizaciones mutualistas hacia los connacionales quedó ampliamente demostrada. En esta crisis se

---

[10] Los clubes sociales por lugar de origen son una de las formas de organización en las comunidades de mexicanos en Estados Unidos. Las organizaciones deportivas son las más numerosas.

[11] Para migración mexicana a Estados Unidos, véase Rodolfo Corona Vázquez, 1995, *Estimación de la población de origen mexicano en Estados Unidos 1850-1990*, El Colegio de la Frontera Norte, Roger Díaz de Cossío, 1997, y Conapo, *Perfiles Sociodemográficos*, 2002.

CUADRO
CLUBES DE ORIUNDOS REGISTRADOS EN ESTADOS UNIDOS, 2002

Estados de la República mexicana / Consulados	Ags.	Chih.	Coah.	Col.	D.F.	Dgo.	Mex.	Gro.	Gto.	Hgo.	Jal.	Mich.	Mor.	Nay.	NL.	Oax.	Pue.	Qro.	SLP.	Sin.	Som.	Tamps.	Tlax.	Ver.	Yuc.	Zac.	Total clubes
Albuquerque																										2	2
Atlanta									1																		1
Austin					3				1															4		4	12
Calexico	1										1																170
Chicago	1			1	1	6		41	26	1	24	15		1	2	3	3		11					4		29	11
Dallas									1		1	1			2	1	1		1			1		1		1	5
Denver	1					1			1		1															1	1
Detroit									1																		11
Filadelfia						2		2			1	1				1	2							1		1	10
Fresno									1		5					9										1	6
Houston		1						2		1					1	1						1					1
Las Vegas																										1	218
Los Angeles		2		2	1	2		2	2	2	45	11	23			11	5		4	15		1	7	1		75	8
Mc. Allen						2		2	2		1	1				1								1		1	2
Miami		1						2									23						1				27
Nueva York											5	1								1							1
Orlando																2										6	13
Oxnard											5															1	5
Phoenix						1			1		1	1	1				1				1					1	4
Portland											1	1				2											2
Sacramento								2			1	1											1				2
Salt Lake City											1															1	11
San Antonio		1		1	1	1		2	2			1		1	1		1		1					1		1	3
San Bernardino *																				1							2
San Diego									2		1	1	1			2			1								12
San Francisco	1							1	2		1	2												1		3	18
San José								1	10		10	2														3	16
Santa Ana	1							1	2		2	1		2									2	1			5
Seattle													1														2
Tucson																					2					2	
Total por Estado	1	6	2	3	5	18	8	49	48	5	99	35	25	5	4	31	34	0	23	17	5	3	12	9	1	132	583

Fuente: Elaborado por recopilación y sistematización de la información del Programa de Comunidades Mexicanas en el Exterior de la Secretaría de Relaciones Exteriores, México, D.F. julio de 2002.

expulsaron alrededor de 400,000 trabajadores mexicanos y ante el alto número de repatriaciones que el gobierno mexicano no pudo sufragar, las asociaciones mutualistas intervinieron entre 1929 y 1933 para cubrir los costos de éstas.

Entre las sociedades mutualistas de esos años destacaron en Los Ángeles la Cooperativa Mexicana de Producción, Consumo y Repatriación y el Comité de Beneficiencia Mexicana de Los Ángeles, que sigue activo. En Texas la Sociedad Mutualista, "Benevolencia Mexicana" en San Antonio, la Sociedad Mutualista-"Benito Juárez" de Galveston, la "Hijos de Hidalgo" de Robston, la Sociedad Mutualista "Mexicana" de El Paso, la "Unión de Jornaleros" de Laredo y la Sociedad Mutualista Mexicana de Jornaleros de Waco. En Colorado la Sociedad "Unión y Patria" de Galeton, y en Chicago, la Sociedad "Benito Juárez" y la Asociación de Trabajadores para Unir a la Comunidad Mexicana.[12]

A diferencia de las antiguas sociedades mutualistas, las actuales organizaciones de mexicanos por lugar de origen no sólo tienen como objetivo ayudar mutuamente a establecerse, a conseguir trabajo y a socorrerse en casos de emergencia, sino como ya se mencionó, a ayudar a mejorar al pueblo natal.

En los estados de tradición receptora como California e Illinois encontramos clubes sociales de mexicanos de relativa antigüedad, como el Comité Patriótico Mexicano de la comunidad guerrerense en Illinois, fundado hace 70 años por ferrocarrileros. En California uno de los más antiguos clubes en la ciudad de Los Ángeles es el de Aguascalientes, formado en 1962. Tuvo su apogeo en los sesenta y principios de los setenta, cuando la mayoría de las familias mexicanas radicaba en el este de la ciudad; posteriormente este club se mantuvo gracias a la colaboración de la ciudad hermana de Commerce con la ciudad de Aguascalientes. A principios de los ochenta el club dejó de operar, pero volvió a reunirse en 1992 con motivo de la visita del gobernador electo de esa entidad y mantuvo su lema original: "Unidos en la distancia, por el bien de la patria chica".

Los emigrados participantes en estos clubes son trabajadores que salieron en busca de mejores oportunidades para ayudar a sus familias. Formaron los clubes por la necesidad de vincularse entre paisanos. Se congregan por razones de tipo emotivo, "porque se sienten vacíos allá" y al organizarse entre paisanos se reafirman rasgos de la cultura regional que los revalora en una sociedad que aunque distinta, los influye y determina.

Además, al estar insertos en una sociedad multiétnica se ubican a sí mismos con relación a las otras minorías raciales y a través de sus organizaciones expo-

---

[12] En una carta del cónsul general de San Antonio al subsecretario de Relaciones Exteriores de México del 10 de julio de 1929 se exalta la eficiente labor de la Sociedad Mutualista Mexicana de Jornaleros de Waco. Además de ponderar el alto espíritu de unión, disciplina y patriotismo de esa organización, cabe resaltar la vigencia que mantienen las opiniones del cónsul sobre organizaciones como éstas. Véase Enrique Santibañez, 1930, *Ensayo acerca de la inmigración mexicana en los Estados Unidos*, Texas, SRE.

nen con orgullo sus manifestaciones culturales, reafirmando su oriundez de grupo específico.

Los clubes se originan por la iniciativa y tenacidad de algunas personas interesadas en ayudar a la comunidad de origen, aparte de la ayuda y los ahorros que envían individualmente. Comienzan con un pequeño grupo de personas entusiastas que se reune informalmente. "Se van organizando cada vez más hasta tener asegurado que el entusiasmo es persistente y entonces forman una mesa directiva y deciden el nombre del club."[13]

Se reunen en casas, cantinas o restoranes y nombran representantes por votación popular. Una vez constituidos en club designan en muchas ocasiones a un representante o enlace en el pueblo natal para la realización de sus proyectos. Empiezan con actividades de difusión entre la comunidad, generalmente mediante un convivio, fiesta o baile y van buscando la mejor forma de recaudar fondos para aumentar el activo en la caja de la asociación e ir planeando obras que se requieran en el lugar natal.

Entre las obras más comunes están el arreglo de bancas de las escuelas, instalación de casetas telefónicas en ranchos, la construcción de puentes, carreteras, alumbrado público, agua potable, drenaje, asilos para ancianos, restauración de iglesias, campos deportivos, otorgamiento de becas escolares y ayuda a personas afectadas en casos de desastres naturales.

Cuando estos grupos, colonias y asociaciones de amigos empiezan a proliferar, se agrupan en fraternidades o federaciones de un determinado estado. Las fraternidades cuentan con mayor organización, más recursos e interés político y tienen acceso a las esferas más altas de la administración de su estado natal para concertar acuerdos que beneficien a la comunidad.

Se conocen además de la Asociación de Clubes Nayaritas, las federaciones de Zacatecas y de Jalisco, la Fraternidad Sinaloense, la Asociación de Guerrerenses en el sur de California y, en Illinois, la Asociación de Clubes Guerrenses, entre otras.

Provenientes del estado de Nayarit se tiene conocimiento de 25 clubes en California, agrupados desde marzo de 1992 en una Asociación de Clubes Nayaritas, a raíz de la visita del gobernador Celso Delgado a esa comunidad en Los Ángeles. El más antiguo de los clubes nayaritas es el de Jala, con 30 años de existencia. Originalmente se llamó Club Social Huicot, y su primer presidente y fundador fue Jesús Carrillo Chávez.

Lo que motivó formalizar una organización que los identificara y asistiera, fue el enfrentamiento con un problema más serio que la deportación: la muerte de un paisano que convivía con varios de ellos, en 1967. Para poder enviar el di-

---

[13] Entrevista al presidente del Club Social Acaponetense y de Jala, Nayarit, en Los Ángeles, febrero de 1996.

funto al pueblo, los jaleños solicitaron ayuda al cónsul mexicano y éste les sugirió que se organizaran para hacer los arreglos.

El nombre lo tomaron de un programa gubernamental orientado a ayudar a los pueblos indígenas del estado (*Huicot* es una abreviación de los nombres de las etnias: huicholes, coras y tepehuanos), y los jaleños en Los Ángeles lo tomaron como un gentilicio que abarcaba a toda su comunidad.

Tardaron un año en formalizar el club, mientras se abocaban a resolver los problemas del traslado de paisanos difuntos (la mayoría por accidentes laborales) y a organizar bailes para reunir dinero y empezar a hacer obras orientadas a mejorar la calidad de vida en Jala. Entre las obras que se hicieron está la federalización de la escuela secundaria, la adquisición de implementos deportivos para el equipo de futbol de la escuela y la limpieza de la chapa de oro del altar de la iglesia mayor.

Jesús Carrillo piensa que los jaleños son más unidos en California –"en el pueblo sólo se apasionan durante las elecciones presidenciales"– y es que la unión se desarrolla allá de una manera más consensuada, para brindar apoyo a la comunidad emigrada.

Durante varios años la directiva del club, que cambió de presidente cada dos años, se orientó sobre todo a resolver el problema del traslado de cadáveres de los paisanos, para su entierro en México, donde el costo es considerablemente menor. Uno de los ex presidentes del club lo expresó así: "los velorios es lo que más congrega gente; se ve solidaridad. Nos damos cuenta que estamos en casa ajena".

En los libros de la funeraria donde han acudido, se registraron 100 defunciones de jaleños en los últimos 28 años.[14]

Con el paso del tiempo el club se fortaleció y reunió una cantidad importante de dinero para poner el agua potable en la comunidad de origen: 10,000 dólares a principio de los años ochenta. Pero desafortunadamente, por manejos no transparentes de este dinero, el club se dividió. Se formó entonces el Club Social Cora y la mayoría de sus miembros formó el Club Social del Municipio de Jala el 13 de febrero de 1983. Desde ese año ellos han manejado el dinero para las obras que hacen en el pueblo.

En sus estatutos reza que los propósitos del club son cooperar para el enaltecimiento del municipio y ayudar a las personas necesitadas de la comunidad jaleña en California. El club contó con una Comisión de Festejos y Promoción y se asignó al coordinador general la tarea de velar por la buena marcha de la organización dentro y fuera del país.

---

[14]Entrevista a Gilbert Castañeda, 1995, hijo de emigrados de Zacatecas y Guanajuato, dueño de la funeraria que da servicio a los jaleños en Los Ángeles.

Principales fiestas religioso-populares

La Iglesia católica ha organizado desde hace varios siglos un calendario litúrgico que regula el año religioso de acuerdo con la conmemoración del Adviento, la Navidad, la Epifanía, la Cuaresma, la Semana Santa, la Pascua y Pentecostés.

Paralelamente, en casi todo el mundo católico se ha establecido un calendario religioso-popular que responde a las necesidades religiosas de los pueblos, sobre todo de los que han sido conquistados bajo la fe católica.

En lo que es hoy América Latina los pueblos autóctonos organizaban su vida cotidiana de acuerdo con calendarios agrícolas que marcaban los tiempos para la siembra, la cosecha y las guerras, y se creía que estas actividades eran favorecidas o perjudicadas por diversas divinidades.

En las comunidades mestizas de la América española el calendario anterior fue adaptado al calendario litúrgico del conquistador y el resultado fue la creación de un almanaque que hasta la fecha comprende un gran número de fiestas populares, como son la del santo o la santa Patrona del pueblo o barrio, el primer día del año, el 6 de enero día de los Santos Reyes, el 2 de febrero o la Candelaria, el Miércoles de Ceniza, la Semana Santa, la Santa Cruz del 3 de mayo, el ofrecimiento de flores a la Virgen durante el mes de mayo, Corpus Cristi, el Día de Muertos el 2 de noviembre, la Virgen de Guadalupe el 12 de diciembre en México, las posadas decembrinas, la Navidad, y la Misa de Gracias al final del año.

En la liturgia católica la principal conmemoración es la Pascua o Resurrección de Cristo, pero para el calendario religioso-popular el evento más importante es la celebración del Santo Patrón o Patrona del pueblo. En Jala, por ser una población agricultora, la fiesta del pueblo coincide con el inicio de la cosecha del maíz. En la segunda semana de agosto, dentro del calendario litúrgico se festeja a la Virgen de la Asunción, la Patrona del pueblo. La fiesta patronal es el acontecimiento social más importante en esa población, en la que participan los habitantes de comunidad en coordinación con los emigrados, la iglesia local y las autoridades del pueblo.

La fiesta de la Virgen de la Asunción y la Feria del Elote

En esta localidad, en donde el principal producto agrícola es el maíz, el gobierno municipal organiza la Feria del Elote (maíz tierno), el acontecimiento económico y social más importante de la localidad.

En esta festividad destaca de manera especial el carácter comunitario de la celebración, en donde se pueden ver formas participativas y organizativas típicas de las comunidades indígenas, cuya visión del mundo engloba a la naturaleza, a las fuerzas sobrenaturales y a la sociedad.

El mito local sobre el carácter providente de la Virgen de Asunción, advocación que se refiere a la asunción de María a los cielos, se apoya en una leyenda que habla del arribo de la estatua de la citada virgen a Jala.

Como dice el profesor Miguel González Lomelí (1994), el cronista no oficial de Jala,

…con algunas variantes de forma, el relato cuenta que hace mucho tiempo unos arrieros transportaban una gran caja sobre el lomo de una mula. Al llegar a Jala, la mula cayó muerta y los arrieros dejaron la caja encargada en un mesón. Al paso de los años, como la caja no fue reclamada, los mesoneros la abrieron para ver su contenido y encontraron la imagen de tamaño natural de la Virgen María que actualmente se venera.

La explicación para todos es que la Virgen decidió quedarse en Jala y por ello es la patrona del pueblo. Otro elemento peculiar que acompaña esta creencia es que la escultura de la virgen tiene los brazos semiextendidos hacia adelante y la distancia que media entre sus manos es la que marca el tamaño de las mazorcas criollas que se producen en la tierra volcánica de Jala.[15]

La Feria del Elote tiene su inicio o "rompimiento" nueve días antes de la fiesta religiosa de la patrona del pueblo. Los migrantes, organizados desde hace tres décadas, participaron de una manera destacada en los festejos y durante 20 años realizaron su peregrinación el día 14, uno antes de la fiesta patronal.

En la comunidad natal se llevan a cabo preparativos para la fiesta del pueblo con tres semanas de anticipación. La organización recae en 40 "celebrantes", cargos honorarios y en su mayoría hereditarios, para llevar a cabo los festejos.

A la entrada de la localidad inicia la transportación de una pequeña imagen de la virgen en un portaestandarte y el grupo de personas que la lleva va acompañado de música, el "pitero" (músico que toca la chirimía, un cornetín) y explosión de cohetes de pólvora. El estandarte llega a la basílica, la iglesia principal, y después hace "visitas" a las casas de las familias que lo han solicitado, donde se ofrecen bebidas, tamales o fruta a los desfilantes.

La fiesta religiosa transcurre en el novenario del 6 al 15 de agosto. Nueve días de oración con varias misas al día y peregrinaciones con misa de gallo a las cinco a.m. organizadas respectivamente por los tres barrios de la localidad.

---

[15] El maíz temporalero de la región difiere del generalizado en el país a instancia de los programas de Naciones Unidas, a través del Centro Internacional de Mejoramiento del Maíz y el Trigo.

El día de la Virgen de la Asunción se celebra en la basílica una gran misa y tiene lugar la feria, en donde el gobierno municipal organiza a los comerciantes, realiza una competencia por la mayor mazorca de maíz, una exposición de artesanía de hoja del maíz, presenta bailables folclóricos, una quema de castillo de cohetes, música y baile.

Los jaleños que permanecen en California festejan el día 15 con una misa en la iglesia del *Divine Saviour* (Divino Salvador), en el barrio de Cypress Park. Los que van al pueblo tienen su primera actuacion el 6 de agosto, en el rompimiento de la feria. En este día una hija de uno de los organizadores del Club Social Jala, a la que denominan "embajadora", pues es del norte, encabeza el desfile deportivo e inicia las competencias de carreras que realizan los jóvenes en el pueblo. Los siguientes días continúa la feria, con sus puestos de mercancías diversas, comida, bebida, elotes hervidos y asados, bandas de música, bailables, juegos mecánicos y cohetes, muchos cohetes, del crepúsculo al amanecer.

El día 14, los "norteños" como son denominados los emigrados en el pueblo, realizan la "Procesión de los Hijos Ausentes", con gran lucimiento. Hacen invitaciones para que los acompañen en su manifestación mediante carteles que colocan a la entrada de la basílica que dicen: "Peregrinación de los Hijos Ausentes Radicados en Los Ángeles y Concord, California", señalando los nombres de los que portarán "coronas" (velas gruesas adornadas con coronas de cera) y el de los peregrinos que colaboraron. La marcha comienza a la entrada de Jala a las 11 horas y llega a la iglesia, donde el sacerdote los espera para recibir los estandartes e iniciar una misa de tres padres con un discurso (sermón) alusivo a los "hijos ausentes" que están presentes.

Todo este festejo lleva una esmerada preparación de la peregrinación. Se inicia en el mes de enero, a través de varios coordinadores del club que van juntando dinero por medio de cuotas y haciendo listas de los que aportan. Se pide 30 dólares por familia, para todo lo que se requiere, como son las velas adornadas, el castillo de cohetes, la música, las flores, los lienzos pintados para el carro alegórico y la luz de la iglesia.

En 1995 hubo 160 familias participantes del Club Social Jala, lo que representa alrededor de la tercera parte de las familias jaleñas que viven allá, ya que se estima que ascienden a 500. Esto se tradujo en una participación de 160 velas y una cooperación de 4,800 dólares para llevar a cabo una procesión espléndida.

Los coordinadores del club, que en esta ocasión fueron 10, encabezaron la procesión portando las "coronas", las velas más grandes y fueron seguidos por los demás portadores de velas, estandartes y flores, por los danzantes, la banda de músicos y cantantes. A lo largo del desfile varias personas fueron filmando la procesión con cámaras de video, para que después lo pudieran ver los de allá.

Después de la misa hubo un partido de futbol entre los equipos de Jala y Jomulco, que alcanzó una exaltación casi política. Posteriormente, al caer la tarde, en el ambiente alegre de la feria, se llevó a cabo la quema del castillo de cohetes, que fue un despliegue de imaginación y habilidad pirotécnica y por más de media hora tuvo entretenido al público asistente.

Con la participación de los emigrados en la fiesta patronal queda demostrado que éstos mantienen ligas estrechas con la comunidad de origen a través de familiares, amigos y autoridades del pueblo, así como que el compromiso que asumen en la fiesta del pueblo parte de una conciencia de su identidad y de un deseo de mantener sus tradiciones, que a la vez trasmiten a sus hijos al involucrarlos en su peregrinación. Asimismo, es la interrelación entre el aquí y el allá, de una comunidad transnacional que festeja la fiesta del pueblo natal.

No es exagerado decir que los migrantes se vuelven celosos guardianes de las tradiciones populares. Ellos han enriquecido la fiesta. Gastan mucho dinero en ella, cuidando los detalles y dándole esplendor a su procesión. En gran medida las tradiciones populares son también resguardadas por ellos, como en el caso del pitero, a quien pagan para que toque durante una semana y así evitar que las bandas de música lo desplacen, ya que mucha gente preferiría gastar más dinero en bandas para el baile en vez del habitual cornetín

Aspectos de la fiesta patronal

Además de ser una devoción familiar, es un símbolo de identidad religiosa de la comunidad que ha contribuido a construirla y mantenerla por su significado en la vida y la fe de sus habitantes. Por ello esta fiesta patronal es uno de los acontecimientos centrales de vida del pueblo.

La conmemoración de la Asunción de la Virgen María se celebra como fiesta patronal el 15 de agosto en 156 comunidades de México (Bravo, 1992) lo cual, como mencionamos, tiene una relación directa con la temporada de cosecha en las comunidades rurales de México.

La devoción mariana es muy intensa en México, como en toda América Latina, en donde el Evangelio ha presentado a María como parte sobresaliente del mensaje de salvación y sobre todo como fuente de consuelo en la situación de pobreza y explotación de los pueblos conquistados. La fiesta de la Virgen de la Asunción en Jala es una conmemoración religiosa-popular y bulliciosa en la que interactúan sin conflicto la presidencia municipal, la Iglesia, la comunidad y los migrantes.

Las actividades que se realizan en estos nueve días de festejos son variadas (deporte, bailes, comercio, actividades religiosas, feria, música) y no son nada más para los habitantes del pueblo, sino también para los visitantes de los pueblos y ciudades aledañas, quienes acuden a esta bonita comunidad orgullosa de sus tradiciones.

Otro elemento de selección de la fiesta es la evocación de una fuerza ancestral, la naturaleza, y la presencia de lo sobrenatural con su carácter lejano, de fuerza inexplicable, que constituye un elemento poderoso para provocar una respuesta popular. También tiene que ver con formas de comportamiento, pues la dinámica que provoca la participación comunitaria hace que la gente disfrute de la fiesta, lo cual refuerza la realización de actividades colectivas.

La imagen, en este caso la Virgen de la Asunción, está ligada a un hecho o recuerdo y tiene relación con una intervención efectiva, por eso las imágenes son verdades centrales en la vida religiosa de los pueblos. Las imágenes que representan a la divinidad deben ser tocadas y llevadas a recorrer el pueblo, así como organizarles visitas y ofrendas, ya que son símbolos de lo divino que fortalecen la espiritualidad y la esperanza de muchas personas.

Consideraciones finales

La migración contemporánea de México hacia Estados Unidos ha generado, como en otros países, comunidades transnacionales que han creado su propio proceso político y social en torno al concepto de "pueblo", no ligado a un territorio específico, sino trascendiendo las fronteras nacionales. Y es que los migrantes, al organizar su vida en el país vecino ligada al pueblo natal, han formado un campo social relativamente autónomo que, como sus vidas, es transnacional.

Actualmente muchos emigrados viven sus vidas en las dos comunidades donde tienen intereses y afectos. El acceso a la comunicación inmediata y de bajo costo les permite tener diferentes identidades, estatus social y formas de ingresos simultáneamente en cada lugar; en el ir y venir entre las dos comunidades han logrado construir un espacio social propio y, en ocasiones, con poder de decisión.

Los miembros y familiares de los clubes sociales que han organizado allá se han vuelto individuos mentalmente más competentes. Por su influencia, una vez que han procesado los valores y prácticas comunitarias en Estados Unidos, los migrantes que regresan a México traen consigo ideas más modernas y criterios de eficiencia y utilidad. En Jala hay varios ejemplos de ello, como el del químico y abogado, Carlos Carrillo, ex migrante que ocupó el puesto de presidente municipal y consiguió la instalación en el pueblo de líneas telefónicas.

Gracias a ello más del 80 por ciento de las casas cuenta con este servicio, que es el principal medio de comunicación con los emigrados. Hay otros ex migrantes de la familia Carrillo que han establecido diversos negocios, como salones para fiestas y empresas de empaque de hoja de maíz y el caso de Victor González, que instaló en su rancho el primer sistema de riego en el pueblo y a su retorno se incorporó en las labores del ayuntamiento.

En la experiencia de la migración, además de cierta tolerancia y el pluriculturalismo que conocen en Estados Unidos, los mexicanos también se enfrentan a la violencia, al racismo y la discriminación. En ciertos sectores sus derechos humanos, sociales y laborales son flagrantemente violados, por lo que hay aspectos de su residencia en el país vecino que dejan una huella de dolor. Sin embargo, la apertura de la sociedad norteamericana y la tolerancia son probablemente los aspectos de la vida en California que dejan una huella más fuerte, porque son los que más contrastan con lo que los migrantes dejaron atrás.[16]

En términos generales podemos decir que los cambios que han generado los migrantes forman parte de la transformación que se está dando en México, así como del proceso impulsado por las fuerzas democráticas en la última década. Donde ellos hacen una diferencia fundamental es en la destrucción de los obstáculos, en la resistencia al cambio en sus propias comunidades de origen y en que sus posibilidades de influencia son cada vez mayores.

Permanencia de las tradiciones religioso-populares

A través de las prácticas devocionales de los habitantes de un municipio del Occidente de México que, a pesar de haber emigrado a Estados Unidos hace más de tres décadas, mantuvieron sus ligas con la comunidad natal, hemos podido acercarnos a un proceso de cambio que está ocurriendo en diversos municipios de México y localidades del país vecino.

La investigación para confirmar la gestión de los clubes de oriundos que permiten la coexistencia de las fiestas y tradiciones populares en la comunidad de jaleños en Nayarit y en Los Ángeles, nos mostró que estos emigrados crearon un determinado espacio que fue trasladado de su lugar de origen a los diferentes barrios en que habitan en el condado de Los Ángeles, trascendiendo las fronteras nacionales y estableciendo una relación entre una comunidad que envía y otra que recibe, retroalimentada continuamente por la influencia que ejercen mutuamente.

Es importante resaltar que este grupo de emigrados ha logrado crear un espacio político y social propio que, como sus vidas, es transnacional, compar-

---

[16] J. Castañeda, en Lowenthal A., 1995.

tido, y han tenido el valor de haber formado una comunidad coherente con sus intereses y no un espacio lleno de conflictos e imágenes encontradas, como ha ocurrido con muchos grupos de emigrados.

La persistencia de este tipo de organización nos hace suponer que el rasgo distintivo de las comunidades mexicanas establecidas en Estados Unidos, en su proceso de inserción y acomodamidento en la nueva sociedad, es la manifestación de la etnicidad como base para organizar los vínculos sociales.

Podríamos decir que la reafirmación de la etnicidad en las comunidades mexicanas que se han establecido en territorio norteamericano es un fenómeno relativamente extendido y responde a una forma de convivencia y acción que resulta creíble, democrática y estimulante para los mexicanos que tuvieron que emigrar y decidieron mantener sus lazos con las comunidades que los vieron nacer, a ellos o a sus padres.

En la actualidad estos clubes, sobre todo los que han formado confederaciones, cuentan con una nueva experiencia: han tenido mayor contacto con los cónsules y gobernadores mexicanos, quienes han incrementado el interés por esas asociaciones al tomar conciencia de su importancia.

Un reto importante de los clubes es seguir incorporando a los nuevos emigrados con residencia permanente en el país vecino, para asegurar la permanencia de estas asociaciones, cuya influencia en las comunidades de origen ha demostrado ser benéfica.

Considerando que la preocupación por la democracia, la justicia y la libertad seguirán siendo los valores de las luchas sociales de este siglo, y que el reforzamiento de la vida comunitaria está jugando un papel importante en el cambio social, podemos afirmar que es pertinente mantener la observación del desarrollo de las comunidades de origen de los migrantes mexicanos y de sus asociaciones en Estados Unidos, pues los cambios que logren realizar en ellas contribuirán al desarrollo humano de México.

Parte II

Diversificación de los destinos y mercados laborales

Migrantes mexicanos en la industria de la ropa en Los Ángeles

Guillermo E. Ibarra Escobar*

La industria de la ropa en el sur de California

DESDE PRINCIPIOS del siglo XX Estados Unidos desarrolló una fuerte industria de la ropa. Después de la Segunda Guerra Mundial, el crecimiento de su mercado interno y la expansión de sus mercados externos intensificaron la competencia. A finales de los cincuenta empezó una globalización de la industria alentada por sus empresas.

En busca de menores costos de producción, las firmas estadounidenses comenzaron a trasladarse a Japón, luego a Corea del Sur, Taiwán y Hong Kong, mediante subcontrataciones. Al crecer las importaciones de Estados Unidos procedentes de aquellos países se alentó el proteccionismo, la innovación tecnológica, el uso de fuerza de trabajo inmigrante en *sweatshops* y la organización de maquiladoras en México, Centroamérica y el Caribe. Por su parte, empresarios asiáticos cobraron presencia en Estados Unidos como subcontratistas, llegando finalmente a involucrarse en el diseño, venta al mayoreo y menudeo, organizándose al amparo de sus redes étnicas. Con el crecimiento de sus importaciones provenientes de América Latina y el Caribe, las fábricas de ropa estadounidenses se vieron afectadas por la competencia externa que presionó los salarios a la baja, desplazando los inmigrantes del Tercer Mundo a trabajadores nativos sindicalizados. A su vez, empresarios de los países asiáticos más industrializados, que habían iniciado como primer destino de la producción externa de Estados Unidos, para eludir el proteccionismo de este país, se movieron a otros países de la región como Tailandia, India, Indonesia, Malasia, Sri Lanka, Bangladesh y China. Luego las propias firmas estadounidenses se trasladaron a esos países

* Agradezco la participación en el trabajo de campo en Los Ángeles de Blas Valenzuela, Ismael García, Ana Luz Ruelas, Miriam Nava y Adriele Robles (que también elaboró mapas de Los Ángeles). Asimismo, el apoyo de Leobardo Estrada del Department of Urban Planning de School of Public Policy and Social Research de la Universidad de California en Los Ángeles. A Pascual Barrera por su información sobre esquineros en Panorama City, y por su asistencia técnica en el procesamiento de datos; a Fabián Torres, Claudia Ramírez y Luis G. Pietsch Castro. En este ensayo se ofrecen algunos resultados del proyecto Conacyt 32347-D.

asiáticos. Finalmente, los productores de países asiáticos han instalado maquiladoras en México, Centroamérica y el Caribe (Bonacich y Cheng, 1994). A pesar de los grandes cambios geográficos de la producción, los desplazamientos de firmas a países pobres siguen intensificándose en la actualidad y buscan los rincones más baratos del mundo para instalarse. Las maquiladoras de México actualmente se desplazan crecientemente a Centro y Sudamérica, incluso a Asia y África (Ramírez, 2002a, 2002b).

Desde la segunda década del siglo xx California era un productor importante de ropa pero en los setenta y ochenta, a partir de la reestructuración posfordista de la manufactura, se convirtió en el estado de mayor producción de Estados Unidos (Bluestone y Harrison, 1982; Piore y Sabel, 1984; Essletzbitchler y Rigby, 2001). El sur de California se fortaleció con estos cambios por un enorme flujo migratorio que provee abundante mano de obra barata, bajo nivel de sindicalismo y desarrollo de líneas de producción altamente rentables y susceptibles de eludir regulaciones laborales (Blumerberg y Ong, 1994). Así, el condado de Los Ángeles se convertiría en el mayor creador de empleos de la costura en Estados Unidos, seguido por Nueva York, otrora el centro dominante, siguiéndole en importancia Miami, El Paso, San Francisco, Orange, Hudson, Bristol, Chicago y Dallas (Bonacich y Appelbaum, 2000). A mediados de los noventa, en la región de Los Ángeles laboraban tres cuartas partes del total de trabajadores manufactureros de ropa de todo California, y en el condado de Los Ángeles más del 85 por ciento de los cinco condados que integran esa región (además de Los Ángeles están Orange, Riverside, San Bernardino y Ventura). Una proporción similar se encuentra en establecimientos que, por la intensificación de las redes de subcontratación, han tendido a fragmentarse; el tamaño promedio de los establecimientos decrece. En 1970, los talleres con cuatro o menos empleados en el condado de Los Ángeles eran 15.6 por ciento del total, y en 1995 ascendieron a 36.6 por ciento (Valenzuela-Camacho, 2000). El censo industrial de 1997 registró para el área metropolitana Los Ángeles-Riverside-Orange la existencia de 4,306 establecimientos manufactureros de ropa con 106,559 trabajadores, equivalentes al 25.2 por ciento del total nacional de los primeros y 14.8 por ciento de los segundos. Para el año 1999 el empleo bajó ligeramente, entre 90,000 y 100,000.

Aunque la manufactura de la ropa pierde paulatinamente importancia por la producción en el exterior y a mediano plazo declinará, la región aún ostenta una fortaleza sostenida desde hace varias décadas. Comparada con otras industrias de alta participación en el empleo del condado de Los Ángeles, como equipo y maquinaria industrial (SIC 35), electrónica y otro equipo eléctrico (SIC 36) y equipo de transporte (SIC 37), la industria de la ropa (SIC 23) amplió su participación en el empleo total de la manufactura desde 1970 hasta superar a las demás, y en 1997 alcanzó un 17 por ciento del total de la manufactura del condado, con equipo de transporte, en segundo lugar con 13.4 por ciento (véase cuadro 1). Con datos de la nueva clasificación NAICS, en 1999 la industria de la ropa bajó ligeramente a 15.8 por ciento, conservando primacía, aunque el equipo de transporte tiende a igualarlo con 14.1 por ciento.[1] Por otra parte, midiendo el nivel de concentración regional del empleo mediante un coeficiente (LQ),[2] la industria de la ropa es la de mayor crecimiento en la concentración relativa; en 1972 fue de 0.5 y en 1992 ascendió a 2.5. En cambio la SIC 35 y la SIC 36 sólo ocasionalmente se elevaron arriba de 1.0 en el periodo considerado y sólo la SIC 37 mostró una fortaleza similar (véase cuadro 2).

Con esta dinámica económica la industria de la ropa de Los Ángeles conforma mercados de trabajo *etnitizados*, tanto por ser una aglomeración de economías étnicas producto de la inmigración, sobre todo de asiáticos (coreanos) y latinos que crean sus propios talleres y tiendas, como por la participación de fuerza de trabajo inmigrante de baja calificación en sus laberínticas cadenas de subcontratación (Bonacich, 1994). La forma en que la migración contribuye a la reorganización de la economía regional es motivo de un debate académico que ha llevado a la problematización de la teoría de las redes de producción global y de las redes sociales de migrantes.

CUADRO 1

CONDADO DE LOS ÁNGELES, 1970-1999:
EMPLEO DE GRUPOS MANUFACTUREROS.
(Porcentaje respecto al total)

	Industria de la ropa (SIC 23)	Maquinaria y equipo industrial (SIC 35)	Electrónica y otro equipo eléctrico (SIC36)	Equipo de transporte (SIC 37)
1970	6.5	10.2	10.2	17.6
1980	8.9	9.4	11.3	18.5
1990	11.4	6.7	7	21.1
1995	15.7	6.1	6.9	12.8
1997	17	6.1	7.4	13.4

Fuente: U.S. Bureau of Census, Country Business Patterns.

[1] Estas dos últimas cifras para 1999 no aparecen en el cuadro.

[2] $LQ = (e_i / E_r / E_i / E_n) * 100$

donde e_i = Empleo del grupo industrial de la región.

E_r = Empleo del grupo industrial en el país.

E_i = Empleo total de la región.

E_n = Empleo total nacional.

Si el LQ es igual a 1 la región es de equilibrio, si es superior es de concentración y si es menor es deficitaria en empleo en ese grupo.

CUADRO 2

LOS ÁNGELES-LONG BEACH, 1970-1999:
EMPLEO DE GRUPOS MANUFACTUREROS.
Coeficiente de localización (LQ)

	Industria de la ropa (SIC 23)	Maquinaria y equipo industrial (SIC 35)	Electrónica y otro equipo eléctrico (SIC36)	Equipo de transporte (SIC 37)
1972	0.5	0.4	0.5	1.1
1977	1.4	0.8	1.2	2.1
1982	1.6	0.8	1.3	2.3
1987	2.1	0.7	1.0	2.3
1992	2.5	0.7	0.9	2.1

Fuente: U.S. Bureau of Census, Economic Census.

Redes de producción global y mercados de trabajo en la industria de la ropa

Las redes de producción global tienen entre sus contrapartes a movimientos migratorios que impactan en la reorganización de las economías urbanas o nodos de producción globales, como Los Ángeles (Scoot, 2000; Held *et al.*, 1999). Estas aglomeraciones experimentan una fuerte terciarización y una agresiva reindustrialización, por lo que presentan características como las siguientes: incuban aceleradamente formas flexibles de organización productiva y de relación con los mercados; concentran industrias de alta tecnología y culturales, servicios financieros y a las empresas que comandan el crecimiento de su base económica. Poseen, asimismo, una gran concentración de capitales, recursos humanos altamente calificados, creatividad; circula en ellas información privilegiada para la innovación y el desarrollo de los negocios. En estos lugares se controlan las más poderosas cadenas de la producción mundial. Su población se expande por crecientes rondas de emigración, convirtiéndolas en metrópolis multiculturales. Sus mercados laborales están segmentados en estratos de alta y baja calificación, que se organizan por género y etnicidad, con la participación de una creciente masa de trabajadores de bajos ingresos, entre los que se encuentran inmigrantes indocumentados (Sassen, 1997; Scott, Agnew *et al.*, 2001).

Por su dinámica de reestructuración y como respuesta a la liberalización comercial y la competencia global, las firmas ahí localizadas se obligan a innovar y a abaratar productos y se desarticulan agresivamente. Esto conlleva a la desintegración vertical e impacta en los mercados laborales; se expanden las redes de subcontratación; las ocupaciones tradicionales se descomponen en diferentes tareas que se llevan a cabo por trabajadores poco calificados e incluso en la economía informal. Esto se refleja en la reconfiguración regional; ciertos procesos estandarizados salen a otros lugares donde abunda mano de obra más barata o existen mayores facilidades de transgredir las normas laborales, primero dentro del país y posteriormente en cualquier lugar del mundo. Sin embargo, no toda la producción estandarizada y desarticulada tiende a salir hacia las regiones del interior o a otros países de menor desarrollo; en los propios centros de aglomeración de economías posfordistas se retienen tareas de ensamblaje mediante la proliferación de *sweatshops*. Como parte del mismo proceso, la población de altos ingresos de esas zonas urbanas crea ocupaciones de baja calificación por la vía de una demanda de consumo y de servicios personales que cubren trabajadores de bajos ingresos, sobre todo inmigrantes indocumentados organizados en comunidades étnicas que funcionan mediante redes sociales para activar diversas formas de solidaridad que facilitan la inserción laboral. Por ello la migración es consustancial de la reestructuración flexible de la manufactura, de la terciarización y la segmentación de los mercados laborales (Storper y Walker, 1989; Scott, 1996; Sassen, 1997; Waldinger y Bozorgmeher (1996); Scott, Agnew, Soja, Storper, 2001; Scott, 2000).

Los nuevos sistemas productivos, con sus estructuras desintegradas y su organización flexible, forman cadenas productivas globales que permiten la existencia, en múltiples lugares del mundo, de nodos para las diferentes fases del proceso; en cada una de ellas diferentes actores económicos, dependiendo de su capacidad organizativa y de control, obtienen ganancias diferenciales. En dónde se concentra mayor control se ubica el centro de la cadena y su orientación puede recaer en los compradores o en los vendedores (Appelbaun y Gereffi, 1994). En la industria de la ropa la cadena de producción global abarca a proveedores de materias primas, fibras, componentes como hilos y telas, la producción en múltiples tipos de fábricas y talleres, canales de comercialización al mayoreo y menudeo, todo ello con amplia variedad de localizaciones geográficas y condiciones de trabajo. Esta cadena está controlada por los vendedores, las firmas detallistas y las grandes marcas de prestigio como Lévi Strauss, Sara Lee, Vanity Fair Corporation, Liz Clairbone, Fruit of the Lomm y Guess, entre otras, con poder para involucrar a productores y consumidores en su lógica de rentabilidad, desplegando una gran capacidad de investigación y desarrollo, diseño, mercadeo, servicios financieros y potencial de exportación hacia todos los mercados del mundo. Como es una industria volátil, correspondiente a una moda muy cambiante, sobre todo en la ropa de mujer, el imperativo de la flexibilidad en las relaciones de la firma con la producción y el mercado, que mueven los procesos de producción de un país a otro favorecen una gran explotación de la mano de obra (Appelbaum y Gereffi, 1994; Bonacich y Appelbaum, 2000; Ballesteros-Coronel, 2002).

Las empresas subcontratistas y sus trabajadores experimentan las mayores presiones y las peores consecuencias de esta organización productiva. Ante cambios en la demanda del mercado, las grandes firmas pueden reducir la oferta cancelando pedidos a los participantes en la red productiva, sin afrontar costos salariales fijos o de planta ociosa. El desempleo causado o el cierre de talleres no son asuntos de los grandes vendedores finales o las firmas dominantes. Adicionalmente, las empresas dominantes obtienen parte de sus altos márgenes de ganancia por el pago de salarios por debajo de la ley, por violar normas sanitarias y de seguridad, asuntos que dejan en manos de los subcontratistas. No es fortuito que en países desarrollados un alto porcentaje de rabajadores sean inmigrantes. Pero no son víctimas exclusivas; en Estados Unidos han resultado severamente afectados también los trabajadores nativos.[3]

Reestructuración económica y redes de inmigrantes

Aunque históricamente la migración ha tenido como destino principal a las ciudades, en la actualidad el énfasis va hacia las grandes metrópolis, particularmente en Estados Unidos. A mediados de los noventa la mayor parte de los recién llegados se dirigía a las cinco mayores áreas urbanas con un alto porcentaje de población extranjera: Los Ángeles (30.6), Nueva York (22), San Francisco (21.8), Chicago (13) y Miami (37.8), lo que contrasta con el promedio nacional (9.5) (Portes, 2001; Waldinger, 2001a).

En el debate académico actual sobre migración se discute si los inmigrantes recién llegados pueden progresar en la sociedad estadounidense, es decir, cómo cambian después de haber llegado; también se analiza el papel de las redes sociales que establecen los migrantes desde su salida del lugar de origen hasta su incorporación a la sociedad que los recibe (Waldinger, 2001a, 2001b). Se considera insatisfactorio el enfoque de la reestructuración económica arriba descrito, cuyo postulado es que la nueva economía de las grandes regiones urbanas crea mercados de trabajo polarizados, producto de una economía de

---

[3] Los trabajadores de la industria del vestido a principios de los noventa ganaban en promedio 15 por ciento menos que trabajadores similares en otras industrias y el salario promedio es el menor entre 25 grupos industriales, no obstante es un mercado de trabajo competitivo y existen salarios más altos que en otras industrias entre los nativos hombres en ocupaciones de alta calificación, ocupada en funciones de organización, marketing y diseño, clave para el éxito de las firmas (Shippen, 1999; Brown, 2001).

alta tecnología flexible y modernas actividades terciarias, mercados en expansión en donde los inmigrantes de bajo capital humano tienden a posicionarse en los estratos de baja remuneración (Sassen, 1997).

A partir de la experiencia de los Estados Unidos en este siglo y de la nueva evidencia empírica de Los Ángeles, Ivan Light *et al.* (2001) cuestionan que la reestructuración sea suficiente para explicar la intensificación de la migración en esa región; sostienen que si bien la nueva economía creó una demanda de fuerza de trabajo de inmigrantes, expresada en el crecimiento de salarios y en el bienestar de los recién llegados, se arribó a un límite que saturó la demanda creada por la reestructuración e inició una inmigración excedente que hizo crecer las economías étnicas, el autoempleo no constituido (diferente al autoempleo constituido, producto de una demanda nueva de profesionistas y servicios de la economía global) y la economía informal. Esto hace crecer el empleo por el lado de la oferta, deteriorando los salarios tanto de los trabajadores nativos como de inmigrantes ya establecidos, e involucra a los inmigrantes "excedentes" en ocupaciones de baja calidad y remuneración. Esta migración excedente sería producto de las redes sociales que autosostienen el flujo de personas, alentada también por el tipo de legislación migratoria de Estados Unidos que privilegia la reunificación familiar (Light *et al.*, 2001). La industria de la ropa de Los Ángeles constituye 3.5 por ciento de la fuerza de trabajo total de la ciudad, como ejemplo de lo que estas redes generan en los mercados de trabajo, incrementando la cantidad de empleos que ofrece la economía formal más allá de los nichos laborales tradicionales de inmigrantes, fomentando la creación de economías étnicas de inmigrantes que se autoemplean y emplean a coétnicos. Precisamente en esta industria sólo 30.3 por ciento de los empleos no se rige por economías étnicas o como nichos de inmigrantes (Light *et al.*, 1999). Portes (2001) sostiene a su vez que estas redes no sólo se constituyen por acción de los inmigrantes, sino también por la conjunción de aspectos históricos, económicos, culturales y geopolíticos en los que los propios gobiernos receptores son artífices de su creación. La red social de la población que se mueve hace del fenómeno migratorio algo autosostenido.[4]

---

[4] "La migración internacional es, sobre todo, un mecanismo constructor de redes. Una vez iniciada por el reclutamiento de trabajadores u otros fenómenos activadores, el movimiento crea una red de lazos sociales a larga distancia. El crecimiento de tales lazos hace que la decisión para trasladarse sea cada vez menos costosa, ya que reduce la incertidumbre y los peligros del viaje para los migrantes más recientes [....] La aportación práctica fundamental de las redes sociales no sólo es que bajan los costos de la migración, sino que pueden sostener el proceso, incluso cuando los incentivos originales desparecen o son debilitados en gran medida. Una vez que las redes transnacionales son establecidas, las personas empiezan a trasladarse por una variedad de razones, muy diferentes a las de aquellos que iniciaron la salida: para reunirse con la familia, para atender a enfermos, para obtener educación, o incluso porque se vuelve *la conducta de moda* entre jóvenes de ambos sexos en comunidades expulsoras" (Portes, 2001).

Actualmente los nuevos inmigrantes no llegan todos a las metrópolis para incorporarse a las partes más bajas del mercado laboral, como ocurría anteriormente. Pueden insertarse en diferentes niveles. Además las zonas receptoras son diferenciadas; algunas atraen más trabajadores calificados, otras reciben mayormente a individuos poco calificados, aunque la reestructuración económica en curso desde hace dos décadas reduce continuamente los empleos con salarios por arriba del nivel de pobreza. Se ha comprobado que mientras menos calificados estén los inmigrantes más dependerán de la red social y se concentrarán de forma redundante en las ciudades donde hay una mayor base previa de inmigrantes menos calificados.

Mexicanos en Los Ángeles

Entre los inmigrantes de Estados Unidos los mexicanos son el grupo étnico más pobre y numeroso. Su patrón de asentamiento es bimodal, es decir se dirige, aunque desigualmente, a las grandes metrópolis y a ciudades pequeñas. Son de esta manera el único grupo que también está en ciudades de menor jerarquía y en áreas rurales; esto último responde a los patrones históricos de migración, conformados desde el inicio del Programa Bracero en los cuarenta. En seis de las 10 regiones más pobladas de inmigrantes de Estados Unidos predomina la atracción de trabajadores menos calificados, pero Los Ángeles tiene el doble, detenta más de 30 por ciento de origen mexicano, un monto similar al conjunto formado por las siguientes áreas urbanas (Waldinger, 2001a). La reestructuración económica desde los setenta amplió las oportunidades para operarios en la manufactura tradicional y en la construcción, por efecto del reemplazo de nativos y la ampliación de oportunidades en ocupaciones de servicios, vendedores, ayudantes de meseros y cocineros, conserjes, jardineros, empleadas domésticas, que se duplicaron en la década de los ochenta, impulsados de forma importante por la creciente capacidad de consumo de los grupos de mayores ingresos y el crecimiento de la economía informal. Por tradición los mexicanos y ahora los latinos en general ocupan los trabajos que otros grupos rechazan; incluso se tiene el prejuicio que han suplantado a los afroamericanos como la fuerza de trabajo más atrasada (McCarthy y Vernez, 1997; Allen y Turner, 1997; Ong y Valenzuela, 1996).

Como resultado de este tipo de economía y del rol de los inmigrantes, la pobreza se ha recrudecido en Los Ángeles y los trabajadores de la costura ejemplifican la probable trayectoria a seguir por éstos en la economía regional. Según el censo del año 2000 Estados Unidos tuvo una población de casi 273.6 millones de habitantes, de los cuales, 20.6 millones habían nacido fuera de esa nación, aproximadamente 11.1 por ciento del total. Los mexicanos constituyeron

8.7 millones. Si añadimos 11.8 millones del mismo origen totalizan 20.6 millones. La mayoría se concentra en los estados de California, Texas, Illinois y Arizona, y los condados con mayor población son Los Ángeles, Houston, Dallas, Chicago, San Antonio, San Francisco, Fresno, Sacramento y Tucson, que por ser preferidos tienen consecuencias en demografía, economía, cultura y política.

En ese mismo año la región metropolitana de Los Ángeles-Riverside-Orange, tuvo una población total de 16.4 millones de personas de las cuales 8.8 millones eran nacidas en el exterior. De ellos 2.3 millones eran mexicanos. Si se toma en cuenta a los de origen mexicano nacidos en Estados Unidos la cifra aumenta a casi cinco millones. Ahora bien, considerando únicamente al condado de Los Ángeles, con una población de 9.5 millones, los mexicanos fueron más de 1.5 millones y más de tres millones los nacidos en Estados Unidos de origen mexicano. Dentro del conjunto de los nacidos en el exterior los mexicanos fueron 44.2 por ciento y los latinos 62.1 por ciento del total de habitantes del condado (véase cuadro 3).

CUADRO 3

ESTADOS UNIDOS, POBLACIÓN EXTRANJERA
Y DE ORIGEN MEXICANO, 2000

	Población total	Población nativa	Nacidos fuera de Estados Unidos (total)	América Latina	México	Latinos o de origen latino	Mexicanos o de origen mexicano
Estados Unidos	273'643,274	243'177,052	30'466,222	15'471,784	8'770,534	35'305,818	20'640,711
California	33'871,648	25'007,393	8'864,255	4'926,803	3'928,701	10'653,560	8'716,179
Los Ángeles-Orange-Riverside CMSA	16'373,645	11'806,030	5'067,615	3'145,670	2'395,670	6'598,488	4'962,046
Condado de Los Ángeles	9'519,388	6'069,894	3'449,444	2'143,049	1'525,157	4'242,213	3'041,974
	%	%	%	%	%	%	%
Estados Unidos	100.0	88.9	11.1	5.7	3.2	12.9	7.5
California	100.0	73.8	26.2	14.5	11.6	31.5	25.7
Los Ángeles-Orange-Riverside CMSA	100.0	69.1	30.9	19.2	14.6	40.3	30.3
Condado de Los Ángeles	100.0	63.8	36.2	22.5	16.0	44.6	32.0
			%	%	%		
Estados Unidos		100.0	50.8	28.8			
California		100.0	55.6	44.3			
Los Ángeles-Orange-Riverside CMSA		100.0	62.1	47.3			
Condado de Los Ángeles		100.0	62.1	44.2			

Fuente: U.S Census Bureau, Census 2000 Sumary file 3 (SR3), Estados Unidos, California, http://www.census.gov

El estudio de la suerte que ha corrido la población que se ha asentado en esa región es aún incipiente. Los Ángeles ha sido destino principal de la migración mexicana durante la segunda mitad del siglo XX y predominan personas originarias de las regiones tradicionales del centro occidente de México, aunque tiende a diversificarse en los últimos años. Las oportunidades de encontrar empleo y ascender en la escala social son cada vez menos para los recién llegados y tienden a refugiarse en nichos laborales degradados, al igual que la mayoría de los inmigrantes de origen latinoamericano. Por ello son la masa más pobre de la región.

Los latinos constituyen 57.4 por ciento de toda la población pobre de Los Ángeles, frente a 18.4 por ciento de los anglosajones, 14.9 de afroamericanos y 9.3 asiáticos. Al igual que los latinos en general, los mexicanos se ven afectados más que proporcionalmente por las variaciones de la economía regional y presentan altas tasas de desempleo. A principios de los noventa, cuando la tasa de desempleo general de Los Ángeles llegó a 9 por ciento, entre los mexicanos fue de 15 por ciento y para los centroamericanos 20 por ciento; igualmente en trabajos de tiempo parcial estuvieron 22 por ciento de mexicanos y centroamericanos (Pastor Jr., 2001; Hum, 2001). La pobreza se manifiesta simultáneamente en lugares asociados a la reestructuración económica y en zonas de concentración de latinos (y mexicanos), entre ellos el centro de la ciudad de Los Ángeles y en áreas del valle de San Fernando y Pomona, en el valle de San Gabriel. Habitan zonas residenciales que ocupaban obreros de baja calificación y suburbios adyacentes a los corredores industriales, a lo largo de los *freeway* interestatal 5 y Pomona 60 y del río de Los Ángeles; su centro gravitacional es el viejo distrito manufacturero del centro y el corredor industrial del sureste, rumbo a los puertos de Long Beach (véase mapa 1).[5]

Los inmigrantes no se quedan pasivos ante estas desventajas. Por interacción de las redes y de la inmigración excedente a la que se refiere Light *et al.* (2001) crean empleos en las llamadas economías étnicas, aunque comúnmente de baja calidad. Asimismo, sus redes de solidaridad se convierten en nichos, con barreras a la entrada para otros trabajadores en muchas industrias (Waldinger, 1996, 2001a, 2001b; Scott , 2000).[6]

En el año 2000 había aproximadamente 515,000 inmigrantes mexicanos indocumentados en el condado de Los Ángeles, quienes por lo general ocupaban los empleos de menor calidad (Ibarra y Robles, 2002). Las industrias donde se

---

[5] Una detallada explicación de la presencia de los latinos en la mancha urbana de Los Ángeles se encuentra en el libro de Mike Davis, *Magical Urbanism. Latinos Reinvent the U.S. Big City* (2000).

[6] "...grupos de categorías distintas tienden a converger en ocupaciones particulares o industrias; si se llevan a cabo en el empleo, este proceso de concentración crea un nicho étnico. La existencia de un nicho étnico puede disminuir las barreras de empleo a coétnicos con requerimientos bajos de capacidad, dado que: 1. la concentración étnica incrementa la posibilidad de que los nuevos puestos se goteen a otros miembros del grupo; 2. la preferencia común de los empleadores para contratar trabajadores que se parezcan a la fuerza de trabajo existente permite activar esas conexiones" (Waldinger, 2001a). En el distrito de la joyería de Los Ángeles, con una concentración manufacturera multiétnica, Scott (2000) encontró que 53.3 por ciento de los dueños de talleres del centro de la ciudad contratan nuevos empleados pidiendo recomendación a sus propios trabajadores. En la industria del mueble ocurre algo similar, aunque la composición de trabajadores aquí es predominantemente latina, los cuales, en el caso de los hombres, por ejemplo, pasaron de ser 17.8 por ciento del total en 1970 a 47.6 por ciento en 1990.

MAPA 1

POBLACIÓN MEXICANA VIVIENDO
EN EL CONDADO DE LOS ÁNGELES, CALIFORNIA

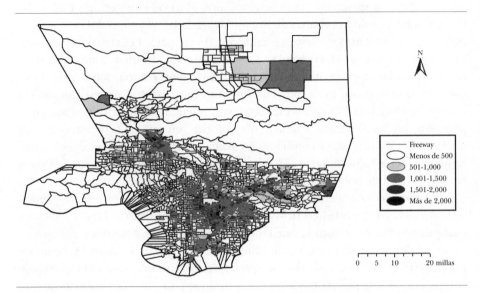

Fuente: Departament of Commerce, 2000 Census of Population, Region and Country of Birth of the Foreign-Born Population.

concentran, en muchas de las cuales hay fuerte presencia de economías étnicas son: textiles, muebles, productos de madera, lugares para comer y beber, manufactura de alimentos, cuidado de casas, manufactura de bienes no durables, industria de fabricación de metal, industria química, construcción y servicios de reparación. Sus nichos ocupacionales son: operador de maquinaria textil, trabajadores agrícolas, operadores de maquinaria, trabajadores de la construcción, ocupaciones de la industria forestal, limpiadores manuales de equipo, ocupaciones en servicios de alimentos, almacenistas, cuidadores de casas, limpieza de edificios, albañiles, operadores de material móvil y ocupaciones de productos de precisión (Marcelli y Heer, 1997; Pastor Jr., 2001; Ibarra y Robles, 2002). El estudio que realizamos a continuación es sobre uno de esos nichos, el de la costura.

Costureros mexicanos en el Fashion District

El distrito de la costura, denominado oficialmente Fashion District, o también Garment District, ubicado en el centro de Los Ángeles, es una aglomeración de talleres manufactureros y establecimientos de venta de ropa. El nombre es muy glamoroso para la imagen y la funcionalidad urbana que tiene. Se delimita por un área que tiene al sur Washington Boulevard, cerca del *freeway* 10 a Santa Mónica; al oeste la calle Broadway; al este la calle San Pedro y al norte la calle Siete, aunque los talleres se extienden hasta la calle Cinco. Hacia el este y el sur de este cuadro encontramos áreas urbanas altamente degradadas, donde pululan *homeless* y población de limitados recursos económicos. Forma parte del viejo cinturón manufacturero de la ciudad. Hacia el norte y el oeste estan las áreas remozadas de la ciudad y rumbo al sur existen barrios con alta presencia latina, sobre todo mexicana, en donde reside gran parte de los costureros, aunque no exclusivamente (véanse mapas 2 y 3). Las partes más cercanas presentan un desarrollo urbano más próspero. En los alrededores del centro histórico, en un anillo de alrededor de nueve millas cuadradas, se combinan áreas manufactureras tradicionales y zonas residenciales de bajos ingresos; 74 por ciento de la población en el año 2000 era latina y el nivel de pobreza fue 43 por ciento (Censo, 2000).

El barrio contrasta con el nuevo centro de la ciudad, que ostenta imponentes rascacielos y grandes edificios públicos que identifican a Los Ángeles en cualquier postal; contiguos se encuentran viejos edificios, galerones, callejones, donde están instalados cientos de talleres de manufactura, diseño y venta de prendas de vestir. Es un distrito industrial denso, con una división del trabajo compleja que articula redes de manufactureros, contratistas y subcontratistas que descansan en la fuerza de trabajo de los inmigrantes, aunque existe una élite de administradores, diseñadores y técnicos.[7]

En este distrito está la mayor densidad de la actividad manufacturera de ropa del sur de California y concentra 37 por ciento de los contratistas de toda la región de Los Ángeles. Los asiáticos dominan alrededor del 60 por ciento de los talleres del lugar. Los coreanos, en particular, tienen ahí 70.7 por ciento de los establecimientos de la región y los latinos 28.7 por ciento. Es una zona donde se concentran abusos a los trabajadores que ganan por debajo de los límites de pobreza. Datos oficiales citados por Bonacich y Appelbaum (2000) estimaron para 1998 que 61 por ciento de las firmas violaba las regulaciones laborales, 97 por ciento las normas de seguridad y 54 por ciento las sanitarias. Se calculó que 81 por ciento de los trabajadores son indocumentados, y los mexicanos 83 por ciento de los hispanos.[8] La norma en esta industria es también pagar por debajo de los salarios oficiales, disfrazando la ilegalidad por la vía del salario por piezas (Bonacich y Appelbaum, 2000; Light *et al.*, 2001, 1999; García-Castro, 2000; Valenzuela-Camacho, 2000; Blumerberg y Ong, 1997; G. Scott, 1998; Sarmiento, 1996).

[7] Para una descripción detallada del barrio consultar Ibarra y Robles (2002) y García-Castro (2000).

[8] Nuestra muestra arrojó para 2000 un porcentaje de 76.6 por ciento de mexicanos, lo cual es explicable por la creciente presencia de centroamericanos en los trabajos de costureros en el Fashion. Véase más adelante.

MAPA 2

FASHION DISTRICT DE LOS ÁNGELES:
DISTRIBUCIÓN DE MANUFACTUREROS Y CONTRATISTAS

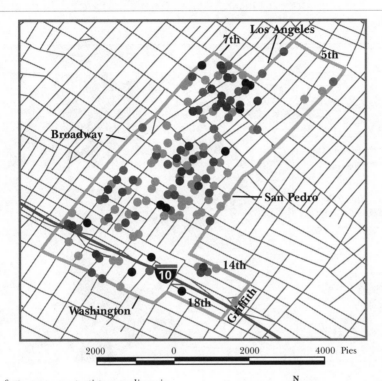

Manufactureros y contratistas con licencia

- Contratistas
- Subcontratista
- Servicio de corte
- Manufacturero
- Comerciante
- Límite de Fashion District, L.A.
- Freeways
- Calles

Mapa de Jennifer H. Lin, 2/8/02
Datos del Department of Labor Standars Enforcement
California Department of Industrial Relations

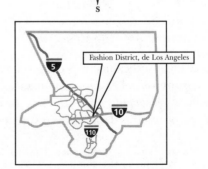

Fuente: Tomado de Jennifer H. Lin (2002), *Garment District, Los Ángeles, Urban Planning Department, School of Public Policy and Social Research*, University of California Los Ángeles,
http://www.bol.ucla.edu/~jennylin/206aweb/Midterm/midterm.html

MAPA 3

POBLACIÓN MEXICANA POR CENSUS TRACT
EN EL CENTRO SUR DE LOS ÁNGELES, 2000.
ÁREAS CERCANAS AL FASHION DISTRICT

Fuente: Department of Commerce, 2000 Census of Population, Region and Country of Birth of the Foreign-Born Population.

Mercado de trabajo para inmigrantes de estados emergentes

En el lugar aplicamos 273 cuestionarios que muestran que 76.6 por ciento de los costureros del Fashion son mexicanos, le siguen guatemaltecos con 16.1 por ciento y los salvadoreños con 4.4 por ciento.[9] En general los mexicanos tienen mayor promedio de años de residencia, ganan menos que los centroamerica-

[9] Los cuestionarios se aplicaron en las calles del Fashion District durante el verano de 2000. Fue un muestreo estratificado aleatorio para poblaciones móviles. El cuestionario contenía 25 preguntas de opción múltiple que recogían la información básica sobre perfil sociodemográfico, su llegada a Los Ángeles, oficio, redes familiares, ingreso, manejo del inglés, estatus migratorio, entre otros elementos. Se piloteó el instrumento en varias ocasiones y lo ajustamos para ser respondido en dos minutos, pues se aplicaba a transeúntes y no a personas en su centro de trabajo o en un lugar fijo.

nos, su tasa de indocumentados (81.8 por ciento), es mayor que la de los guatemaltecos, y su escolaridad apenas es un poco mayor que la de éstos pero menor que la de los salvadoreños (véase cuadro 4). Aunque en general los salarios son bajos en todos los casos, en un día de trabajo un mexicano gana en promedio 41 dólares, frente a 46 de los guatemaltecos y 49 de los salvadoreños. Esto puede chocar con la evidencia en toda la región de Los Ángeles, de que los centroamericanos en general tienen aún menos oportunidades que los mexicanos, pero al respecto podemos conjeturar que el promedio de los mexicanos es bajo porque la mayoría son recién llegados; 67 por ciento de los hombres y 45.6 por ciento de las mujeres arribaron en los noventa, cuando el mercado laboral estaba precarizándose (véase cuadro 9), limitándolos para adquirir ventajas en el lugar sobre los centroamericanos, sobre todo los guatemaltecos, que aceptan situaciones de mayor explotación a cambio de unos cuantos dólares adicionales al día. Además el costo de ser deportado o fracasar en Estados Unidos es considerablemente mayor para ellos que para los mexicanos.

CUADRO 4

PRINCIPALES GRUPOS DE INMIGRANTES LATINOS EN LOS ÁNGELES:
CAPITAL SOCIAL Y HUMANO (N=273)

	Tasa de indocumentados (%)	Residencia promedio (años)	Escolaridad promedio (años)	Salario diario (dólares)	Salario por hora (dólares)
México	81.8	9.4	7.7	41.0	6.2
El Salvador	33.3	8.7	10.0	49.0	7.4
Guatemala	75.0	5.5	5.5	46.0	6.9

Entre los mexicanos, por estado de origen, predominan los de Puebla, Guerrero, Distrito Federal y Estado de México; le siguen en importancia Jalisco, Guanajuato, Michoacán y Veracruz (véase cuadro 5).

Este origen revela algunas tendencias nuevas de la emigración de México a Estados Unidos; aunque los estados tradicionales expulsores de la migración como el occidente de México mantienen su predominio, pierden paulatinamente peso frente a estados del centro y el sureste (Marcelli y Cornelius, 2001).

La población trabajadora que se dirige al Fashion es en un alto porcentaje de primera inserción laboral e indocumentada, con redes sociales más pobres que aquellas de estados históricos, aquí en segundo plano, Jalisco, Michoacán

CUADRO 5

MEXICANOS EN LOS ÁNGELES POR REGIÓN DE ORIGEN

Condado de Los Ángeles 1995		Valle de San Fernando (n = 195) 2000		Fashion District (n = 209) 2000		Esquineros de Panorama City (n = 115)	
Jalisco	29.6	Jalisco	26.2	Puebla	16.8	Distrito Federal	15.7
Michoacán	14.7	Michoacán	15.4	Guerrero	12.5	Puebla	13.9
Zacatecas	10.2	Zacatecas	8.2	Distrito Federal	10.6	Michoacán	12.2
Guanajuato	6	Distrito Federal	7.7	Estado de México	10.1	Jalisco	10.4
Distrito Federal	5.3	Puebla	6.2	Jalisco	8.7	Nayarit	7.0
Durango	4.2	Guanajuato	4.6	Guanajuato	5.3	Oaxaca	7.0
Sinaloa	3.9	Durango	4.1	Michoacán	5.3	Sonora	6.1
Nayarit	3.7	Sinaloa	3.6	Veracruz	4.8	Veracruz	5.2
Guerrero	2.8	Baja California	2.6	Hidalgo	3.8	Sinaloa	4.3
Baja California	2.6	Chihuahua	2.6	Oaxaca	3.8	Durango	3.5
Puebla	2.3	Estado de México	2.6	Morelos	2.9	Guerrero	3.5
Chihuahua	2.2	Nayarit	2.1	Baja California	2.4	Zacatecas	2.6
Colima	1.7	San Luis Potosí	2.1	Querétaro	2.4	Chiapas	2.6
Oaxaca	1.6	Veracruz	2.1	Durango	1.9	San Luis Potosí	1.7
Sonora	1.3	Aguascalientes	1.5	Chiapas	1.4	Chihuahua	0.9
Otros	7.9	Otros	8.4	Otros	7.2	Otros	3.5

Fuente: Gonzáles (1995); Ibarra y Robles (2002); Ibarra (2002) y para los esquineros la encuesta de Pascual Barrera (2000) de la Universidad del Valle de Atemajac.

y Guanajuato (que participan con 19.3 por ciento de todos los mexicanos), están por debajo de los estados emergentes como Puebla, Guerrero, Distrito Federal, Estado de México y Veracruz, que suman 54.8 por ciento, los cuales a su vez son de menor peso en la composición por entidad federativa de origen de los mexicanos en todo el condado (véanse cuadros 5 y 6). Por ejemplo, los jaliscienses fueron 29.6 por ciento de todos los mexicanos de Los Ángeles en 1995 y 26.2 por ciento en el año 2000 en el valle de San Fernando, un área de alta concentración de latinos al norte del condado. En cambio en el Fashion en este último año fueron sólo 8.7 por ciento. Un contraste similar ocurre con los demás estados tradicionales (véanse mapas 4, 5 y 6).

Los inmigrantes del occidente juntos (Michoacán, Colima, Jalisco, Nayarit, Guanajuato, Aguascalientes, Zacatecas) son 21.2 por ciento del total de los costureros mexicanos, y a partir de 1985-1989 han reducido su presencia, pues fueron sólo 12.6 por ciento de los que arribaron en 1995-2000 (véase cuadro 6). En cambio, cinco estados emergentes (Puebla, Guerrero, Distrito Federal, Estado de México y Veracruz) son actualmente 54.8 por ciento; empezaron a destacar ya en la cohorte de 1980-1984 cuando fueron origen de 50 por ciento de los que llegaron y 58.6 por ciento en la de 1995-2000.

MAPA 4

MEXICANOS EN LOS ÁNGELES, 1995.
ESTADOS DE ORIGEN (%)

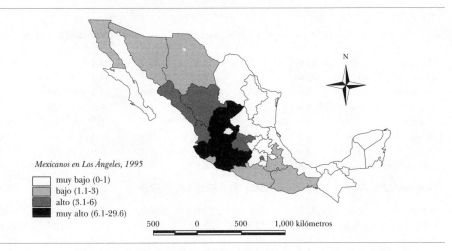

Mexicanos en Los Ángeles, 1995
- muy bajo (0-1)
- bajo (1.1-3)
- alto (3.1-6)
- muy alto (6.1-29.6)

500   0   500   1,000 kilómetros

Fuente: Gonzáles (1995) información de solicitantes de matrículas consulares y pasaportes.

MAPA 5

MEXICANOS EN EL FASHION DISTRICT DE LOS ÁNGELES, 2000.
ESTADOS DE ORIGEN (%)

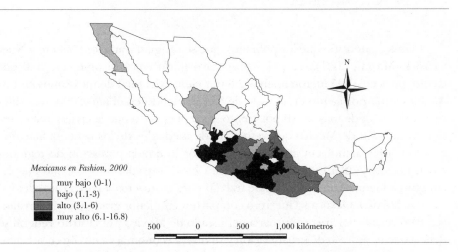

Mexicanos en Fashion, 2000
- muy bajo (0-1)
- bajo (1.1-3)
- alto (3.1-6)
- muy alto (6.1-16.8)

500   0   500   1,000 kilómetros

Fuente: Encuesta propia (n=209).

CUADRO 6

MEXICANOS EN EL FASHION DISTRICT POR ESTADO DE ORIGEN
Y PERIODO DE ARRIBO A LOS ÁNGELES (%) (N=209)

	Antes de 1970	1970-1974	1975-1979	1980-1984	1985-1989	1990-1994	1995-2000	Total
Occidente	50.0	25.0	75.0	33.3	36.0	17.1	12.6	21.2
Jalisco	50.0	25.0	37.5	8.3	20.0	4.3	4.6	8.7
Guanajuato	0.0	0.0	12.5	0.0	4.0	7.1	4.6	5.3
Michoacán	0.0	0.0	25.0	16.7	8.0	4.3	2.3	5.3
Zacatecas	0.0	0.0	0.0	8.3	0.0	0.0	0.0	0.5
Colima	0.0	0.0	0.0	0.0	0.0	1.4	1.1	1.0
Nayarit	0.0	0.0	0.0	0.0	4.0	0.0	0.0	0.5
Aguascalientes	0.0	0.0	0.0	0.0	0.0	0.0	0.0	0.0
Otros estados	50.0	75.0	25.0	66.7	64.0	82.9	87.4	78.8
Emergentes	0.0	25.0	25.0	50.0	56.0	57.1	58.6	54.8
Puebla	0.0	0.0	12.5	25.0	12.0	14.3	20.7	16.8
Guerrero	0.0	0.0	0.0	16.7	8.0	12.9	14.9	12.5
Distrito Federal	0.0	0.0	12.5	0.0	28.0	11.4	6.9	10.6
Estado de México	0.0	25.0	0.0	0.0	8.0	12.9	10.3	10.1
Veracruz	0.0	0.0	0.0	8.3	0.0	5.7	5.7	4.8
Otros	50.0	50.0	0.0	16.7	8.0	25.7	28.7	24.0
Total	100.0	100.0	100.0	100.0	100.0	100.0	100.0	100.0

Fuente: Ibarra y Robles (2002).

Llama la atención que los poblanos, que se dirigían tradicionalmente a Nueva York (Macías, 2001), sean el grupo mayoritario en el Fashion con 16.8 por ciento, pues en 1995 fueron apenas 2.3 por ciento del total de mexicanos en Los Ángeles y 6.2 por ciento en el valle de San Fernando en el año 2000, una diferencia negativa de más de 10 por ciento. Esto obedece a que la crisis y reconversión productiva de México que vemos desde mediados de los ochenta afectó al campo y a las manufacturas tradicionales, por lo que la población de regiones con tradición secular en la industria textil y las labores del campo como Puebla, emigran a lugares con mercados de trabajo para costureros. El área rural del Estado de México, Oaxaca y Guerrero comparten en menor grado esta circunstancia. Pero el caso del área conurbada del Estado de México y el Distrito Federal se debe a que el proceso de urbanización y su nueva economía ya no ofrece suficientes empleos para las nuevas generaciones, incluso para pobladores de zonas periféricas que tenían en ella el principal destino de la migración interna.

MAPA 6

MEXICANOS EN EL VALLE DE SAN FERNANDO, LOS ÁNGELES, 2000.
ESTADOS DE ORIGEN (%)

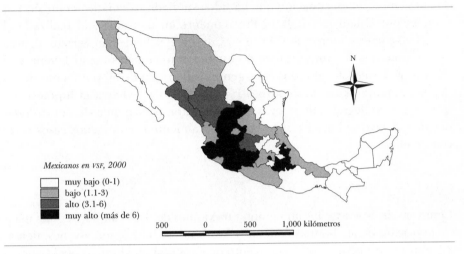

Mexicanos en VSF, 2000

- muy bajo (0-1)
- bajo (1.1-3)
- alto (3.1-6)
- muy alto (más de 6)

Fuente: Encuesta propia (n=195).

MAPA 7

MEXICANOS ESQUINEROS DE PANORAMA CITY, LOS ÁNGELES, 2000.
ESTADOS DE ORIGEN (%)

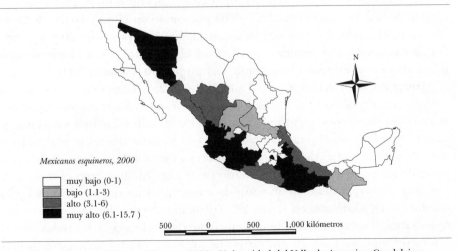

Mexicanos esquineros, 2000

- muy bajo (0-1)
- bajo (1.1-3)
- alto (3.1-6)
- muy alto (6.1-15.7)

Fuente: Encuesta de Pascual Barrera (2000), Universidad del Valle de Atemajac, Guadalajara.

Las condiciones de trabajo en el Fashion y sus resultados, como veremos a continuación, son marginales; se acercan a la situación precaria de los jornaleros urbanos de Los Ángeles, llamados "esquineros" por ofrecer su mano de obra en las calles, situación que ha sido estudiada sistemáticamente en Los Ángeles por Valenzuela (2000). Precisamente en una encuesta realizada el año 2000 con esquineros de Panorama City, en el valle de San Fernando, área donde dominan los inmigrantes de estados tradicionales como Puebla y el Distrito Federal, estos estados emergentes son origen de 30 por ciento de todos los esquineros (véase cuadro 5 y mapa 6). Esto refuerza la hipótesis de que los recién llegados de nuevas áreas migratorias disponen de oportunidades menos favorables para insertarse laboralmente o en muchos casos carecen de ellas.

Jóvenes y explotados

Como era de esperarse los inmigrantes mexicanos del Fashion, por ser una masa de población de arribo más reciente a los Estados Unidos, son jóvenes; tienen 32 años en promedio y 63.6 por ciento de ellos está en el rango de 34 años o menos. Su juventud se advierte comparando sus edades con el promedio de la de los inmigrantes mexicanos en Estados Unidos mayores de 15 años en el 2000, entre los cuales 47.1 por ciento tenían 34 años o menos, mientras que en el Fashion eran 63.5 por ciento (Conapo, 2001e).

Su manejo del inglés y su capital humano son muy bajos, sólo 5.3 por ciento declararon hablar bien inglés y su escolaridad promedio es de 7.8 años. Su tasa de indocumentados es muy elevada, 81.8 por ciento, mientras otras áreas como en el valle de San Fernando contaban 45.63 por ciento en el mismo año de 2000 (Ibarra y Robles, 2002). También su escolaridad es baja pues sólo 20 por ciento tienen 10 años o más de estudios, mientras en el conjunto de todos los inmigrantes mexicanos en Estados Unidos eran 55.7 por ciento (Conapo, 2001e).

Por tanto, los trabajadores del Fashion ganan 252 dólares en promedio a la semana cuando laboran 40 horas o más, casi en su totalidad carecen de beneficios como vacaciones, seguro médico, etcétera, y están sometidos a una intensa explotación, pues el pago por pieza hace la jornada laboral inestable, riesgosa y estresante, pues deja a los trabajadores a merced de mayores abusos por parte de los patrones. Este es un salario de apenas 1,000 dólares al mes, muy por abajo del equivalente al universo de inmigrantes mexicanos en aquel país que fue de 1,483 dólares en el año 2000 (Conapo, 2001e). Finalmente, respecto a su capital social se advierte una creciente dependencia de las redes de parentesco y amistad pues 78 por ciento de los entrevistados tuvieron personas que les ayudaron a instalarse (véase cuadro 7).

Cuadro 7

PRINCIPALES GRUPOS DE INMIGRANTES LATINOS Y MEXICANOS EN EL FASHION DISTRICT (%)

Persona que le ayudó a venir a Los Ángeles

	México	Guanajuato	Puebla	Guerrero	Veracruz	Guatemala	El Salvador
Familiar	59.8	63.6	60.0	73.1	50.0	36.4	75.0
Amigo	18.2	18.2	22.9	19.2	10.0	29.5	16.7
Nadie	20.6	18.2	14.3	7.7	40.0	34.1	8.3
Otro	1.4	0.0	2.9	0.0	0.0	0.0	0.0
Total	100.0	100.0	100.0	100.0	100.0	100.0	100.0

Situación migratoria

	México	Guanajuato	Puebla	Guerrero	Veracruz	Guatemala	El Salvador
Ciudadano	4.8	0.0	8.6	0.0	0.0	2.3	0.0
Residente	13.4	45.5	5.7	3.8	10.0	22.7	66.7
Indocumentado	81.8	54.5	85.7	96.2	90.0	75.0	33.3
Total	100.0	100.0	100.0	100.0	100.0	100.0	100.0

Rangos de edad

	México	Guanajuato	Puebla	Guerrero	Veracruz	Guatemala	El Salvador
Edad promedio	32	31	29	29	27	31	32
De 12 a 18	1.9	0.0	0.0	11.5	0.0	4.7	0.0
De 19 a 34	61.7	63.6	77.1	73.1	66.7	65.1	58.3
De 35 a 54	31.6	9.1	22.9	11.5	33.3	27.9	41.7
De 55 o más	4.9	18.2	0.0	3.8	0.0	2.3	0.0
Total	100.0	100.0	100.0	100.0	100.0	100.0	100.0

Años de escolaridad

	México	Guanajuato	Puebla	Guerrero	Veracruz	Guatemala	El Salvador
Sin estudios	3.3	0.0	0.0	0.0	0.0	6.8	0.0
De 1-6	41.6	54.5	57.1	46.2	50.0	71.0	16.7
De 7 a 9	34.9	18.2	25.7	23.1	40.0	9.1	16.6
De 10 a 12	16.7	27.3	14.2	11.5	10.0	9.1	58.3
De 13 o más	3.3	0.0	2.9	11.5	0.0	4.5	8.3
Total	100.0	100.0	100.0	100.0	100.0	100.0	100.0

N=209.

Diferencias por región de origen

Si consideramos entre los estados dominantes a tres de nueva importancia (Puebla, Guerrero y Veracruz) y a tres históricos (Guanajuato, Jalisco y Michoacán), encontramos que en los segundos la tasa de indocumentados, 54.5, 61.1 y 41.6 por ciento respectivamente, es muy baja respecto a los primeros: poblanos 85.7 por ciento, guerrerenses 96.2 por ciento y veracruzanos 90 por ciento (véase cuadro 7). Resulta interesante constatar que en estos últimos para los indocumentados no cuenta la diferencia en la constitución de la red social, pues con excepción de los veracruzanos que tienen el más alto porcentaje de individuos que llegaron sin ayuda de nadie (40 por ciento), por su reciente arribo a la región, tanto los que provienen de estados nuevos como de estados históricos tienen altos porcentajes de ayuda de familiar y amistosa para instalarse. El promedio de todos los mexicanos que tuvieron que arreglárselas solos para llegar a Los Ángeles fue únicamente de 20.6 por ciento (véanse cuadros 7 y 8). Lo que sí puede pensarse es que, por los magros resultados en salarios y el tipo de ocupación, el capital social implícito en la red de esos grupos regionales es aún muy pobre.

Los resultados de la encuesta no describen un patrón determinado por edad de los inmigrantes, salvo que son una fuerza de trabajo joven y en vías de masculinización. Visto regionalmente, aunque el promedio de los veracruzanos es ligeramente menor a los demás, los guerrerenses tienen el más alto porcentaje de trabajadores con 18 años o menos, lo que indicaría que trabajan junto con sus padres, con quienes migraron y quienes los aculturan en ese mercado laboral. Por otra parte Guanajuato predomina en mayores de edad, explicable por ser un estado tradicionalmente expulsor, con 18.2 por ciento con 55 años o más, siendo mínimo en los guerrerenses 3.8 por ciento y nulo en los otros dos (véase cuadro 9). Los de Guanajuato también tienen el mayor número de personas con estudios de bachillerato. También es evidente la baja escolaridad de la mayoría, pues la moda en todos los grupos es de seis años y la media entre 7 y 8, lo que supondría la existencia de un extremo de personas con mayor escolaridad que quienes arribaron recientemente, pues ésta se ha elevado en México en los últimos años.

En indocumentados cuenta también la antigüedad en Los Ángeles, pues los de origen reciente provenientes del Distrito Federal, Guerrero y el Estado de México tienen tasas por arriba de 90 por ciento y Puebla por arriba del grupo de mexicanos. En cambio Michoacán tiene una tasa de indocumentados casi de la mitad.

Los de más reciente arribo son del Estado de México y Puebla, y los de mayor antigüedad los de Michoacán y Jalisco, seguidos por el Distrito Federal. Estos tres estados también son los de mayor número de indocumentados; el más alto es el Distrito Federal con 95.4 por ciento, seguido por el Estado de México, 90.4 por ciento y Puebla 85.7 por ciento. Por su bajo capital social y humano, todos los grupos, históricos o recientes, son mal remunerados y sólo aparecen un poco más castigados los poblanos, de arribo más temprano a Los Ángeles.

CUADRO 8

INMIGRANTES MEXICANOS EN LOS ÁNGELES:
CAPITAL SOCIAL Y HUMANO

	Algunos grupos por entidad federativa				
	Tasa de indocumentados (%)	*Residencia promedio (años)*	*Escolaridad promedio (años)*	*Salario diario (dólares)*	*Salario por hora (dólares)*
República Mexicana	81.8	9.4	7.7	42	6.3
Guerrero	96.2	5.8	8	41.8	6.3
Distrito Federal	95.4	8	8.6	41.5	6.2
Estado de México	90.4	7	7.8	40.47	6.1
Jalisco	61.1	13.33	6.8	42.46	6.4
Puebla	85.7	6.7	7.48	39.18	5.9
Michoacán	41.6	13.25	7.75	42.26	6.3

N=209.

Género y fuerza laboral

En las dos últimas décadas los mercados de trabajo de las principales metrópolis estadounidenses, y de la región de Los Ángeles en particular, se han segmentado por etnia y género; los inmigrantes indocumentados han irrumpido como actores destacados de la nueva economía urbana (Waldinger y Bozorgmeher, 1996; Scott, 1996). Más de la mitad de los inmigrantes desde los setenta son mujeres y la cuarta parte de todas ellas son originarias de México y Centroamérica; la mitad son indocumentadas y juegan un papel importante en el mercado laboral.

En 1990 28 por ciento de las mujeres mexicanas nacidas en el extranjero residentes en la región de Los Ángeles se ocuparon en tareas operativas, 25 por ciento en empleos de servicios. La mujer juega una función laboral que, lejos de ser un complemento de la actividad del hombre, es parte del nuevo sistema de regulación laboral. Ya no es el hombre el intermediario entre el mercado de trabajo y la familia, como ocurrió en décadas anteriores (Zentgraf, 2001; Piore, 2002). Más arriba hemos visto que hay estimaciones de que entre 70 y 80 por ciento de los trabajadores de la costura son mujeres (Bonacich y Appelbaun 2000; Zentgraf, 2001), reconociéndose el creciente número de hombres. En nuestra encuesta las mujeres constituyeron 26 por ciento del total de los que respondieron, lo que es inferior al porcentaje real, pues encuestamos a trabajadores en las calles del distrito, no en los lugares de trabajo, en donde los hombres fueron más proclives a responder en esas circunstancias. No obstante, los porcentajes de recién llegados nos revelan con claridad el cambio de género de los costureros.

Las trabajadoras de la costura del Fashion son de mayor edad que los hombres en promedio, 36 años frente a 31; con mayor tiempo de residencia en Los Ángeles, 10.7 años frente a 7; aunque con la misma escolaridad promedio de 7.7 años. Esta mayor antigüedad se refleja en que su aún alto porcentaje de indocumentados (76.9 por ciento), es inferior al masculino (81.7 por ciento) (véase cuadro 9). Con relación a los grupos de mayor edad de los trabajadores del Fashion las mujeres tuvieron 48.5 por ciento en los estratos con 35 años o más, mientras los hombres sólo 31.8. por ciento. También en el periodo de arribo se advierte una creciente masculinización, más evidente en la segunda mitad de los noventa. De 1996 a 2000 arribaron 41.5 por ciento de todos los hombres entrevistados, mientras que en el universo de las mujeres, las que llegaron en el mismo periodo sólo fueron 15.2 por ciento, es decir que por cada mujer que llegaba a Los Ángeles y se incorporaba a la costura en el Fashion, lo hacían tres hombres.

La evidencia empírica, por tanto, ofrece elementos sobre una masculinización de la fuerza de trabajo entre los mexicanos costureros del Fashion, de una sustitución de inmigrantes mujeres por hombres más jóvenes y cuyo origen, de manera creciente, es de regiones diferentes a las tradicionalmente expulsoras de inmigrantes a Estados Unidos. Se requiere mayor investigación empírica para evaluar en qué medida esta tendencia se generaliza a todo el condado de Los Ángeles y el sur de California. La mayor antigüedad, presencia aún mayoritaria y menor grado de indocumentación de la mujer en el mercado de trabajo de la costura no se acompaña de ventajas para este grupo. Tienen el mismo nivel de escolaridad promedio como hemos visto, sin embargo, su manejo del idioma inglés es deficiente, 69 por ciento lo hablan poco o nada, frente a 66 por ciento de los hombres; aunque la media de horas de trabajo a la semana son 40 para ambos sexos, en el salario promedio semanal sólo 24.9 por ciento de las mujeres ganan 250 dólares o más, en cambio lo hacen 78.2 por ciento de los hombres. Esto último quizá corresponda a que al atender el hogar en la mayoría de los casos dedican menos horas al trabajo, y no sólo por tener funcio-

CUADRO 9

INMIGRANTES MEXICANOS EN EL FASHION DISTRICT
DE LOS ÁNGELES (N=209)
(Porcentajes)

Edad	Mujeres	Hombres	Horas trabajadas a la semana	Mujeres	Hombres
Hasta 18	1.9	2.0	Hasta 40	51.9	57.1
De 19 a 34	50.0	66.2	41 a 50	42.3	34.7
De 35 a 54	40.4	27.7	51 o más	5.8	8.2
De 55 o más	7.7	4.1			

Tiempo de arribo a L.A.			Salario semanal		
Antes de 70	6.5	0.7	Menos de 150	7.7	2.0
De 1971 a 1975	6.5	1.4	Entre 150 y 200	23.1	13.5
De 1976 a 1980	8.7	3.4	Entre 200 y 250	44.2	31.1
De 1981 a 1985	4.3	4.8	Entre 250 y 300	17.3	25.0
De 1986 a 1990	28.3	21.8	Entre 300 y 400	3.8	21.6
De 1991 a 1995	30.4	26.5	Entre 400 y 500	1.9	4.7
De 1996 a 2000	15.2	41.5	Más de 500	1.9	2.0

Habla inglés			Escolaridad		
Bien	0.0	5.4	Hasta 6	51.9	41.9
Regular	30.8	28.4	7-9	32.7	36.5
Bien	23.1	25.7	10-12	9.6	19.6
Nada	46.2	40.5	13 o más	5.8	2.0

Situación migratoria			Perfil general		
Ciudadano	7.7	5.0	Años de edad promedio	36	31.4
Residente	15.4	13.4	Años de escolaridad promedio	7.7	7.7
Indocumentado	76.9	81.7	Años de residencia promedio	10.7	7

nes menos remunerativas. Esto se refuerza con la información de García-Castro (2000) de que sólo 8 por ciento de las latinas del Fashion hacen trabajo a domicilio, lo que puede significar que no tienen tiempo de llevar trabajo a casa aunque se lo requieran sus empleadores y obtengan mayor ingreso.

Conclusiones

En este ensayo hemos visto cómo los mexicanos en Los Ángeles muestran cambios en sus estados de origen, perdiendo importancia los tradicionales expulsores mientras ganan presencia los de estados del centro y sur del país. Los nuevos inmigrantes cuentan con menos oportunidades que los ya establecidos y además son la fuerza de trabajo de las áreas más degradadas, como la industria de la ropa, que por globalización de sus redes de producción requiere de una mayor explotación de la fuerza de trabajo. El Fashion District de Los Ángeles es un "paraíso" del nuevo capitalismo global en ese terreno; los trabajadores ganan por debajo de los niveles de pobreza, carecen de seguridad laboral, beneficios y son la base del poderío de esa industria en el sur de California. Los migrantes que optan por trabajar en el Fashion Distric son relativamente más jóvenes que el promedio, con menos escolaridad, menos capital humano, mayormente indocumentados y las mujeres van perdiendo terreno en la composición de estos inmigrantes frente a los hombres.

La migración femenina mexicana hacia Estados Unidos y su participación en el mercado laboral de ese país*

Paz Trigueros Legarreta

LA PRÁCTICA de la migración de México hacia Estados Unidos se ha manteni-do, con altas y bajas, desde mediados del siglo XIX hasta nuestros días. Aunque ha sido considerada como una actividad netamente masculina, las mujeres han ido incrementando su participación a través del tiempo.

Gamio (1969), hablaba de que en la década de los veinte la inmensa mayo-ría de los migrantes eran hombres, con edades entre los 20 y los 60 años, con alta proporción de gente de edad madura; mientras que las pocas mujeres que logró entrevistar eran de edad avanzada y todas ellas habían migrado con su marido y/o con su familia.

Gilberto Loyo (1969), en cambio, haciendo referencia al estudio de Mit-telbach et al. (1966), señalaba que a principios del siglo XX, por cada 100 mexicanos que emigraron a Estados Unidos 70 eran hombres y 30 mujeres; proporción que subió a 43 por ciento en el periodo de 1915-1919 por las lu-chas revolucionarias, para bajar nuevamente al terminar esta etapa armada. Llama la atención que según sus fuentes, la participación femenina volvió a subir entre 1950-1954 a 49 por ciento (45 por ciento en 1955-1959 y 46 por ciento en 1960-1964). Los autores citados por Loyo lo atribuyen a la alta tasa de atracción matrimonial entre mexicanos en los Estados Unidos, por factores culturales y económicos, así como a la creciente demanda en algu-nas labores propias de mujeres, como enfermeras o cuidadoras de niños y ancianos. Es probable que estas cifras se refieran a la migración definitiva y documentada, ya que se trata de un periodo que se caracteriza por la mi-gración temporal, ya sea como parte del Programa Bracero o de manera in-documentada.

Muchos autores han hecho referencia a la importancia en la legalización del estatus de los hombres migrantes, para la adopción de la práctica de la migración femenina y familiar, situación que adquirió especial importancia

* Esta ponencia es parte de un proyecto en proceso, llamado "La inserción laboral de los mexicanos en Estados Unidos. Una visión sociodemográfica."

después de la aprobación de la Inmigration Reform and Control Act (IRCA), pero que ya desde antes había sido reportado por autores como Reichert y Massey (1979 y 1980), quienes dicen que, desde la década de los setenta, hubo grupos que lograron legalizar su estatus, como sucedió con los vecinos de un pueblo de Michoacán que habían estudiado y que, en efecto, esto facilitó la participación de mujeres y de grupos familiares. En 1981 Mines también encontró que un mayor porcentaje del total de migrantes a Estados Unidos eran mujeres y que un número creciente de ellas migraba sin documentos, en el pueblo de Las Ánimas en Zacatecas; y que ellas estaban migrando en etapas más tempranas del ciclo de vida de sus maridos.

Sin embargo, en la mayoría de los estudios de caso de finales de los setenta y principios de los ochenta, se recalcaba el peso de la migración masculina hacia Estados Unidos, así como la preferencia de los hombres migrantes por casarse con mujeres del pueblo de origen y adquirir viviendas ahí, con la finalidad de mantener su residencia en la comunidad (Alarcón, 1988 y López Castro, 1986; Trigueros, 1994). Se hablaba entonces de la fuerza que había adquirido la familia "matrifocal", a pesar de lo cual los investigadores señalaban que no sólo se mantenía la situación de subordinación de la mujer, sino que se fortalecía, ya que la ausencia del hombre la hacía más vulnerable. También se señalaban los trastornos familiares que traía la separación familiar debida a la migración del hombre, debido a la mayor recurrencia al alcohol, que propiciaba agresiones a la mujer y a los hijos (Dinerman, 1978; y López Castro, 1986).

Se mencionaban también las distintas prácticas a las que recurrían las mujeres para sostener a su grupo doméstico mientras el hombre ausente les enviaba dinero, como la venta en el mercado, el trabajo agrícola, el cuidado de animales ajenos o propios o la realización de actividades domésticas remuneradas (Dinerman, 1978; Mummert, 1988; y Trigueros, 1994).

En la primera encuesta de hogares con cobertura nacional, enfocada a conocer las principales características de la migración laboral mexicana hacia Estados Unidos, la ENEFNEU (Encuesta Nacional de Emigración a la Frontera Norte del País y a los Estados Unidos), de 1978-1979, se encontró que las mujeres constituían sólo el 16.1 por ciento del total de los migrantes laborales.[1] Sin embargo, en ésta como en otras encuestas, existe el problema de que se subestima la participación de mujeres, porque sólo se enfocan a la migración laboral y muchas de ellas van a ese país únicamente como acompañantes familiares. Desde entonces se podía percibir que su partici-

---

[1] En la muestra se incluía a los miembros de los grupos domésticos que en el momento de la entrevista estaban en Estados Unidos y a aquellos que ya habían regresado además sólo incluía a la población de 15 años o más que había trabajado o había ido a buscar trabajo en Estados Unidos.

pación era ligeramente mayor en el subgrupo de ausentes (16.5 por ciento) que en el de los que ya habían regresado (15.6 por ciento) (CENIET, 1982: 75-76). También se señalaba que las mujeres en general eran más jóvenes que los hombres, ya que la mitad de ellas (50.6 por ciento) eran menores de 25 años, en tanto que de los hombres sólo 37.4 por ciento estaba en esas edades.

En 1984 se realizó un nuevo esfuerzo para cuantificar la migración mexicana hacia Estados Unidos y determinar sus características sociodemográficas (la ETI-DEU), en esta ocasión en la frontera norte, siendo su población objetivo los migrantes devueltos por las autoridades de Estados Unidos. Debido a sus características los resultados no son comparables con los de la ENEFNEU. En esta ocasión el peso de las mujeres es inferior, sólo el 10.5 por ciento. Llama la atención que en este caso, la población menor de 25 años sea menor en el caso de las mujeres (47.1 frente a 56 por ciento de los hombres), siendo la edad promedio de 28.1 en las mujeres frente a 25.9 en los hombres (Conapo, 1986: 29).

Como ya dijimos se ha encontrado que la aprobación de la IRCA dio lugar a un importante aumento de la migración femenina, con un perfil diferente a la de los hombres: mayor proporción de solteras, niveles educativos más altos y un grado de concentración en mercados de trabajo urbanos, particularmente en California (Valenzuela y de León, 1992; y Bustamante *et al.*, 1998, entre otros).

Sin embargo con las encuestas y censos realizados en México ha sido difícil comprobar estas aseveraciones, ya que, según el instrumento utilizado, la migración femenina se ubicaba entre el 4 y el 25 por ciento del total de migrantes. Fue con los censos y encuestas norteamericanos que pudimos apreciar que su presencia en el vecino país alcanzaba un porcentaje cercano a la mitad de la población nacida en México residente en ese país.

Con su información se ha podido documentar, además de su perfil sociodemográfico, las características de su participación laboral y su posición subordinada, no sólo frente a la de las mujeres de aquel país, sino frente a sus paisanos y se ha mostrado que, aun entre ellas, existen diferencias importantes debidas a su nivel educativo y a su estatus legal, que van desde aquellas que residen en la Unión americana y ya cuentan con la ciudadanía de ese país, hasta las que sólo participan de manera temporal y sin documentos legales para ello.

Este capítulo analiza las características de la población femenina mexicana migrante, tomando en cuenta sus diferencias en cuanto a estatus legal y grado de involucramiento en el mercado laboral norteamericano, señalando su especificidad con relación a la población masculina mexicana.

Para ello utilizo dos bases de datos que contienen información al respecto. La primera es el suplemento de marzo de la Current Population Survey (CPS),[2] que incluye una pregunta sobre el lugar de nacimiento del entrevistado y otra sobre si son o no ciudadanos norteamericanos; la segunda es la Encuesta sobre Migración en la Frontera Norte de México (EMIF),[3] ambas correspondientes al año de 1997. Esta última se basa en una muestra representativa de las personas nacidas en México que cruzan la frontera hacia Estados Unidos, con la finalidad de trabajar o buscar trabajo en este país. La CPS es, como su nombre lo indica, una encuesta de hogares, por lo que su población objetivo es aquella que reside en Estados Unidos. Consideré necesario apoyarme en ambos instrumentos debido a que el estudio quedaría incompleto si sólo utilizara una de ellas, pues cada cual cubre un subsector distinto de la población laboral mexicana en Estados Unidos. Con sólo la CPS dejaría fuera a las migrantes residentes en México que sólo participan en el mercado laboral norteamericano de manera temporal, y que algunos autores llaman "migrantes circulares",[4] ya que sólo considera a las personas que residen en Estados Unidos. Con sólo la EMIF se perdería la información de muchos de los que ya tienen una presencia más definitiva en la Unión americana, ya que ellos o dejan de viajar a su país o lo hacen esporádicamente, además de que podrían hacerlo por vía aérea hasta su lugar de origen, sin pisar la frontera.

En ambos casos mi población objetivo es aquella del sexo femenino que señala haber nacido en México, haber laborado o buscado trabajo en Estados

---

[2] La Current Population Survey (CPS) es una encuesta mensual de alrededor de 50,000 hogares, conducida por el Bureau of the Census del Bureau of Labor Statistics. Constituye la principal fuente de información sobre las características de la fuerza de trabajo de la población de Estados Unidos. La muestra es seleccionada estadísticamente para representar a la población civil no institucional. En la encuesta que se levanta en marzo se agrega un suplemento (*March CPS supplement*), que constituye una fuente primaria de información sobre el origen de los entrevistados. Para lograr un análisis profundo de los llamados *hispanics* se agregan unidades muestrales de hispanos a la muestra básica. Además, se da un ponderador adicional para poder hacer estimaciones sobre los hogares y familias, más alla de las que se hacen sobre las personas. (U.S. Census Bureau, URL: http://www.bls.census.gov/)

[3] La Encuesta sobre Migración en la Frontera Norte de México (EMIF) es patrocinada por el Conapo, la Secretaría del Trabajo y el Colef, realizada por esta última institución. Se aplica en las principales localidades fronterizas en zonas de muestreo como centrales de autobuses, aeropuertos, estaciones de ferrocarril y garitas. Los deportados son entrevistados en las puertas por donde la patrulla fronteriza los devuelve a territorio mexicano. Intenta medir y caracterizar de manera directa los flujos migratorios laborales entre México y Estados Unidos en las dos direcciones (cuando van a y cuando regresan de Norteamérica), así como los corrientes de migrantes laborales del interior del país a las localidades fronterizas del norte de México. Utiliza técnicas de muestreo probabilístico de poblaciones móviles, empleadas en otras disciplinas, aprovechando la analogía que puede establecerse entre los flujos migratorios que comunican regiones de ambos países y las unidades que se desplazan a través de ríos, de un lugar a otro. Para este trabajo utilizo los resultados de la etapa que va de julio 11 de 1996 a julio 10 de 1997.

[4] Debido a que rebasa los fines de esta ponencia, no entraré a la discusión del término de "migrantes circulares" y lo utilizaré para designar a los migrantes temporales o migrantes residentes en México.

Unidos en 1997 y mantener su lugar de residencia en México, independientemente de su estatus migratorio. Aunque la EMIF se aplicó a cuatro distintos tipos
de migrantes internacionales,[5] sólo utilizo la información de las que regresan
por su cuenta, ya que es el conjunto que cubre mejor el requerimiento de participación laboral en Estados Unidos.

El empleo de estas fuentes me impone ciertas limitaciones por sus características específicas. La EMIF únicamente incluye a las personas que cruzan la frontera
por tierra, pero no a toda la población mexicana que vive en México y ha estado
trabajando (o buscando trabajo) en Estados Unidos de manera temporal.[6] La CPS,
por su parte, deja fuera a migrantes que, por su insegura permanencia en ese país,
no responden al cuestionario. El tamaño de la muestra en ambas encuestas impi-
de profundizar en algunos aspectos, situación que llega a ser crítica en el caso de
la población femenina captada por la EMIF, ya que es sumamente reducida. Por
otro lado las preguntas son diferentes en cada caso, lo mismo que el catálogo de
sectores económicos y ocupaciones, por lo que, aunque nos dan información sobre
las condiciones laborales de los entrevistados, no son directamente comparables.

Características de las muestras (cuadro 1):

La muestra del suplemento de marzo de la CPS, de 1997 incluye 4,663 observaciones (2,490 hombres y 2,173 mujeres), que al expandirse alcanza un total de
7'298,244 (4'078,425 hombres y 3'219,820 mujeres).

La fase 1996-1997 del flujo norte sur de la EMIF incluye un total de 2,029
observaciones (1,898 hombres y sólo 131 mujeres) de personas que mantenían
su domicilio en México, que al expandirse da un total de 499,551 (467,054
hombres y 32,497 mujeres).

El capítulo está dividido en cuatro partes. En la primera hago una descripción de las características generales de la población nacida en México que labora en Estados Unidos, haciendo énfasis en las mujeres. Tomo en cuenta tanto a
la población que reside en Estados Unidos como a la que vive en México, pero
trabajó en ese país en 1997 de manera temporal, destacando las diferencias de
cada sexo: dimensión, características sociodemográficas (edad y escolaridad) y
distribución geográfica en México y en Estados Unidos.

En la segunda abordo la participación laboral femenina en ese país, dimensión, ocupación y ramas económicas. En la tercera me aboco al análisis de los

---

[5] Los cuatro conjuntos de migrantes son: 1. los que apenas se dirigen hacia Estados Unidos, 2. los
que estando en ese país fueron regresados por las autoridades migratorias, 3. los que ya tienen residencia en Estados Unidos y cruzan la frontera para visitar el país y/o a sus familiares, y, por último 4. aquellos que regresan por su cuenta después de haber trabajado en ese país.

[6] Por lo tanto, excluye a los que van o vienen por vía aérea, sin tocar la frontera mexicana.

Cuadro 1

CARACTERÍSTICAS DE LA POBLACIÓN POR SEXO

| | | Lugar donde reside el migrante | |
	Sexo	Población residente en México (EMIF)	Población residente en Estados Unidos (CPS)
Muestra			
	Masculino	1,898	2,490
	Femenino	131	2,173
	Total	2,029	4,663
Población expandida			
	Masculino	467,054	4'078,425
	Femenino	32,497	3'219,820
	Total	499,551	7'298,245

Fuente: Elaboración propia con datos de la CPS y de la EMIF.

ingresos percibidos por las migrantes, tomando en cuenta, al igual que en los otros apartados, las diferencias por tipo de migrante, ocupaciones y otras variables relacionadas con la diferenciación en las retribuciones y comparándolas con las de otros grupos étnicos. En la cuarta parte termino con unos comentarios finales.

Características generales

De acuerdo con la CPS en 1997 había en Estados Unidos un total de 25.779 millones de personas nacidas fuera de su territorio, que constituían el 11.1 por ciento de la población total. De ellas, cerca de una cuarta parte había nacido en México (24.7 por ciento); seguida a mucha distancia, por Puerto Rico (4.6 por ciento), Filipinas y Alemania (4.1 por ciento cada uno); China (3.2 por ciento) y Cuba (3.1 por ciento).

A pesar de su peso numérico sólo un 14.9 por ciento de los mexicanos había adquirido la nacionalidad norteamericana; en tanto que del total de nacidos fuera el 35.1 por ciento lo había hecho. Así pues, la población nacida en México era de 7.3 millones de personas, de las cuales, un millón había adquirido la ciudadanía norteamericana. De los otros 6.3 millones no podemos conocer su condición migratoria; se calculaba que entre 2.3 y 2.4 millones vivían allá sin autorización en 1996 (Equipo Binacional de Migración, 1997).

Al mismo tiempo, y a pesar de las dificultades para cruzar la frontera, la migración temporal, usualmente con estancias menores al año, se ha mantenido.

La EMIF registró a casi medio millón de mexicanos que habían laborado o buscado empleo en Estados Unidos en 1997 y regresaban a su país por vía terrestre. De ellos un poco menos de la mitad (49.7 por ciento) señaló que contaba con documentos para cruzar la frontera, y poco menos (45.9 por ciento) que disponía de papeles para trabajar.

Con base en estos datos podemos decir que las personas nacidas en México que laboran en Estados Unidos conforman dos grandes subconjuntos: los que residen en la Unión americana de una manera más o menos estable y aquellos que únicamente van de manera temporal, la mayoría de las veces a trabajar, que mantienen su residencia en México. A su vez los residentes en Estados Unidos se subdividen en tres subsectores: los naturalizados, los residentes autorizados para trabajar pero sin la ciudadanía norteamericana y los no autorizados.[7] Los temporales, por su parte, se subdividen en dos grupos: los que cuentan con documentos para trabajar en Estados Unidos y los que no.

A pesar del aumento en la participación femenina, el censo del año 2000 encontró que los migrantes internacionales[8] constituyen únicamente la cuarta parte del flujo (25.4 por ciento). En números absolutos se calcula que 414,796 mujeres habían ido a vivir a Estados Unidos entre 1995 y 2000; de ellas, 318,315 estaban allá en el momento del levantamiento y 67,801 habían regresado. O sea que el 76.7 por ciento estaba residiendo en ese país y 16.36 por ciento habían retornado; porcentaje algo menor al de los hombres, de 17.01.

En la EMIF sólo constituyen el 6.5 por ciento del flujo de las que regresan, atribuible a que, según se ha detectado en estudios microrregionales, muchas sólo migran cuando tienen papeles (auténticos o falsos) y, cuando esto sucede, pueden hacerlo por vía aérea, sin necesidad de dirigirse a la frontera; a lo que habría que agregar que los periodos de estancia en Estados Unidos son mayores en ellas, por lo tanto, es menor la probabilidad de que sean captadas por esta encuesta. Según se ha detectado en los estudios microrregionales, la mayoría van como parte de un grupo familiar, por lo que no tienen tanta necesidad de regresar a ver a sus parientes y muchas de ellas sólo deciden migrar cuando tienen posibilidades de quedarse definitivamente, ya sea porque obtuvieron documentos de residencia o porque algún familiar (esposo, hijo o padre) lo consiguió o puede conseguirlo pues tienen mucho temor a las crecientes dificultades del cruce.

---

[7] En este trabajo sólo analizamos las diferencias entre aquellos con ciudadanía norteamericana y los que no la tienen, pues es la única que proporciona la CPS.

[8] Aun cuando muchas de las fuentes mexicanas hacen referencia a migración internacional, en general, se ha encontrado que en más del 90 por ciento de los casos se trata de migración a Estados Unidos.

En cambio, entre los residentes en Estados Unidos, la proporción de mujeres es cercana a la mitad (44.1 por ciento en el total y 44.9 por ciento en los naturalizados), o sea, un poco menor que la existente en la población residente en ambos países.

A pesar de que se trata de una migración laboral, la edad mediana de la población mexicana[9] es muy baja, de 31 años, igual que la de los salvadoreños; en tanto que la población nativa es algo mayor; 33 años (véase cuadro 2). Esta situación difiere en algunos grupos nacionales, debido a la antigüedad de su experiencia migratoria y a la reducción de sus flujos en los últimos tiempos; la de los italianos, por ejemplo, es de 56; la de los cubanos, de 51; la de los chinos de 44 y la de los filipinos de 40. Sin embargo, y al igual que en la mayoría de los grupos étnicos (con excepción de los italianos, colombianos y vietnamitas), la edad mediana de las mujeres mexicanas es algo mayor que la de los hombres, 32 y 30, respectivamente.

CUADRO 2

MEDIANA DE EDAD DE LA POBLACIÓN RESIDENTE EN
ESTADOS UNIDOS POR SEXO Y POR LUGAR DE NACIMIENTO

País de nacimiento	Hombres	Mujeres	Total
Estados Unidos	32	34	33
Nacidos fuera	35	38	36
Italia	57	55	56
Cuba	49	54	51
China	43	46	44
Filipinas	41	40	40
Colombia	37	40	38
Alemania	34	39	36
República Dominicana	33	37	36
Vietnam	34	33	33
Guatemala	30	34	32
El Salvador	28	34	31
México	30	32	31
Otros países	37	39	38
Población total	33	35	34

Fuente: Elaboración propia con información de la CPS de marzo de 1997.

[9] Utilizo los términos de "población mexicana", "mexicanos" o "mexicanas", para referirme a la población nacida en México, aun cuando, como ya señalé, un número importante de ellos han adoptado la ciudadanía norteamericana.

Aunque la mayoría de los mexicanos residentes en Estados Unidos y de los temporales se encuentra en edades laborales, en estos últimos se da una mayor concentración, ya que constituyen el 98.5 por ciento en las mujeres y el 98.9 por ciento en los hombres (véase cuadro 3). Hay que señalar además que el 60.3 por ciento de las migrantes "circulares" se encuentra entre las edades de 20 a 34 años, en tanto sólo 39.5 por ciento de los hombres se ubica en esas edades. En los residentes en Estados Unidos también hay una concentración mayor de las mujeres en esas edades aunque es menor que en las que viven en México (52.3 por ciento, frente a 44.3 por ciento).

CUADRO 3

POBLACIÓN MASCULINA NACIDA EN MÉXICO,
POR GRUPOS DE EDAD Y PAÍS DE RESIDENCIA
(Porcentajes verticales)

Grupos de edad	Hombres		Mujeres	
	Residentes en Estados Unidos	Migrantes circulares	Residentes en Estados Unidos	Migrantes circulares
0-4	1.2	0	1.2	0
5-9	4	0	3.8	0
10-14	4.4	0	6.1	0
15-19	7.5	7.7	6.9	9.4
20-24	14.3	18.5	10.8	19.2
25-29	16.1	19	13.9	15.8
30-34	13.9	14.8	15.0	25.4
35-39	12	13	10.2	7.3
40-44	7.7	10.7	9.1	9.1
45-49	5.4	6.6	5.8	3.1
50-54	5	3.2	4.8	5.3
55-59	3.2	3.9	4.0	1.6
60-64	2.1	1.5	2.6	2.4
65-69	0.8	0.7	2.1	0.3
70-74	1.2	0.3	1.5	1.1
75 o más	1.3	0.2	2.0	0.0
Total	100	100	100	10.0
	4'078,425	467,056	3,219,820	32,497

Fuente: Elaboración propia con información de la CPS de marzo de 1997 y de la EMIF, 1997.

En lo que respecta a la formación escolar, al igual que en otros rubros, las migrantes mexicanas presentan una gran heterogeneidad, pues mientras 4 por ciento de las mayores de 25 años[10] no terminó ningún grado de educación formal y más de dos terceras partes (68.8 por ciento) se situó por debajo de los nueve años, hay un 27.2 por ciento que concluyó *high school* y 3.9 por ciento que tiene un título profesional (véase cuadro 4). Es de llamar la atención que estos niveles escolares son muy semejantes a los de los hombres (4.3 por ciento que no terminó ningún grado; 69.1 por ciento, debajo de los nueve años; 27 por ciento con *high school* y 4 por ciento con licenciatura).

CUADRO 4

NIVEL EDUCATIVO DE LA POBLACIÓN NACIDA EN MÉXICO,
MAYOR DE 25 AÑOS, RESIDENTE EN ESTADOS UNIDOS EN 1997
(Porcentajes verticales)

Nivel educativo	Hombres	Mujeres
Sin escolaridad	4.3	4.0
De 1 a 4 grados	10.1	11.6
De 5 a 8 grados	31.5	32.3
De 9 a 12 grados	23.1	20.9
Con high school sin grado de licenciatura	27.0	27.2
Con licenciatura o más	4.0	3.9
Total	100	100
	3'686,492	2'861,605

Fuente: Elaboración propia con datos de la CPS, 1997.

Aunque la información no es directamente comparable, podemos observar que en los migrantes circulares la formación escolar es muy diferente en cada sexo y, aunque en términos generales son más bajos que en los residentes en Estados Unidos, la proporción de mujeres sin escolaridad es menor a 2.3 por ciento, en tanto que es bastante mayor la proporción de ellas con educación a nivel de licenciatura[11] o más 8.9 por ciento. En cambio, la proporción de los hombres que no estudiaron es muy alta, 10.1 por ciento, mientras que sólo 2.2 por ciento cursó cuatro años de estudios profesionales o más, y 4.5 por ciento terminaron la preparatoria o algún equivalente (véase cuadro 5).

[10] Para el caso de la educación me referiré a la población de 25 años o más, ya que actualmente se ha prolongado mucho la etapa escolar y muchos de entre 15 y 24 años pueden continuar estudiando.
[11] No hay información sobre cuántas de ellas tienen título profesional.

CUADRO 5

ÚLTIMO GRADO ESCOLAR APROBADO POR LAS PERSONAS
RESIDENTES EN MÉXICO, MAYORES DE 25 AÑOS, QUE
TRABAJARON O BUSCARON TRABAJO EN ESTADOS UNIDOS EN 1997
(Porcentajes verticales)

Nivel educativo	Hombres	Mujeres
Ninguno	10.1	2.3
Educ. primaria no terminada	35.0	12.8
Educ. primaria terminada	29.9	19.7
Educ. secundaria terminada	18.3	37.3
Educ. preparatoria terminada	4.5	19.1
4 años de educación profesional o más	2.2	8.9
Total	100	100
	344,596	23,191

Fuente: Elaboración propia con datos de la EMIF, 1997.

Esta situación contrasta con la que se presenta en la población mexicana en
su conjunto, donde, como en muchos otros aspectos, las mujeres se encuentran
muy rezagadas con relación a los hombres. Quizá influya el hecho de que entre las mujeres migrantes el porcentaje de las que provienen de áreas urbanas
sea mayor que en los hombres (48.9 frente a 41.8 por ciento, respectivamente).
En cualquiera de los casos, siendo que en la población captada por la EMIF están presentes primordialmente migrantes recientes (el 97.4 por ciento de los
hombres y el 94.6 por ciento de las mujeres se fue a Estados Unidos la última
vez entre 1994 y 1997), podría pensarse que las mujeres que están migrando
actualmente presentan características diferentes a las de los hombres en general y a las de las migrantes con más antigüedad, más urbanas y con niveles de
escolaridad más altos.

Distribución geográfica

En lo que respecta al estado donde nacieron sólo haremos referencia a las migrantes "circulares", pues sólo la EMIF proporciona información al respecto.
Como se observa en el cuadro 6 son menos las entidades federativas de donde
provienen las mujeres, pues son sólo 22 frente a 30 en el caso de los hombres.
Por otro lado, presentan un orden distinto, así mientras entre los hombres los
estados de origen principales son Guanajuato y Michoacán, para las mujeres
esos estados se encuentran en el décimo y el noveno lugar. Jalisco ha sido tradi-

CUADRO 6

DISTRIBUCIÓN DE LOS MIGRANTES TEMPORALES MEXICANOS
EN ESTADOS UNIDOS EN 1997, POR ESTADO DE NACIMIENTO Y POR SEXO
(Porcentajes verticales)

	Estado de nacimiento	Mujeres	Hombres	Total
1	Jalisco	18.8	6.8	7.5
2	Sonora	17.5	3.3	4.2
3	Coahuila	8.4	5.2	5.4
4	Sinaloa	7.5	5.3	5.4
5	Nuevo León	7.3	4.0	4.2
6	Nayarit	6.8	1.7	2.0
7	San Luis Potosí	6.4	6.1	6.1
8	Veracruz	5.9	3.1	3.2
9	Michoacán	4.3	8.5	8.3
10	Guanajuato	3.6	17.8	16.9
11	Tamaulipas	3.5	1.7	1.8
12	Chihuahua	3.4	4.1	4.1
13	Distrito Federal	1.6	1.1	1.2
14	Hidalgo	1.2	3.4	3.2
15	Durango	0.7	2.7	2.5
16	Guerrero	0.7	4.0	3.8
17	Tabasco	0.5	0.1	0.1
18	Aguascalientes	0.4	1.7	1.6
19	Puebla	0.4	1.7	1.7
20	Zacatecas	0.4	4.6	4.3
21	Querétaro	0.3	3.4	3.2
22	Estado de México	0.2	4.2	3.9
23	Baja California	0.0	0.2	0.2
24	Baja California Sur	0.0	0.0	0.0
25	Campeche	0.0	0.2	0.2
26	Colima	0.0	0.6	0.6
27	Chiapas	0.0	0.8	0.7
28	Morelos	0.0	0.3	0.3
29	Oaxaca	0.0	3.2	3.0
30	Tlaxcala	0.0	0.2	0.2
31	Yucatán	0.0	0.0	0.0
	Total de migrantes	32,497	467,056	499,553

Fuente: Elaboración propia con datos de la EMIF, 1997

cionalmente uno de los principales estados de expulsión y en el caso de las mujeres es el que tiene mayor peso con casi una quinta parte de las migrantes (18.8 por ciento), seguido muy de cerca por Sonora (17.5 por ciento), en tanto que sólo 3.3 por ciento de los hombres provenía de allí. Coahuila y Sinaloa son importantes para ambos sexos, pero su peso es mayor en las mujeres (8.4 y 7.5 por ciento frente a 5.2 y 5.3 por ciento, respectivamente). Otros estados con migración femenina elevada son Nayarit y Veracruz, pues mientras para los porcentajes son 6.8 y 5.9 por ciento, respectivamente, para los hombres son sólo 1.7 y 3.1 por ciento. En cambio estados que tienen un peso relativamente importante en los hombres, como Zacatecas, México y Oaxaca, entre las mujeres sólo representan el 0.4 por ciento en el primero, 0.2 por ciento el segundo y 0 en el tercero.

Otro aspecto que llama la atención es la reducida importancia que tiene el Distrito Federal para ambos sexos, lo que se puede atribuir, por un lado, a que se está hablando del estado de nacimiento y, por el otro, que probablemente sea mayor la proporción de migrantes de la ciudad capital que viajan con visas de turistas, llamados por los estadounidenses *visa abusers*, por lo que no necesitan llegar por la frontera.

Aun cuando los migrantes de origen urbano han aumentado su presencia en la práctica migratoria, todavía es mayor el porcentaje de personas nacidas en localidades menores de 2,500 habitantes, sobre todo en las mujeres, en quienes el porcentaje es de 58.2 frente a 51.1 en los hombres (véase cuadro 7). Quizá aquí también influya lo que señalábamos antes para el D.F.; es más factible que los migrantes urbanos viajen con documentos, sin pasar la frontera por tierra.

CUADRO 7

DISTRIBUCIÓN DE LOS MIGRANTES TEMPORALES
MEXICANOS EN ESTADOS UNIDOS EN 1997, POR
SEXO Y TIPO DE LOCALIDAD DE NACIMIENTO
(Porcentajes verticales)

Tipo de localidad	Mujeres	Hombres	Total
Rural	58.2	51.1	57.7
Urbano	41.8	48.9	42.3
Total	100	100	100
	466,423	32,498	498,921

Fuente: Elaboración propia con datos de la EMIF, 1997.

En 1997 los hombres mexicanos residían en 45 estados de la Unión americana; también en este caso, la presencia de mujeres está menos extendida, pues sólo fueron registradas en 38 (véase cuadro 8). Los migrantes "circulares" estuvieron trabajando en 40 y las mujeres, sólo en 11.

CUADRO 8

DISTRIBUCIÓN DE LA POBLACIÓN MEXICANA
EN ESTADOS UNIDOS EN 1997, POR PAÍS DE RESIDENCIA HABITUAL, SEXO Y
ESTADO DONDE RESIDEN EN ESTADOS UNIDOS
(Porcentajes verticales)

| Estado de la Unión americana | Lugar de residencia habitual | | | | | |
| | Estados Unidos | | | México | | |
	Hombres	Mujeres	Total	Hombres	Mujeres	Total
California	46.5	47.1	46.8	32.7	30.3	32.5
Texas	21.0	21.3	21.1	36.4	33.7	36.2
Arizona	6.5	7.3	6.8	6.5	24.5	7.7
Illinois	5.6	6.0	5.8	1.3	0.1	1.3
Colorado	1.9	2.4	2.1	2.1	4.1	2.2
Oregon	1.8	1.8	1.8	1.5	0.0	1.4
Nueva York	2.7	1.7	2.2	0.1	-	0.1
Nuevo México	1.2	1.6	1.4	1.4	1.6	1.4
Florida	1.5	1.5	1.5	2.0	0.0	1.8
Nevada	1.4	1.2	1.3	0.6	2.5	0.7
Washington	1.9	1.1	1.6	1.3	-	1.2
Minnesota	0.9	0.8	0.9	0.1	-	0.1
Carolina del Norte	1.1	0.8	0.9	2.7	1.1	2.6
Nueva Jersey	1.1	0.6	0.9	0.1	-	0.1
Total de los 14 estados	94.9	95.2	95.0	88.8	97.8	89.3

Fuente: Elaboración propia con datos de la CPS y de la EMIF de 1997.

Sin embargo, en ambos tipos de migrantes y en los dos sexos existe una fuerte concentración en tres estados: California, Texas y Arizona, aun cuando el orden es diferente, pues entre los temporales Texas supera a California, mientras que en los residentes este último atrae a más del doble que Texas. En los demás estados se notan diferencias mayores; así por ejemplo, mientras Illinois constituye un polo de atracción importante para los residentes entre los "circulares" tiene mucho menor peso, especialmente entre las mujeres, ya que únicamente el 0.1 por ciento de ellas vivió allí durante su estancia en Estados Unidos.

Por otro lado existe cierta concentración en las mujeres, ya que 81.7 por ciento de las residentes en Estados Unidos vive en los primeros cuatro estados, frente a 79.6 por ciento de los hombres. De cualquier manera el 95.2 por ciento de las mujeres y el 94.9 por ciento de los hombres reside en 14 estados.

En los "circulares" es mayor la concentración en las mujeres; 92.6 por ciento vivieron en cuatro estados (California, Texas, Arizona y Colorado). El porcentaje de hombres en sus cuatro estados principales es bastante menor, 78.3 por ciento, que en este caso son California, Texas, Arizona y Carolina del Norte.

La importancia de este último estado coincide con los hallazgos que han hecho diversos investigadores acerca de los nuevos destinos de los migrantes mexicanos y de su participación laboral en zonas donde antes no se les veía.

Participación femenina en el mercado laboral norteamericano

Las mujeres mexicanas enfrentan en el mercado laboral norteamericano una posición muy desventajosa, no sólo frente a las mujeres nacidas en Estados Unidos, sino también con las provenientes de otros países y con los mexicanos varones. Esta situación se puede apreciar en distintos aspectos; en primer lugar, su participación es muy baja, aunque superior a la que presentan en México. Sólo trabajó el 45.2 por ciento de ellas, mientras que 84.6 por ciento de los hombres lo hizo (véase cuadro 9). Entre las migrantes "circulares" sucede algo semejante, ya que sólo el 53.7 por ciento de ellas trabajó.[12]

Mucho se ha analizado en estudios de corte antropológico la preocupación de los migrantes mexicanos por mantener su hogar unido y no repetir la desintegración familiar que se vive en algunos sectores poblacionales en la Unión americana. Los hombres, por su parte, tienen miedo de que las mujeres adopten la visión sobre el papel femenino en la sociedad norteamericana, motivo por el cual muchos las llevan con la condición de que no salgan y no hagan amistad con otras mujeres, sobre todo, norteamericanas. Las mujeres, por su parte, hablan sobre el miedo que tienen de salir, tanto por lo que les dicen sus

[12] No se especifica si el motivo de no haber trabajado es que no pudo emplearse o simplemente que no tenía intención de laborar, sin embargo a la pregunta de por qué se habían regresado, sólo un 0.4 por ciento de ellas dijo que era porque no había encontrado trabajo.

CUADRO 9

CARACTERÍSTICAS DE LA PARTICIPACIÓN LABORAL
DE LOS MEXICANOS EN ESTADOS UNIDOS,
POR SEXO Y POR PAÍS DE RESIDENCIA
(Porcentajes verticales)

Lugar de residencia	Hombres	Mujeres	Total
Residentes en Estados Unidos			
Participa en la fuerza de trabajo	84.6	45.2	67.4
Empleados	92.3	90.1	91.7
Trabaja tiempo parcial	7.8	21.3	11.7
Residentes en México			
Participa en la fuerza de trabajo	86.6	53.7	84.4
Trabaja tiempo parcial	17.7	27.7	18.1

Fuente: Elaboración propia con datos de la CPS y de la EMIF de 1997.

maridos como por su situación de indocumentadas. Pero también está muy arraigada la visión sobre la familia y el papel de la mujer en ella, por lo que prefieren dedicarse a las labores del hogar. A ello se agrega la preocupación porque sus hijos anden en malas compañías, se unan a bandas juveniles y se entreguen a la droga.

Por este motivo, una proporción mucho mayor que la de los hombres cuenta con trabajos de tiempo parcial (21.3 por ciento, frente a 7.8 por ciento de los hombres); tres cuartas partes señalan que optan por esa modalidad laboral por motivos no económicos. Ellas también enfrentan el desempleo en proporciones mayores (9.9 por ciento de ellas frente a 7.7 por ciento de ellos), sobre todo las que trabajan de tiempo completo. En el caso de las migrantes temporales, también es más alto el porcentaje que trabaja menos de ocho horas diarias, pero también es alto el de hombres en esa situación, aunque inferior al de ellas (27.7 frente a 17.7 por ciento). En cambio, casi dos terceras partes de ellas trabajaban más de cinco días de la semana, en tanto que de los hombres sólo un poco más de la mitad (62.2 frente a 52.1 por ciento).

La mayoría de las mujeres con residencia en Estados Unidos trabaja en el sector privado (87 por ciento) y, aunque es un porcentaje muy alto, en los hombres es todavía mayor (91.4 por ciento). La diferencia se debe a que una proporción más alta de ellas se ocupa en el gobierno (8.3 frente a sólo 2.9 por ciento en los hombres); en cambio, sólo 4.5 por ciento declaró ser trabajadora por cuenta propia, frente a 5.4 por ciento de los hombres (véase cuadro 10).

CUADRO 10

TIPO DE TRABAJO DE LOS MEXICANOS
EN ESTADOS UNIDOS POR SEXO Y POR PAÍS DE RESIDENCIA
(Porcentajes verticales)

	Hombres	Mujeres	Total
Residentes en Estados Unidos			
Sector privado	91.4	87.0	90.1
Gobierno	2.9	8.3	4.5
Trabajador por cuenta propia	5.4	4.5	5.2
Trabajador sin remuneración	0.2	0.1	0.2
Residentes en México			
Asalariado	98.1	97.3	98.1
Trabajador por cuenta propia	1.4	0.0	1.3
Otro	0.5	2.7	0.6

Fuente: Elaboración propia con datos de la CPS y de la EMIF de 1997.

Entre las circulares la proporción que trabaja en el sector privado es todavía más alta: 97.3 por ciento, aunque es mayor todavía en los hombres, con 98.1 por ciento. Ninguna mujer trabaja en el gobierno, en tanto que una mínima proporción de los hombres lo hace (0.3 por ciento), situación que resulta lógica dado que su presencia es temporal, lo que también explica que ninguna de ellas se desempeñe como patrona o como trabajadora por cuenta propia.[13]

En cuanto a las ocupaciones que realizan las mujeres que residen en Estados Unidos éstas abarcan un amplio abanico del catálogo, resaltando las que se encuentran dentro del rubro de "obreras, fabricantes y trabajadoras" que constituyen una tercera parte del total (33.5 por ciento), seguidas con cerca de otro tercio por las que realizan actividades de servicios (32.8 por ciento) (véase cuadro 11). Llama la atención que una proporción bastante alta trabaje en ocupaciones de cuello blanco, 28.3 por ciento, aunque sólo la cuarta parte de ellas (7.7 por ciento) lo hace en los niveles superiores. En cambio entre los hombres únicamente el 12.1 por ciento labora en este tipo de ocupaciones, de los cuales el 5 por ciento lo hace como profesionista, gerente, o administrador.

[13] En los hombres, la porción en estos rubros también es mínima: 0.02 por ciento eran patrones y el 1.4 por ciento trabajadores por cuenta propia.

Cuadro 11

DISTRIBUCIÓN DE LA POBLACIÓN FEMENINA NACIDA EN MÉXICO,
DE 15 AÑOS O MÁS POR TIPO DE OCUPACIÓN EN ESTADOS UNIDOS
(Porcentajes verticales)

Ocupación principal	Ocupación desagregada	Residentes en Estados Unidos		Residentes en México	
Ocupaciones agrícolas, forestales y de pesca		5.4		12.8	
Obreras, fabricantes y trabajadoras		33.5		8.2	
	Operadoras de maquinaria, ensambladoras e inspectoras		24.0		4.3
	Ocupación de transporte de equipo		0.7		
	Trabajadoras manuales, de limpieza y ayudantes		5.3		3.9
	Ocupaciones de precisión, artesanías y reparación		3.6		
Ocupaciones de servicios		32.8		76.3	
	Ocupaciones en servicios, excepto de protección y domésticos		25.9		11.5
	Ocupaciones en servicios domésticos		6.4		64.8
	Ocupaciones de servicios de protección		0.5		
Ocupaciones técnicas, admnistrativas y de ventas		20.6			
	Ocupaciones en ventas		8.4		
	Ocupaciones de técnicos y de apoyo técnico		1.6		
	Ocupaciones de apoyo administrativo		10.6		
Profesionistas, gerentes y administradores		7.7		2.7	
	Ocupaciones de especialización profesional		4.3		2.7
	Ocupaciones de ejecutivas, administradoras y gerentes		3.4		
Total		100		100	
Número de casos		1'293,656		16,941	

Fuente: Elaboración propia con datos de la CPS y de la EMIF, 1997.

Es difícil conocer la situación de las que van a Estados Unidos de manera temporal, ya que la EMIF obtuvo información de muy pocas (49 sin ponderar), por lo que no se puede hablar de representatividad. Sin embargo, para ilustrar de alguna manera cuál es su situación, podemos ver que entre ellas las actividades de servicios son las preponderantes, con más de tres cuartas partes (76.3 por ciento). El rubro que sigue en importancia es el de las "actividades agrícolas, forestales y de pesca" con el 12.8 por ciento; proporción muy superior a la que se presenta en las residentes en Estados Unidos (3.6 por ciento). También hay "obreras, fabricantes y trabajadoras", pero sólo constituyen el 8.2 por ciento y un porcentaje todavía menor es el ocupado en actividades de cuello blanco de alto nivel (2.7 por ciento).

Si hacemos una desagregación más fina tenemos, por ejemplo, que en el rubro de "obreras, fabricantes y trabajadoras" destacan las "operadoras de maquinaria, ensambladoras e inspectoras", con el 72 por ciento, y entre ellas, las "costureras" representan la ocupación más recurrente, con una cuarta parte, seguidas por las "ensambladoras", las "empacadoras", las "operadoras de maquinaria diversa" y las "planchadoras" que hacen un 65 por ciento del total, pero también hay "inspectoras de producción", "checadoras" y "probadoras", aunque sólo constituyen el 9 por ciento.

Otras de las actividades que realizan las mujeres mexicanas dentro de este rubro, aunque en mucho menor proporción son, por un lado, las labores de precisión o de mayor calificación tales como "modistas", "trabajadoras en equipo eléctrico y electrónico", "carniceras y cortadoras de carne" y "choferes de camión". Y, por el otro, entre las actividades menos calificadas se encuentran otra vez algunas "empacadoras", las que realizan "transportación de material" y las "obreras no calificadas".

Las pocas migrantes temporales que realizan este tipo de actividades (sólo seis sin ponderar), lo hacen dentro de los rubros de "trabajadoras fabriles de industria" y de "ayudantes y peones en artesanía e industria".

En cuanto a las "ocupaciones en servicios", encontramos que cuatro quintas partes de ellas laboran en servicios no domésticos ni de seguridad; entre ellas las "recamareras" y las "cocineras" constituyen una quinta parte, cada una de ellas, seguidas por las que realizan "trabajo de limpieza" (*janitors*), las "ayudantes de enfermeras", las "cuidadoras de niños" y las "meseras". En el rubro de "empleadas domésticas" (que constituyen una quinta parte de las prestadoras de servicios) encontramos principalmente "sirvientas y limpiadoras" y "nanas".

En las migrantes "circulares" la actividad dominante es la de trabajadoras domésticas, con el 64.8 por ciento de ellas, mientras un 11.5 por ciento también realiza trabajos de tipo doméstico, pero en establecimientos.[14]

En cuanto a las actividades de "cuello blanco", un 10 por ciento de las mujeres nacidas en México se encuentra en "ocupaciones de apoyo administrativo", con 18 tipos de actividades, entre las que tienen una relativa presencia las "ayudantes de maestros", "secretarias", "recepcionistas", "contadoras y tenedoras de libros", "capturistas" y "empleadas de bibliotecas".

En las ventas encontramos desde "propietarias de negocios y supervisoras", hasta "vendedoras de mostrador", "cajeras" y "vendedoras de puerta en puerta".

Sólo una pequeña proporción se ocupa de "actividades de soporte técnico y similares" como por ejemplo: "asistentes legales", "enfermeras prácticas con licencia" y "técnicas en salud", entre otras.

---

[14]Sin ponderar serían 37 mujeres que laboran en servicios domésticos y dos que lo hacen en establecimientos.

Entre las profesionistas, que también constituyen un grupo muy pequeño, la mitad de ellas son maestras de kinder, primaria, secundaria e inglés, aunque también hay "diseñadoras", "veterinarias", "analistas y "científicas en sistemas de computación", "trabajadoras sociales", "actrices y directoras", etcétera.

Por último, entre las que realizan "labores empresariales y de administración", destacan las que administran restaurantes, pero se encuentran también en una variedad de negocios.

Sólo una de las migrantes que viven en México realiza trabajo de cuello blanco como profesionista, aunque no se hace referencia a su especialidad.

Ramas de actividad

Cuando se enfoca el trabajo de las mujeres migrantes desde la óptica de las ramas de actividad, sobresale el peso que tienen los "servicios", pues incluyen a casi la mitad de ellas (46.5 por ciento). Aunque están muy repartidas en los distintos subsectores que la componen, la mayoría se agrupa en el de "servicios personales no domésticos" (8.8 por ciento), (en la mayoría de los casos son "hoteles y moteles" "servicios de lavandería y limpieza de ropa"); seguido por los "negocios de servicios y reparaciones" (7.5 por ciento) ("servicios de limpieza para edificios", primordialmente); los "servicios domésticos" y los "servicios educativos" (cada uno con 6.5 por ciento); seguidos después por los "servicios médicos no hospitalarios", los "servicios sociales" y los "servicios financieros, de seguros y de bienes raíces", por mencionar sólo los principales (véase cuadro 12).

CUADRO 12

DISTRIBUCIÓN DE LA POBLACIÓN FEMENINA NACIDA
EN MÉXICO, POR RAMA DE ACTIVIDAD Y ESTATUS MIGRATORIO
(Porcentajes verticales)

Rama de actividad	Residentes en Estados Unidos	Residentes en México*
Agrícola, ganadería, etcétera	4.6	12.8
Construcción	0.3	0.7
Industria manufacturera	26.4	3.6
Comercio	21.3	9.4
Servicios	46.5	73.5
Gobierno	0.9	0
Total	100	100
Número de casos	1'293,656	16,941

Fuente: Elaboración propia con datos de la CPS y de la EMIF, 1997.
*En el caso de las migrantes residentes en México, "servicios" incluye, turismo, servicio doméstico y otros servicios.

Entre las temporales, y relacionado con lo que veíamos, se desempeñan preponderantemente en el sector de "servicios domésticos" (39.7 por ciento), "otros servicios" (27.7 por ciento) y "turismo" (6 por ciento).

La siguiente en importancia, es la rama de las "manufacturas", dos terceras partes en la producción de bienes no durables y las demás en bienes durables. Sobresalen las empresas dedicadas a "fabricación de ropa y accesorios textiles", con 42.6 por ciento de ellas; seguidas por las de "productos cárnicos", "empacadoras y congeladoras de frutas y verduras", "imprenta, publicidad y similares" y "preparación de alimentos".

En el "comercio", la gran mayoría en el subsector de "comercio al menudeo", que incluye una amplia gama de establecimientos tales como los "negocios de comida y bebida" que constituyen más de la mitad de este rubro (56.8 por ciento), seguidos a mucha distancia por las "tiendas de abarrotes" (9.5 por ciento), las "tiendas de departamentos" (8.7 por ciento) y las "tiendas de ropa y de calzado" (5.6 por ciento).

Por último, y a diferencia de lo que ocurre con los hombres, las mujeres mexicanas que viven en Estados Unidos tienen muy pequeña presencia en la "agricultura" (4.6 por ciento) y mínima en la "construcción" (0.3 por ciento). En las temporales, sin embargo, las que laboran en la "agricultura" tienen mayor importancia pues representan el 12.8 por ciento, pero las de la "industria de la construcción" sólo el 0.7 por ciento.

Cuando tomamos en consideración el estatus legal, podemos apreciar mejor la estratificación a que da lugar la disponibilidad de documentos, o cuando menos, residir en Estados Unidos. Desagregamos a las que viven en ese país en tres grupos: las que nacieron en México de padres norteamericanos, las nacidas en México que ya adquirieron la ciudadanía norteamericana y, en tercer lugar, las que continúan siendo ciudadanas mexicanas. Entre las residentes en México a las que cuentan con documentos y a las que no (véase cuadro 13).[15] Como podemos apreciar, entre las "obreras, fabricantes y trabajadoras", predominan en casi todos los rubros las residentes en Estados Unidos no naturalizadas pero, en las migrantes circulares, son las que cuentan con documentos. En "los servicios", también sobresalen, en general, las residentes no naturalizadas. Sin embargo, resaltan en los "servicios domésticos" las residentes en México, tanto con documentos como sin ellos, mientras que en las residentes en Estados Unidos el peso de estas actividades es muy pequeño; inexistente en las que son ciudadanas por nacimiento.

---

[15] Se trata de muy pocos casos, sobre todo de mujeres con documentos para trabajar, motivo por el cual los datos expuestos no son representativos.

CUADRO 13

DISTRIBUCIÓN DE LA POBLACIÓN FEMENINA NACIDA EN MÉXICO, POR RAMA DE ACTIVIDAD EN ESTADOS UNIDOS Y ESTATUS MIGRATORIO
(Porcentajes verticales)

Ocupación	Residentes en Estados Unidos			Residentes en México	
	Nacidas en México, de padres norteamericanos	Naturalizadas	No naturalizadas	Con documentos	Sin documentos
Obreras, fabricantes y trabajadoras					
Operadoras de maquinaria, ensambladoras e inspectoras*	18.7	16.7	26.2	36.1	1.6
Ocupación de transporte de equipo		2.4	0.3		
Trabajadoras manuales, de limpieza y ayudantes**	2.6	1.4	6.5		4.2
Ocupaciones de precisión, artesanías y reparación	3.2	1.2	4.2		
Ocupaciones de servicios					
Ocupaciones en servicios, excepto de protección y domésticos	23.0	22.4	27.0		12.4
Ocupaciones en servicios domésticos		3.0	7.7	54.7	65.6
Ocupaciones de servicios de protección		1.9	0.2		
Ocupaciones técnicas, admnistrativas y de ventas					
Ocupaciones en ventas	8.4	10.8	7.7		
Ocupaciones de técnicas y de apoyo técnico		5.0	0.8		
Ocupaciones de apoyo administrativo	27.5	15.2	8.2		
Profesionistas, gerentes y administradores					
Ocupaciones de especialización profesional	3.6	11.7	2.5		2.9
Ocupaciones de ejecutivas, administradoras y gerentes	6.8	6.5	2.3		
Ocupaciones agrícolas, forestales y de pesca					
Ocupaciones agrícolas, forestales y de pesca	6.2	1.9	6.3	9.2	13.1
Número de casos	69,452	252,976	971,231	1,290	15,652

Fuente: Elaboración propia con datos de la CPS y de la EMIF, 1997.
* En el caso de las mujeres residentes en México este rubro se refiere a "trabajadoras fabriles en la industria".
** En el caso de las mujeres residentes en México, este rubro se refiere a "ayudantes, peones en artesanías e industria".

En cambio, en las actividades que requieren mayor calificación, sobresalen las mujeres naturalizadas y las ciudadanas por nacimiento, en tanto que ninguna de las residentes en México realizó este tipo de trabajos.

Algo semejante ocurre en el rubro de "profesionistas, gerentes y administradores", aun cuando en este caso un porcentaje mínimo[16] de las "migrantes circulares" sin documentos realizó actividades profesionales.

Por último, llama la atención que en las "actividades agrícolas y similares", el porcentaje de las residentes en Estados Unidos que son ciudadanas por nacimiento es casi igual al de las no naturalizadas y bastante mayor que el de las naturalizadas. Pero de cualquier manera son las residentes en México las que realizan en mayor proporción estas actividades, presentando el porcentaje mayor las que no cuentan con documentos.

Ingresos

El ingreso principal de la gran mayoría de las trabajadoras mexicanas proviene de sueldos y salarios, ya que el 97.3 por ciento de ellas se encuentra en esta situación, en tanto que sólo para el 2.7 por ciento provienen del autoempleo (en los hombres, los porcentajes correspondientes son 96.1 y 3.6 por ciento, respectivamente). Ninguna de ellas ha sido incluida en algún contrato colectivo y sólo el 1.5 por ciento de las que trabajaban tiempo completo es miembro de algún tipo de asociación sindical, porcentaje apenas mayor que el que presentan los hombres, de 1.05 por ciento.

Como consecuencia sus ingresos son bastante menores que los de las mujeres norteamericanas, ya que presentan una mediana de 14,000 dólares anuales frente a 25,000 dólares en las originarias de ese país; al de las mujeres provenientes de otros países (21,000 dólares anuales), aun de los latinoamericanos (con excepción de las salvadoreñas)[17] y a los de los hombres mexicanos, (cuya mediana es de 16,640 dólares anuales) (véase cuadro 14).

Sin embargo estas remuneraciones son mucho mayores que las que podrían ganar en México; lo que explica el interés por migrar a Estados Unidos y trabajar ahí, independientemente de que vivan o no con su pareja. Claro que el costo de la vida es más alto, sobre todo en comparación con el que existe en las zonas rurales; pero, en cambio el nivel de consumo al que pueden acceder es mayor, especialmente en lo que se refiere a alimentación, vestido y educación.

Naturalmente la escolaridad tiene un peso importante en el monto de sus remuneraciones, por lo que, teniendo tan bajo nivel educativo, la mayoría de las y los trabajadores mexicanos, a diferencia de los provenientes de otros países, sería difícil esperar que tuvieran salarios muy altos.

---

[16] Se trata de un solo caso sin ponderar.

[17] Así por ejemplo, la mediana de ingreso de las mujeres provenientes de China es de 25,068 dólares, que aún mayor que la de las norteamericanas; de Vietnam, 18,100, de Colombia, 23,000, y de Cuba, de 19,508; frente a 14,000 dólares de las mexicanas y 13,000 de las salvadoreñas.

CUADRO 14

MEDIANA DE INGRESOS ANUALES EN DÓLARES
DE LA POBLACIÓN LABORAL FEMENINA EN
ESTADOS UNIDOS POR PAÍS DE NACIMIENTO

País de nacimiento	Mediana de ingresos	Número de casos
Estados Unidos	25,001	31'669,193
Fuera de Estados Unidos	21,000	4'104,160
Filipinas	25,288	324,787
China	25,068	128,379
Colombia	23,000	68,073
Guatemala	20,000	69,288
Cuba	19,508	120,945
Vietnam	18,100	144,112
República Dominicana	16,880	81,744
México	14,000	632,010
El Salvador	13,000	106,088
Total	25,000	35'773,353

Fuente: Elaboración propia con datos de la CPS, 1997.

Entre ellas, como puede observarse en el cuadro 15, existe una alta correlación entre ingresos y nivel educativo, aunque las que no completaron ningún año presentan una mediana más alta que el grupo de uno a cuatro años.
Aun con el grado de *high school* el nivel de ingresos se mantiene muy bajo y
sólo en las que ya han cursado algunos años de licenciatura se aprecia un aumento importante, al pasar de una mediana de 14,560 dólares en las primeras a 20,000 dólares en las segundas, todavía inferior a la mediana de las
norteamericanas y a la de las nacidas en el exterior. Sólo las que tienen,
cuando menos licenciatura superan la mediana de las mujeres nacidas en el
exterior y la de las nacidas en Estados Unidos. Desgraciadamente, como ya
lo hemos mencionado, sólo es un pequeño sector el que disfruta de estos beneficios, ya que el grueso de los migrantes mexicanos, específicamente, las
mujeres, se encuentra en los niveles de educación más baja, casi el 70 por
ciento de ellos y de ellas cuentan con una escolaridad inferior al nivel de
high school.

También existen otros factores de diferenciación económica como la disponibilidad de documentos, la experiencia en la migración y el contar con redes establecidas, que influyen en el tipo de trabajo, los ingresos y el acceso a
la seguridad social o a otros subsidios, aun en el caso de los trabajadores con

CUADRO 15

MEDIANA DE INGRESOS ANUALES EN DÓLARES
DE LA POBLACIÓN FEMENINA NACIDA EN MÉXICO,
RESIDENTE EN ESTADOS UNIDOS POR NIVEL DE ESCOLARIDAD

Nivel educativo	Mediana	Número de casos
Sin escolaridad	11,795	15,560
De 1 a 4 grados	10,000	37,660
De 5 a 8 grados	12,000	196,658
De 9 a 12 grados	14,025	119,967
Con high school	14,560	151,631
Con algunos años de licenciatura	20,000	69,289
Con licenciatura o más	27,000	41,247
Total	14,000	632,010

Fuente: Elaboración propia con datos de la CPS, 1997.

menos escolaridad. Con algunos de los indicadores disponibles podemos acercarnos a un cierto tipo de estratificación motivado por los factores mencionados.[18]

Para observar cómo influye la duración de la estancia en Estados Unidos tenemos información del año de llegada a ese país, que, en efecto, presenta una correlación positiva con los ingresos, excepto en el caso del grupo de las llegadas entre 1986 y 1989 y las que lo hicieron entre 1994 y 1997.

En cuanto a la condición migratoria, con los indicadores antes utilizados para las mujeres residentes en Estados Unidos, podemos acercarnos a su efecto en el nivel de ingresos. En el cuadro 16 se muestran las diferencias entre las ciudadanas norteamericanas y las que no lo son. Sin embargo, llama la atención que las ciudadanas por nacimiento tengan ingresos inferiores que las que han adquirido esa condición (17,000 frente a 20,000 dólares, respectivamente), situación que no se presenta en el caso de los hombres. Pero, de cualquier manera se ve lo determinante que resulta tener la nacionalidad norteamericana en el nivel de ingresos, aunque no podemos saber qué fue primero; si es porque tienen la ciudadanía que pueden ubicarse en esos trabajos; o si, más bien, son las mujeres con más escolaridad y/o experiencia laboral las que pueden conseguir con más facilidad ese estatus.

[18]Aunque aspectos tales como las redes migratorias no se pueden captar con la información de la CPS.

Cuadro 16

MEDIANA DE INGRESOS ANUALES EN DÓLARES
DE LA POBLACIÓN FEMENINA NACIDA EN MÉXICO
RESIDENTE EN ESTADOS UNIDOS POR ESTATUS DE CIUDADANÍA

Estatus de ciudadanía	Mediana	Número de casos
Nacidas en México de padres norteamericanos	17,000	41,947
Nacidas en México, nacionalizadas norteamericanas	20,000	138,995
Nacidas en México, no ciudadanas	12,527	451,069
Total	14,000	632,010

Fuente: Elaboración propia con datos de la CPS, 1997.

A juzgar por la información obtenida, en términos generales, la experiencia que pudieron haber logrado las mujeres a lo largo de su vida no se refleja en el nivel de ingresos, como sucede en el caso de los hombres; aunque sí son las más jóvenes, las menores de 25 años, las que perciben la mediana de ingresos más baja; en tanto que las que se encuentran entre los 25 y los 54 años tienen una mediana de ingresos intermedia.

Por último pasamos a la condición más determinante, aunque es resultado en general de los aspectos mencionados anteriormente, sobre todo, el de la formación escolar y el de la condición de ciudadanía: la actividad laboral. Las ocupaciones peor remuneradas y además las más recurrentes incluyen, en primer lugar, las de las trabajadoras en el "servicio doméstico", que es de sólo 8,320 dólares; seguidas por las que trabajan en "actividades agropecuarias" y en "servicios de protección", con una mediana de 20,000 dólares cada una; seguidas por las trabajadoras en "otros servicios", cuya mediana es de 12,000 dólares (véase cuadro 17).

En el otro extremo, las trabajadoras que cuentan con ingresos superiores a los anteriormente vistos son: las "ejecutivas, administradoras y gerentes" y las "técnicas y afines", cuya mediana de ingresos es en ambos casos de 27,000 dólares anuales, más del doble de aquel de las ocupaciones mencionadas en el párrafo anterior. Sin embargo se trata de pocos casos, por lo que su efecto en el total es muy limitado. Les siguen, a cierta distancia, las que laboran como "profesionistas", cuya mediana es de 21,000 dólares anuales y aquéllas cuya actividad es de "soporte administrativo"[19] (19,543 dólares anuales)[20]. En estos cuatro grupos de activi-

---

[19] Las actividades de soporte administrativo incluyen entre otras las oficinistas, secretarias y archivistas.
[20] Las "ejecutivas y administradoras" son 36,015; las "profesionistas", 27,321 y todavía son menos las "técnicas", 8,408.

CUADRO 17

MEDIANA DE INGRESOS DE LA POBLACIÓN MEXICANA
RESIDENTE EN ESTADOS UNIDOS, POR SEXO,
RAMA DE ACTIVIDAD Y OCUPACIÓN

	Mediana de ingresos		Número de casos	
Rama de actividad	Hombres	Mujeres	Hombres	Mujeres
Servicios profesionales	18,000	39,000	94,514	9,483
Administración pública	39,000	29,031	9,483	7,362
Entretenimiento y recreación	21,000	22,000	25,741	97,400
Finanzas, seguros y bienes raíces	25,001	19,543	35,447	19,330
Transportes y comunicaciones	22,880	18,000	86,097	16,427
Manufactura de bienes durables	19,057	17,146	351,629	79,377
Comercio al mayoreo	15,600	16,000	129,027	20,240
Manufactura de bienes no durables	15,100	13,000	221,597	130,598
Comercio al menudeo	15,000	12,006	389,305	103,811
Negocios de servicios personales	19,000	12,000	78,957	95,551
Negocios de servicios y de reparación	15,600	11,000	117,858	40,415
Agricultura, silvicultura y otros	13,000	10,000	234,614	18,889
Construcción	19,000	4,550	281,278	5,496
Ocupación				
Ejecutivos, administradores y gerentes	30,000	27,000	67,308	36,015
Ocupaciones de técnicos y de apoyo técnico	35,200	27,000	13,904	8,408
Profesionistas	37,500	21,000	49,233	27,321
Apoyo administrativo	20,000	19,543	58,618	69,248
Operadores de maquinaria y ensambladores	16,000	13,880	373,446	188,300
Ocupaciones en ventas	25,500	13,000	88,276	46,627
Ocupaciones de precisión, artesanías y reparación	20,000	13,000	502,636	22,396
Transporte de equipo	15,000	12,070	174,394	27,602
Servicios no domésticos ni de protección	13,000	12,000	341,735	155,322
Servicios de protección	31,010	10,000	13,808	1,600
Agricultura, ganadería, silvicultura, etcétera	12,480	10,000	247,441	16,982
Servicios domésticos		8,320		32,190
Total	16,640	14,000	2,070,591	632,010

Fuente: Elaboración propia con datos de la CPS, 1997.

dad se encuentra una quinta parte de las mujeres nacidas en México, las cuales constituyen una élite, bastante alejada en ingresos del grueso de sus connacionales mujeres; aunque en una situación inferior a la de los hombres mexicanos que laboran en esas actividades, a la de las mujeres nacidas en otros países y sobre todo, a la de las norteamericanas por nacimiento, ubicadas en esas categorías laborales.

En una situación intermedia aunque muy distantes de las mencionadas en el inciso anterior, están, las "operadoras de maquinaria y ensambladoras", con una mediana de 13,880 dólares anuales; las actividades de "ventas", y las referidas a "producción de precisión, oficios y reparación"[21] con una mediana de 13,000 cada una.

Al igual que con las trabajadoras más calificadas, en todas las actividades el ingreso de las mujeres mexicanas es inferior al de sus contrapartes varones, siendo la diferencia especialmente alta en los "profesionistas", los "trabajadores en ventas", los de "producción de precisión, oficios y reparación" y los de "servicios de protección".

Si consideramos los sectores económicos tenemos que son las trabajadoras de la "construcción" las peor pagadas, con una mediana de 4,550 dólares, aunque se trata de muy pocos casos; les siguen las que laboran en la "agricultura", cuya mediana de ingresos es de 10,000 dólares. Después, los "negocios de servicios y reparación", con una de 11,000 dólares; las "empresas de servicios personales", con una de 12,000 dólares; y las de "ventas al menudeo", con 12,006 dólares. Entre los sectores mejor pagados están las "empresas de servicios profesionales", con una mediana de ingresos anuales de 39,000 dólares, seguida, a bastante distancia, por la "administración pública", cuya mediana es de 29,031. Al igual que en los sectores de menores ingresos, en estos dos, de altos ingresos, el número de casos es sumamente reducido (9,483 y 7,362, respectivamente), lo que hace dudar bastante de su representatividad. Al enfocar las ramas económicas existe un rango mucho mayor entre las mejor remuneradas, que alcanzan en las "empresas de servicios profesionales" y las de la "construcción".

Hay que mencionar que, en la mayoría de los casos, los ingresos de las norteamericanas y aun de la población nacida fuera (con excepción de guatemaltecas y salvadoreñas) para el mismo tipo de actividad son mayores que los de las mexicanas, quienes, en general y como ya hemos mencionado, se encuentran en el nivel más bajo de la escala social. Sin embargo su situación es bastante mejor que la de las migrantes circulares, aunque la información que se obtiene de la EMIF es difícilmente comparable, y que la de las mujeres que laboran en México en actividades similares, lo que explica que continúe creciendo la migración.

[21]Que constituyen el grupo de actividad mayor, con 188,300 trabajadoras.

Notas finales

Como hemos visto a lo largo de esta presentación las mujeres nacidas en México han adquirido cada vez más importancia en el fenómeno migratorio y en el mercado laboral norteamericano, aun cuando para muchas de ellas, el trabajar no sea el motivo principal de sus desplazamientos a Estados Unidos.

La presencia de las mujeres de origen rural sigue siendo muy importante, cuando menos en lo que se refiere al flujo que cruza por tierra la frontera de Estados Unidos a México. Debido a su origen su nivel educativo es muy inferior al de la población laboral norteamericana, aunque pareciera ser mayor que el de los hombres mexicanos, sobre todo en lo que se refiere a las migrantes temporales.

Su menor participación en esta práctica, con relación a los hombres, se refleja en el número de estados mexicanos de donde provienen y de estados norteamericanos a los que llegan, sobre todo en el caso de las migrantes temporales.

Teniendo en cuenta que muchas de ellas migran con los hombres de sus familias, hay cierta coincidencia en los estados a donde se dirigen; sin embargo, no sucede lo mismo en cuanto a las entidades de origen, lo que podría atribuirse a una distinta valoración de la migración laboral femenina en las distintas regiones de México. Quizá también se deba a que en lugares donde se tiene una tradición más antigua y/o se ha construido una infraestructura social más fuerte, las estrategias para dirigirse al vecino país del norte podrían ser diferentes, lo que les facilitaría viajar en avión sin tener que correr los peligros de la frontera.

La participación laboral de las mujeres en Estados Unidos está mediada por su papel dentro del hogar, como madres o como ayuda familiar, lo que explica que sea la más baja entre las mujeres procedentes de los países de inmigrantes o de las nativas del vecino del norte. Parecería que este involucramiento con la familia también influye en la elección en muchos casos de las jornadas de tiempo parcial.

Al igual que los hombres mexicanos migrantes las mujeres se ubican, en una elevada proporción, en los trabajos de menor calificación y reconocimiento en la escala social. Sin embargo su peso en cada sector y en el tipo de actividades que realizan difiere en cada caso. Entre ellas destaca su participación en la manufactura, y en los servicios, con una proporción importante de "operarias de maquinaria" y "ensambladoras" en el primer caso, y de "trabajadoras de limpieza" y "preparación de alimentos" en el segundo; aun cuando el abanico de trabajos que realizan es sumamente amplio. En cuanto a las actividades que requieren cierta calificación, destacan las de vendedoras y las de apoyo administrativo, aunque también hay profesionistas y ejecutivas.

En lo que se refiere a las ramas también existen diferencias con relación a los hombres, pues mientras para éstos el sector agropecuario sigue teniendo un peso importante (aunque menor que el de otros sectores) y se acrecienta la importancia del de la construcción; las mujeres tienen en ellos una mínima presencia. Sobresalen, en especial en el sector servicios, en una gama muy amplia de establecimientos, entre los que destacan los ligados a la hotelería y a los servicios de limpieza, seguidos por la manufactura y el comercio.

Como era de esperarse sus características migratorias y educativas tienen una fuerte correlación con el tipo de trabajo que realizan, lo que no constituye un soporte suficiente para que perciban ingresos adecuados en la mayoría de las actividades que realizan, aunque sí se notan diferencias importantes, sobre todo en el caso del estatus migratorio.

La mayoría de ellas obtienen ingresos muy bajos, inferiores que los de los hombres mexicanos, que los de las mujeres migrantes provenientes de otros países y, sobre todo, que aquellos de las nativas de Estados Unidos, en el mismo tipo de actividades.

Sin embargo, y esto es uno de los principales motivos por el que ellas deciden migrar y trabajar en ese país, los ingresos que perciben ahí son mucho más altos que los que podrían ganar en México para esas mismas actividades; aun en actividades que requieren una mayor calificación, por lo que es de esperar que su participación en ese mercado laboral se incremente en los años próximos.

Caracterización sociodemográfica de los mexicanos que trabajan en la agricultura en los condados de Napa y Sonoma, California

Martha Judith Sánchez Gómez

EN ESTE artículo presentaré un perfil sobre los mexicanos que trabajan actualmente en la agricultura en los condados de Napa y Sonoma, California.

Estos condados, especialmente el de Napa, son mundialmente famosos por los vinos. Es una zona de agroturismo, lo que indica que sus grandes ganancias no sólo provienen de la venta de vinos, sino también del turismo asociado a esa actividad.

Para entender la importancia de estas ganancias mencionaré brevemente la situación de la agricultura en California.[1] California es el estado dentro de la Unión Americana que genera mayores ganancias por sus actividades agrícolas y los cultivos FVH (frutas, verduras y hortalizas) son los que generan mayores ingresos. En otras palabras, los agricultores de California obtienen mayores ganancias por acre que lo que obtienen los agricultores estadounidenses.[2]

A pesar de que los FVH utilizan menos de la tercera parte de la tierra cultivable del estado, aportan casi el 60 por ciento del valor de la producción agrícola. La producción de frutas y verduras está representada sólo por unos cuantos cultivos.[3] Entre las frutas, las uvas de todo tipo aportaron 1.5 billones en 1990; una tercera parte del valor de las frutas y hortalizas en California.

Los cultivos FVH son generalmente producidos en empresas que descansan en la contratación de trabajadores que hacen virtualmente todo el trabajo a mano. Estos cultivos requieren una gran cantidad de trabajadores. Una granja promedio de hortalizas en California paga alrededor de 400,000 dólares. en salarios anualmente, en comparación con una granja en el resto de Estados Unidos que gasta en salarios únicamente 15,000 dólares. Las necesidades de tra-

---

[1] La información que se dará a continuación proviene de los trabajos de Martin, 1992; y Taylor y Martin, 1997.

[2] Por ejemplo, California cosechó 1.2 millones de acres de verduras y melones en 1990, con un valor de 3.5 billones de dólares. Los agricultores de Nebraska, con granjas y explotaciones agrícolas 15 veces mayores en extensión sólo obtuvieron aproximadamente el mismo nivel de ganancia (Martin, 1992).

[3] Según datos de Martin, 1992, se asegura que en el estado de California se producen cerca de 200 mercancías, principalmente porque hay muchas frutas y verduras que se cosechan en el estado.

bajadores en estos cultivos son estacionales, por lo que las granjas de frutas y vegetales que aportan gran parte de la producción FVH en el estado pueden emplear de 250 hasta 1,000 trabajadores durante los periodos pico de cosecha. Especialización, trabajadores agrícolas temporales y estacionalidad son los tres rasgos que definen la agricultura en California.

Con este contexto general señalaré que los datos que presentaré a continuación corresponden a los trabajadores que en los años de 1998 y 1999 participaron en la agricultura en los condados señalados.[4]

De esas entrevistas vamos a inferir el perfil de los mexicanos que trabajan en la agricultura en esa zona. Ese perfil nos permite conocer cuáles son las características de los migrantes mexicanos que laboran en esa actividad y cómo son los flujos migratorios. Hay que aclarar que, aunque no es el único flujo migratorio a dichos condados, sí es uno de los más importantes ya que responde a la demanda de una actividad central de la economía en la zona.

Las características generales de estos migrantes coinciden con aquellas que se han planteado en diversos estudios sobre la migración de mexicanos hacia el vecino país del norte.[5] Tenemos que la mayor parte de los entrevistados son varones jóvenes con bajos niveles de escolaridad; el 78.7 por ciento de los entrevistados tienen entre 18 y 48 años de edad (véase cuadro 1), esto es, se encuentra en su edad productiva; y sólo tenemos que menos del 10 por ciento de los trabajadores son mujeres (véase cuadro 2). Esto se explica ya que, si bien en la década de los sesenta las mujeres que llegaron en la zona trabajaron en la agricultura, actualmente se han desplazado a otras actividades que también demandan mano de obra debido al auge del turismo en la zona. Ellas prefieren contratarse como recamareras en los hoteles o trabajadoras domésticas, haciendo limpieza de restaurantes, hoteles, etcétera.

Otra característica a resaltar son los bajos niveles de escolaridad de estos trabajadores (véase cuadro 3). Un 3.2 por ciento no tiene escolaridad y el 66.4 por ciento tienen un máximo de seis años de escolaridad. Aunque también resulta sorprendente encontrar a mexicanos en actividades agrícolas con estudios posteriores a la preparatoria. Como dato al margen señalaré que algunas de las cuadrillas de injertadores, un trabajo muy especializado en la uva, están compuestas por profesionistas mexicanos que trabajan en la zona de uno a tres meses al año y el resto del año ejercen su profesión en el país (datos de campo no incluidos en este perfil).

[4] Dada la dificultad para obtener información representativa sobre la población en estudio, se siguió una estrategia de moverse a lo largo del año, para captar las diferentes necesidades de trabajadores durante un ciclo anual de trabajo, en diferentes espacios para obtener la información; en las distintas ciudades dentro de cada condado y dentro de éstas hicimos entrevistas en diferentes lugares, tratando de abarcar los espacios en donde pudiéramos encontrar a nuestros entrevistados. Se realizaron un total de 260 entrevistas de 1998 a 1999. La información la obtuve con el apoyo de UC-Mexus-Conacyt en el proyecto intitulado "Procesos de producción y reproducción de la identidad étnica de mexicanos que trabajan en la agricultura en los condados de Napa y Sonoma, California".

[5] Véase Tuirán, 2000.

CUADRO 1

EDAD DE LOS JORNALEROS(AS)

Edad	Casos	Porcentaje
Menos de 18 años	2	0.8
18 a 28 años	53	21.3
29 a 38 años	76	30.5
39 a 48 años	67	26.9
49 a 58 años	34	13.7
Más de 59 años	17	6.8
Total	249	100.0

Fuente: Entrevistas aplicadas a jornaleros agrícolas mexicanos, de septiembre de 1998 a junio de 1999.

CUADRO 2

SEXO DE LOS JORNALEROS(AS)

Sexo	Casos	Porcentaje
Masculino	233	90.3
Femenino	25	9.7
Total	258	100.0

Fuente: Entrevistas aplicadas a jornaleros agrícolas mexicanos, de septiembre de 1998 a junio de 1999.

CUADRO 3

ESCOLARIDAD DE LOS JORNALEROS(AS)

Escolaridad	Casos	Porcentaje
Primaria incompleta	88	35.6
Primaria completa	76	30.8
Secundaria incompleta	25	10.1
Secundaria completa	21	8.5
Preparatoria completa	11	4.5
Analfabeta	8	3.2
Preparatoria incompleta	6	2.4
Carrera técnica incompleta	4	1.6
Licenciatura incompleta	4	1.6
Carrera técnica completa	2	0.8
Licenciatura completa	2	0.8
Total	247	100.0

Fuente: Entrevistas aplicadas a jornaleros agrícolas mexicanos, de septiembre de 1998 a junio de 1999.

En cuanto a los lugares de origen de estos migrantes tenemos que provienen de 20 estados de la República Mexicana y dos de la Unión Americana (véase cuadro 4). Estos últimos son hijos de Mexicanos que nacieron en ese país, debido a las migraciones de sus padres. Tal y como se señala también en la literatura sobre migración mexicana a ese país se han diversificado los lugares de origen. No obstante esa diversificación, se concentra principalmente en los estados tradicionales de expulsión y se incorporan estados de reciente migración. En nuestros datos tenemos principalmente migrantes de Michoacán, 47.2 por ciento; Jalisco, 15.1 por ciento; Oaxaca, 11.9; Guanajuato, 7.5; y Zacatecas, 5.6 y con porcentajes menores al 2 por ciento de los 15 estados restantes.

CUADRO 4

LUGAR DE NACIMIENTO DE LOS JORNALEROS(AS) POR ESTADO

Estado	Número de jornaleros(as)	Porcentaje
Michoacán	119	47.2
Jalisco	38	15.1
Oaxaca	30	11.9
Guanajuato	19	7.5
Zacatecas	14	5.6
Distrito Federal	5	2.0
Estado de México	4	1.6
Durango	3	1.2
Hidalgo	3	1.2
Sinaloa	3	1.2
Guerrero	2	0.8
Querétaro	2	0.8
Chihuahua	1	0.4
Nayarit	1	0.4
Nuevo León	1	0.4
Puebla	1	0.4
Quintana Roo	1	0.4
San Luis Potosí	1	0.4
Sonora	1	0.4
Tlaxcala	1	0.4
Arizona	1	0.4
Texas	1	0.4
Total	252	100.0

Fuente: Entrevistas aplicadas a jornaleros agrícolas mexicanos, de septiembre de 1998 a junio de 1999.

Si analizamos el lugar de origen de estos jornaleros con la fecha de llegada a la zona en estudio tenemos que efectivamente son los que nacieron en los estados tradicionales de migración (Jalisco, Guanajuato y Michoacán) los que llegaron primero y en forma constante a partir de la siguiente década; aquellos de otros estados se incorporan progresivamente a partir de 1970 (véase cuadro 5).

CUADRO 5

LUGAR DE NACIMIENTO DE LOS JORNALEROS(AS)
POR AÑO DE LA PRIMERA MIGRACIÓN A NAPA Y SONOMA
(Porcentaje por lugar de nacimiento)

Lugar de nacimiento	Año primera migración internacional											
	1951-1960		1961-1970		1971-1980		1981-1990		Después de 1991		Total	
	Casos	%	Casos	%	Casos	%	Casos	%	Casos	%	Casos	%
Distrito Federal									1	100.0	1	100.0
Durango			1	100.0							1	100.0
Guanajuato			2	16.7	3	25.0	4	33.3	3	25.0	12	100.0
Hidalgo									1	100.0	1	100.0
Jalisco	1	4.3	2	8.7	10	43.5	6	26.1	4	17.4	23	100.0
Estado de México					1	33.3	2	66.7			3	100.0
Michoacán			7	13.7	18	35.3	11	21.6	15	29.4	51	100.0
Nayarit							1	100.0			1	100.0
Nuevo León			1	100.0							1	100.0
Oaxaca					4	28.6	6	42.9	4	28.6	14	100.0
Querétaro							1	100.0			1	100.0
Sinaloa									1	100.0	1	100.0
Sonora									1	100.0	1	100.0
Zacatecas					2	33.3	2	33.3	2	33.3	6	100.0
Arizona									1	100.0	1	100.0
Total	1	0.8	12	10.2	39	33.1	33	28.0	33	28.0	118	100.0

Fuente: Entrevistas aplicadas a jornaleros agrícolas mexicanos, de septiembre de 1998 a junio de 1999.

Si bien los condados de Napa y Sonoma han demandado progresivamente un mayor número de trabajadores, sobre todo a partir de la década de los sesenta, cuando hay un auge en la demanda de vinos por parte de los consumidores norteamericanos que llevó a que ambos condados dedicaran más tierras a esa actividad, también es cierto que demanda un tipo específico de trabajadores. Se requiere un cierto número de trabajadores durante todo el año (10 meses es la demanda de trabajo para esta actividad en el año) y más del doble de los anteriores para la cosecha y la poda (un máximo de tres meses para la primera y alrededor de un mes para la segunda).

Esto ha llevado a que encontremos tres tipos de flujos migratorios en la zona (véase cuadro 6). Por un lado encontramos a los trabajadores que ya se han establecido en la zona con su grupo familiar, a quienes denominamos como permanentes y que constituyen el 61.6 por ciento de los entrevistados. Por otro lado tenemos a los trabajadores que concurren a la zona durante algunos meses del año, principalmente para la cosecha y la poda. Estos son los pendulares, representan el 29.8 por ciento, y finalmente tenemos a los que pisan la zona sólo en las épocas pico de empleo, principalmente en la cosecha, alrededor del 8.5 por ciento. Hay que señalar que los migrantes que participan en flujos migratorios circulares, los últimos que acabamos de señalar, son los que tienen una mayor vulnerabilidad y menos redes. Los que tienen más conocimiento o contactos en la zona participan en el segundo tipo de migración, que es pendular; van y vienen entre México y Estados Unidos durante un cierto número de meses al año y por lo general ya saben a dónde llegar y con quién trabajar. Están de alguna manera "apalabrados" con los mayordomos o contratistas. En cambio, los circulares, tendencia que va en decremento según algunos estudiosos del tema, realizan un ciclo que implica una apuesta a conseguir empleo en el momento en que se llega, cosa que no siempre sucede.[6] Este tipo de migración implica una fuerte erogación de dinero para moverse entre diferentes lugares y también riesgos en cuanto a la posibilidad de conseguir vivienda. Son los que se alojan en donde se pueda, lo que en la zona se traduce a dormirse debajo de puentes, cerca de los ríos, en los parques, en la "troca" con la que se van desplazando de lugar en lugar, para aquellos que tienen vehículo, etcétera.

CUADRO 6

TIPO DE MIGRACIÓN ACTUAL DE LOS JORNALEROS(AS)

Ciclo	Casos	Porcentaje
Permanentes	159	61.6
Pendulares	77	29.8
Circulares	22	8.5
Total	258	100.0

Fuente: Entrevistas aplicadas a jornaleros agrícolas mexicanos, de septiembre de 1998 a junio de 1999.

[6]Véase el artículo de Palerm, 1992, que narra este tipo de experiencia migratoria.

Si exploramos más sobre las características de las migraciones de estos trabajadores tenemos que quienes tienen una migración circular son aquellos que llegaron más tardíamente por primera vez a la zona (el 66.7 por ciento llegaron por
primera vez a Napa y Sonoma después de 1991) lo que lógicamente explica su situación. En el extremo contrario tenemos que quienes llegaron primero a la zona,
aquellos que principalmente tienen una migración permanente (véase cuadro 7).

CUADRO 7

AÑO DE LA PRIMERA MIGRACIÓN DE LOS JORNALEROS(AS)
A NAPA O SONOMA POR TIPO DE MIGRACIÓN
(Porcentaje por tipo de migración)

	Tipo de migración							
Año de la primera	*Permanentes*		*Pendulares*		*Circulares*		*Total*	
migración	*Casos*	*%*	*Casos*	*%*	*Casos*	*%*	*Casos*	*%*
De 1951 a 1960	1	1.2	0				1	0.8
De 1961 a 1970	9	10.7	2	5.9	1	33.3	12	9.9
De 1971 a 1980	36	42.9	4	11.8			40	33.1
De 1981 a 1990	27	32.1	8	23.5			35	28.9
Después de 1991	11	13.1	20	58.8	2	66.7	33	27.3
Total	84	100.0	34	100.0	3	100.0	121	100.0

Fuente: Entrevistas aplicadas a jornaleros agrícolas mexicanos, de septiembre de 1998 a junio de
1999.

Lo que es de llamar la atención y que señala la complejidad de las migraciones es el siguiente dato. Debido a la mayor antigüedad en los flujos hacia
Estados Unidos se pensaría que los migrantes de los estados tradicionales de
expulsión no participarían actualmente en los flujos más vulnerables, como
en el caso de la migración circular ya señalado. Sorprendentemente tenemos
que los migrantes circulares provienen de los tres estados tradicionales de migración a Estados Unidos y a la zona: Jalisco, Michoacán y Zacatecas (véase
cuadro 8). Este dato nos estaría señalando que no todos los pueblos o localidades de esos estados tienen la misma experiencia migratoria y que son los de
pueblos o localidades incorporados más tardíamente a la migración quienes
componen ese flujo. En otras palabras, lo que nos hablaría efectivamente de
estados que no tienen un flujo consolidado totalmente sino estados muy dinámicos, en los que nuevos pueblos o localidades se están incorporando a la
migración al país vecino.

CUADRO 8

LUGAR DE NACIMIENTO DE LOS JORNALEROS(AS)
POR TIPO DE MIGRACIÓN
(Porcentaje por lugar de nacimiento)

	Tipo de migración							
	Permanentes		Pendulares		Circulares		Total	
Lugar de nacimiento	Casos	%	Casos	%	Casos	%	Casos	%
Chihuahua			1	100.0			1	100.0
Distrito Federal	3	60.0	2	40.0			5	100.0
Durango	2	66.7	1	33.3			3	100.0
Guanajuato	12	63.2	7	36.8			19	100.0
Guerrero	2	100.0					2	100.0
Hidalgo	1	33.3	2	66.7			3	100.0
Jalisco	26	68.4	11	28.9	1	2.6	38	100.0
Estado de México	4	100.0					4	100.0
Michoacán	67	56.3	32	26.9	20	16.8	119	100.0
Nayarit	1	100.0					1	100.0
Nuevo León	1	100.0					1	100.0
Oaxaca	20	66.7	10	33.3			30	100.0
Puebla	1	100.0					1	100.0
Querétaro	1	50.0	1	50.0			2	100.0
Quintana Roo	1	100.0					1	100.0
San Luis Potosí	1	100.0					1	100.0
Sinaloa	1	33.3	2	66.7			3	100.0
Sonora	1	100.0					1	100.0
Tlaxcala			1	100.0			1	100.0
Zacatecas	6	42.9	7	50.0	1	7.1	14	100.0
Arizona	1	100.0					1	100.0
Texas	1	100.0					1	100.0
Total	153	60.7	77	30.6	22	8.7	252	100.0

Fuente: Entrevistas aplicadas a jornaleros agrícolas mexicanos, de septiembre de 1998 a junio de 1999.

Veamos ahora las características de las familias de estos jornaleros (véase cuadro 9). Por un lado tenemos que la mayoría de los que trabajan actualmente en esta actividad tienen a su familia residiendo con ellos en Estados Unidos, el 61.6 por ciento, es el mismo porcentaje de los migrantes permanentes. Los pendulares y circulares tienen a su familia residiendo en México (38.4 por ciento).

CUADRO 9

LUGAR DE RESIDENCIA DE LA FAMILIA DE LOS JORNALEROS(AS)

Residencia	Casos	Porcentaje
Estados Unidos	159	61.6
México	99	38.4
Total	258	100.

Fuente: Entrevistas aplicadas a jornaleros agrícolas mexicanos, de septiembre de 1998 a junio de 1999.

Para los que tienen a su familia residiendo en México tenemos una situación compleja. Durante varios meses al año el grupo familiar funciona en ausencia del padre de familia quien se encuentra trabajando en la zona en estudio. Así tenemos que la mayoría (78.6 por ciento) está más de siete meses fuera de su lugar de origen (véase cuadro 10).

CUADRO 10

TIEMPO QUE LOS JORNALEROS(AS) VIVEN EN ESTADOS UNIDOS
(Cuya familia vive en México)

Tiempo	Casos	Porcentaje
De 1 a 3 meses	2	2.2
De 4 a 6 meses	17	19.1
De 7 a 9 meses	34	38.2
De 10 a 12 meses	36	40.4
Total	89	100.0

Fuente: Entrevistas aplicadas a jornaleros agrícolas mexicanos, de septiembre de 1998 a junio de 1999.

¿Qué tipo de familias tienen estos trabajadores? De todos los entrevistados tenemos que predomina la familia nuclear (76 por ciento), aunque con la salvedad que señalábamos anteriormente de que el padre se encuentra varios meses al año en Estados Unidos.[7] Le siguen los arreglos extensos y compuestos con el 22.8 por ciento. Es más frecuente que muestren el arreglo nuclear los migrantes

[7] Este aspecto, el de las diferentes configuraciones familiares que se crean en los diferentes tipos de migraciones, lo hemos desarrollado en el artículo Carton de G. *et al.*, en prensa.

establecidos en Estados Unidos con su familia así como los arreglos extensos y compuestos los migrantes pendulares y circulares (véanse cuadros 11 y 12).[8]

CUADRO 11

TIPO DE UNIDAD DOMÉSTICA DE LOS JORNALEROS(AS)

Tipo de unidad	Casos	Porcentaje
Nuclear	190	76.0
Extendida tipo II	30	12.0
Extendida tipo I	21	8.4
Compuesta	6	2.4
Unipersonal	3	1.2
Total	250	100.0

Fuente: Entrevistas aplicadas a jornaleros agrícolas mexicanos, de septiembre de 1998 a junio de 1999.

CUADRO 12

TIPO DE HOGAR DEL JORNALERO(A) POR TIPO DE MIGRACIÓN
(Porcentaje por tipo de hogar)

| | Tipo de migración | | | | | | | |
| | Permanentes | | Pendulares | | Circulares | | Total | |
Tipo de hogar	Casos	%	Casos	%	Casos	%	Casos	%
Familia nuclear	127	66.8	53	27.9	10	5.3	190	100.0
Familia extensa	22	43.1	20	39.2	9	17.6	51	100.0
Compuesta	2	33.3	1	16.7	3	50.0	6	100.0
Unipersonal	2	66.7	1	33.3	0	0	3	100.0
Total	153	61.2	75	30.0	22	8.8	250	100.0

Fuente: Entrevistas aplicadas a jornaleros agrícolas mexicanos, de septiembre de 1998 a junio de 1999.

En general son familias jóvenes, en ciclos de formación, expansión y posible expansión, el 55.2 por ciento; si bien tienen de uno a 14 miembros, el 67.6

[8] Para la tipología de las unidades domésticas elegí la de García, Muñoz y Oliveira (1982: 58). Nuclear es la pareja de esposos con o sin hijos solteros. Incluye además al jefe solo con uno o más hijos solteros. Extensa es la familia nuclear más algún otro pariente que no sea hijo soltero. Este pariente puede ser un hijo casado o cualquier otro en la línea de parentesco vertical o colateral. Tipo I, con otros parientes solos. Tipo II, con otros parientes que formen otro núcleo familiar. Compuesta comprende a la familia nuclear o extendida más otra u otras personas no emparentadas con el jefe, que no sean empleadas domésticas. Sin componente nuclear del jefe. Unipersonal comprende a una persona que vive sola sin parientes o no parientes que no sean empleadas domésticas.

por ciento tiene de cuatro a siete integrantes. Predominan también las familias con más miembros en México que en Estados Unidos (véanse cuadros 13[9] y 14).

CUADRO 13

ETAPA DEL CICLO VITAL DE LA UNIDAD DOMÉSTICA
DE LOS JORNALEROS(AS)

Etapa	Casos	%
Posible expansión	81	32.9
Expansión	48	19.5
Fisión	43	17.5
Reemplazo	41	16.7
Fisión/expansión	26	10.6
Formación	7	2.8
Total	246	100.0

Fuente: Entrevistas aplicadas a jornaleros agrícolas mexicanos, de septiembre de 1998 a junio de 1999.

CUADRO 14

NÚMERO DE MIEMBROS DEL GRUPO FAMILIAR
DE LOS JORNALEROS(AS)

Etapa	Casos	%
1	3	1.2
2	9	3.6
3	40	16.0
4	51	20.4
5	60	24.0
6	34	13.6
7	24	9.6
8	10	4.0
9	7	2.8
10	4	1.6
11	1	0.4
12	4	1.6
13	2	0.8
14	1	0.4
Total	250	100.0

Fuente: Entrevistas aplicadas a jornaleros agrícolas mexicanos, de septiembre de 1998 a junio de 1999.

[9] Para las etapas del ciclo vital retomamos la tipología de Benería y Roldán (1987: 25). Formación la pareja sin hijos. Expansión familias nucleares completas o incompletas únicamente con hijos menores de siete

Con relación a la experiencia migratoria previa de estos trabajadores tenemos la siguiente información. El 20.6 por ciento tuvo experiencia migratoria en su país. En otras palabras, el 79.5 por ciento se fue directamente a Estados Unidos, aun cuando no haya sido a esos condados y el 20.6 por ciento migró antes de dirigirse a ese destino a diferentes destinos nacionales. Esas migraciones internas las realizó el 84.9 por ciento entre las décadas de 1950 a 1990. Fueron los migrantes pendulares quienes principalmente migraron en el país antes de dirigirse al país vecino, siguiéndoles los circulares (véanse cuadros 15 y 16).

CUADRO 15

AÑO DE LA PRIMERA MIGRACIÓN DE LOS JORNALEROS(AS)
EN MÉXICO

Año	Casos	Porcentaje
De 1931 a 1940	1	1.9
De 1941 a 1950	2	3.8
De 1951 a 1960	9	17.0
De 1961 a 1970	11	20.8
De 1971 a 1980	13	24.5
De 1981 a 1990	12	22.6
Después de 1991	5	9.4
Total	53	100.0

Fuente: Entrevistas aplicadas a jornaleros agrícolas mexicanos, de septiembre de 1998 a junio de 1999.

El 89.1 por ciento de los entrevistados señala que las principales razones para irse al otro lado fueron principalmente por trabajo (no tenían, no ganaban lo suficiente o no veían posibilidades de mejorar) y por razones personales y familiares el 36.3 por ciento. En estas últimas razones se incluye el tener familiares en la zona y, por lo tanto, podían contar con ayuda para irse y establecerse, el deseo de mejorar, el deseo de reunirse con parte del grupo familiar, las ganas de conocer el norte, etcétera (véase cuadro 17).

---

años. Posible expansión familias nucleares completas o incompletas con hijos hombres y/o mujeres entre 7 y 17 para los primeros y 7 y 15 respectivamente. Fases avanzadas. Fisión/expansión familias nucleares completas o incompletas con hijos de 18 o más para hombres y 16 o más para mujeres más hijos con menos de 7 años. Fisión lo mismo que la anterior sólo que sin hijos de menos de 7 años. Reemplazo familias nucleares completas o incompletas con todos los hijos de 18 o más para los hombres o 16 y más para las mujeres.

Cuadro 16

NÚMERO DE MIGRACIONES EN MÉXICO
POR TIPO DE MIGRACIÓN DE LOS JORNALEROS(AS)

	Tipo de migración							
	Permanentes		Pendulares		Circulares		Total	
Número de migración	Casos	%	Casos	%	Casos	%	Casos	%
0	139	87.4	50	64.9	16	72.7	205	79.5
1	13	8.2	16	20.8	4	18.2	33	12.8
2	4	2.5	10	13.0	2	9.1	16	6.2
3	2	1.3					2	0.8
4	1	0.6	1	1.3			2	0.8
Total	159	100.0	77	100.0	22	100.0	258	100.0

Fuente: Entrevistas aplicadas a jornaleros agrícolas mexicanos, de septiembre de 1998 a junio de 1999.

Cuadro 17

RAZÓN DE LA PRIMERA MIGRACIÓN INTERNACIONAL
DE LOS JORNALEROS(AS)

Razón	Casos	Porcentaje
Trabajo	221	89.1
Personales	61	24.6
Familia	29	11.7
Capitalizar	2	0.8
Estudios	3	1.2
Buen trabajo	2	0.8
Obtener papeles	5	2.0
Total	323	130.2

Fuente: Entrevistas aplicadas a jornaleros agrícolas mexicanos, de septiembre de 1998 a junio de 1999.

Es interesante también señalar los cambios en la historia laboral de estos migrantes de acuerdo con su tipo de migración. Quienes están asentados en Estados Unidos son los que, si bien se mantuvieron en la misma actividad (33.3 por ciento en actividades agrícolas en los dos países), un porcentaje nada desdeñable de 30.8 por ciento, ha transitado hacia otras actividades; en México realizaba únicamente actividades agrícolas y en Estados Unidos han tenido otros trabajos, tales como la jardinería, servicios, etcétera. Con respecto a los migrantes pendulares tenemos que la mayoría, el 40 por ciento, realizaba en México otra actividad y en Estados Unidos realiza trabajo agrícola; el 31.7 por ciento se mantiene en el mismo trabajo, el agrícola, en los dos países. En el caso de los circulares el porcentaje más importante 58.3 por ciento, se mantiene en la misma actividad, en el campo en los dos países, seguido con un 25 por ciento por los que en México trabajaban en otra actividad y en Estados Unidos ingresan al trabajo agrícola (véase cuadro 18).

CUADRO 18

SECTOR DE TRABAJO DE LOS JORNALEROS(AS)
EN MÉXICO Y ESTADOS UNIDOS POR TIPO DE MIGRACIÓN
(Porcentaje por tipo de migración)

Sector	Tipo de migración							
	Permanentes		Pendulares		Circulares		Total	
	Casos	%	Casos	%	Casos	%	Casos	%
En el mismo sector agrícola	13	33.3	19	31.7	7	58.3	39	35.1
En diferentes sectores	4	10.3	10	16.7	2	16.7	16	14.4
México otro sector, EE.UU. Trabajo agrícola	10	25.6	24	40.0	3	25.0	37	33.3
México trabajo agrícola, EE.UU. diferentes sectores	12	30.8	7	11.7		0.0	19	17.1
Total	39	100.0	60	100.0	12	100.0	111	100.0

Fuente: Entrevistas aplicadas a jornaleros agrícolas mexicanos, de septiembre de 1998 a junio de 1999.

Un 60.2 por ciento de los entrevistados vislumbra su futuro en el trabajo agrícola y sólo en porcentajes menores se ven otras posibilidades, como trabajos por cuenta propia (18 por ciento), en la industria (7.6 por ciento), etcétera (véase cuadro 19).

El 27.5 por ciento de los que viven en Estados Unidos tienen tierras en México, mientras que el 43.9 por ciento de los que viven en México también. Si bien se ha señalado en la literatura sobre la migración que son pocos los migrantes con tierras en México, en este caso tenemos que casi la mitad de aquellos cuya familia vive en México la tienen. Y que además casi el 30 por ciento de los que viven en Estados Unidos con toda su familia la siguen teniendo. Esto quizás implicaría una posibilidad de retorno a futuro (véase cuadro 20).

Cuadro 19

EN QUÉ TIPO DE EMPLEO PIENSA
TRABAJAR EN EL FUTURO

Trabajo	Casos	Porcentaje
Agrícola	127	60.2
Por cuenta propia	38	18.0
Industrial	16	7.6
Servicios no personales	10	4.7
Servicios personales	9	4.3
Construcción	7	3.3
Oficina	4	1.9
Total	211	100.0

Fuente: Entrevistas aplicadas a jornaleros agrícolas mexicanos, de septiembre de 1998 a junio de 1999.

Cuando se les preguntó a los migrantes si pensaban iniciar algún negocio o comprar tierras en México el 43.7 por ciento, casi la mitad de los entrevistados, contestaron que tenían intención de hacerlo (véase cuadro 21). Esto es, ven en México la posibilidad de regresar o simplemente de invertir.

Cuadro 20

LUGAR DE RESIDENCIA DE LA FAMILIA DEL JORNALERO(A)
POR POSESIÓN DE TIERRA EN SU PUEBLO
(Porcentaje por lugar de residencia)

	Propiedades en México. Tierras					
	Sí		No		Total	
Lugar de residencia	Casos	%	Casos	%	Casos	%
Estados Unidos	41	27.5	108	72.5	149	100.0
México	43	43.9	55	56.1	98	100.0
Total	84	34.0	163	66.0	247	100.0

Fuente: Entrevistas aplicadas a jornaleros agrícolas mexicanos, de septiembre de 1998 a junio de 1999.

CUADRO 21

TIENE PENSADO COMPRAR TIERRAS O INICIAR
NEGOCIO EN MÉXICO

Tiene pensado	Casos	Porcentaje
No	130	56.3
Sí	101	43.7
Total	231	100.0

Fuente: Entrevistas aplicadas a jornaleros agrícolas mexicanos, de
septiembre de 1998 a junio de 1999.

Contrastan con lo anterior las respuestas sobre los principales problemas
que detectan de su vida en Estados Unidos; comentan como los principales, la
discriminación, dificultades relacionadas con el trabajo y dificultades para conseguir vivienda. No obstante, cuando se les pregunta sobre las posibles soluciones de lo anterior, la mayoría vislumbra las soluciones en Estados Unidos y muy
pocos en México (véanse cuadros 22 y 23).

CUADRO 22

PRINCIPALES PROBLEMAS DE LOS MEXICANOS EN ESTADOS UNIDOS

Tipo de problemas	Casos	Porcentaje
Discriminación	73	31.7
Dificultades relacionadas con el trabajo	65	28.3
Dificultades para conseguir vivienda	27	11.7
No poder comunicarse por no hablar inglés	20	8.7
Vulnerabilidad por no tener papeles	14	6.1
No tienen problemas	8	3.5
Problemas de salud por los químicos	4	1.7
No tienen seguro médico	4	1.7
Dificultad para adaptarse a la cultura y nostalgia por el terruño	4	1.7
Competencia entre los mismos mexicanos	4	1.7
No llevan una buena vida	3	1.3
Problemas familiares	2	0.9
Aislamiento, soledad	1	0.4
Accidentes en el trabajo	1	0.4
Total	230	100.0

Fuente: Entrevistas aplicadas a jornaleros agrícolas mexicanos, de septiembre de 1998 a junio de 1999.

CUADRO 23

POSIBLES SOLUCIONES A LOS PROBLEMAS DE LOS JORNALEROS(AS)

Tipo de soluciones	Casos	Porcentaje
Más trabajos y mejores condiciones en Estados Unidos	35	18.8
Unirse para proteger sus derechos, formar sindicatos, etcétera	32	17.2
Programas para apoyar a los mexicanos en Estados Unidos	31	16.7
No ve solución, sólo les queda resignarse	21	11.3
Tengan más preparación y educación	17	9.1
Programas de vivienda (más vivienda y accesible)	15	8.1
Otra amnistía u oportunidades de arreglar documentos	9	4.8
Que en México hubiera buenos trabajos	6	3.2
Que no hubiera prejuicios contra los mexicanos	5	2.7
Seguro médico para todos	4	2.2
Más campos como el Center for Farmworkers	2	1.1
Hablar con el patrón de los problemas	2	1.1
Que se enfrenten a las autoridades	1	0.5
Cambie el gobierno americano	1	0.5
Que el gobierno de Estados Unidos dé más permisos para trabajar	1	0.5
Que los gobiernos dieran mejores condiciones de vida	1	0.5
Sacarse la lotería	1	0.5
Cambiar la mentalidad de los mexicanos	1	0.5
Mejorar las condiciones del campo en México	1	0.5
Total	186	100.0

Fuente: Entrevistas aplicadas a jornaleros agrícolas mexicanos, de septiembre de 1998 a junio de 1999.

A manera de conclusión quiero señalar que los elementos anteriores nos permiten aproximarnos a entender los flujos migratorios actuales a una zona específica. En este momento aportamos un perfil de estos trabajadores; el análisis pormenorizado de los diferentes elementos que explican este perfil será objeto de otra publicación más amplia. Sólo señalaré en este momento que estos trabajadores están respondiendo a una demanda específica de empleo: se requieren trabajadores temporales para una actividad fundamental de la economía de la zona. Esos elementos los encontramos reflejados en el perfil migratorio de estos trabajadores, así como en las características de sus grupos domésticos. No obstante, el análisis requiere ser ampliado para incorporar dimensiones como la dinámica migratoria y la importancia de las redes y los sujetos en la conformación de estos flujos.

De lo hasta ahora expuesto tenemos ejemplificado cómo algunas tendencias generales de la migración hacia Estados Unidos están presentes, como la creciente incorporación de nuevos estados en los flujos migratorios aun cuando se mantienen los estados tradicionales como los principales expulsores de población; la edad y el sexo de los migrantes, predominantemente son varones jóvenes quienes van a este sector de actividad; la creciente presencia de grupos familiares en los lugares de destino; y se agregan elementos como el tipo de grupos familiares, los cambios en la historia laboral de estos trabajadores, las razones de migración y sus expectativas a futuro.

Geografía y patrones de la migración internacional: un análisis regional del estado de Veracruz

Patricia E. Zamudio Grave
Carolina A. Rosas
María Eugenia Pérez Herrera
Anabella Cruz Martínez
Ana Margarita Chávez Lomelí

Introducción

LA CRECIENTE interconexión mundial en prácticamente todos los ámbitos de la vida, la interdependencia de las economías y las dinámicas demográficas del planeta sugieren que la migración internacional es un fenómeno que, lejos de perder ímpetu, está incorporando a un número cada vez mayor de personas. En 1990 se estimó que 120 millones de personas cruzaron fronteras nacionales, mientras en el año 2000 el número se habría incrementado a 168 millones, aproximadamente (Zlotnik, 1998; Martin y Widgren, 2002).

En México, la tendencia que sigue la migración internacional es igualmente impresionante. En 1990 vivían en Estados Unidos cerca de cinco millones de mexicanos, de los cuales cerca de un millón y medio eran indocumentados. Alrededor de 4.3 millones de personas nacidas en México fueron enumeradas por el censo estadounidense de 1990 (Zlotnik, 1998). En 2000 Conapo estimó que "había 8.5 millones de personas nacidas en México, residiendo de manera autorizada o no autorizada en los Estados Unidos, lo que equivale a más de 8 por ciento de la población total de México y 3 por ciento de la de aquel país" (Conapo, 2002a).

Tradicionalmente la gran mayoría de los migrantes internacionales mexicanos ha provenido del occidente de México, particularmente de los estados de Jalisco, Michoacán y Guanajuato (Massey *et al.*, 1987; Jones, 1988). En los últimos años, sin embargo, el flujo migratorio procedente de otros estados se ha incrementado significativamente. Entre las nuevas entidades federativas emisoras de población, se encuentra Veracruz (Conapo, 2001d). El fenómeno migratorio internacional, particularmente hacia Estados Unidos, no es un fenómeno nuevo, ya que en algunos municipios se ha visto que los veracruzanos tienen más de 20 años migrando a ese país. En la actualidad, lo novedoso del fenómeno migratorio internacional en el estado radica en la magnitud que ha alcanzado en muy pocos años. Ejemplo de esto es que se ha colocado por encima del flujo zacatecano, tan sólo entre 1995 y el 2000.

El gran y veloz incremento del flujo emigratorio internacional veracruzano ha ocurrido al mismo tiempo que las crisis del sector agrario y petrolero –consecuencias de las políticas económicas aplicadas en el país y en el estado, así como de dinámicas económicas internacionales. Grupos poblacionales ligados a tales sectores parecen haber llegado al límite del aprovechamiento de sus recursos locales o no encuentran la forma de cumplir sus expectativas. Algunos miembros de tales grupos han incorporado la migración como una estrategia alternativa de sobrevivencia o mejoramiento de sus niveles de vida.

En los distintos trabajos que hemos realizado hasta el momento, utilizando información estadística, nos hemos concentrado en analizar la dinámica migratoria veracruzana a nivel estatal. Sin embargo, a partir de las diferentes investigaciones cualitativas que cada una de nosotras ha encarado hemos encontrado que, además de la *juventud* y la *velocidad*, otra característica importante de la migración internacional veracruzana es su *heterogeneidad*. Hemos encontrado grandes diferencias acerca de la dinámica, magnitud y antigüedad del fenómeno, básicamente entre localidades y municipios, algunos de ellos muy cercanos entre sí. Por este motivo resulta relevante buscar regularidades, patrones, en la dinámica y desarrollo de los distintos flujos migratorios que salen de la entidad, para establecer hipótesis sobre el posible efecto de las características socioeconómicas sobre la dinámica migratoria y viceversa. Para esto es necesario abandonar la agregación a nivel estatal y abordar espacios geográficos más pequeños. Como un primer paso, en este escrito abordamos el nivel regional.

Nos interesa descubrir si en una migración tan reciente es posible establecer patrones regionales. Nos preguntamos si las siete regiones que conforman el estado de Veracruz tienen patrones similares, o sólo algunas de ellas tienen regularidades análogas o si, por el contrario, no hay similitudes en el comportamiento migratorio entre regiones. El supuesto que nos guía es que las características socioeconómicas de cada región pueden estar condicionando diferentes dinámicas migratorias. Para contestar estos interrogantes y poner en cuestión este supuesto general, se describirán y analizarán las características migratorias más importantes (volumen del flujo migratorio, promedio del monto de remesas, estacionalidad de las salidas, y otras) de las siete regiones en las que se divide el estado, a la luz de las características socioeconómicas destacadas en cada una de ellas. Se presentarán los niveles de marginación, los cambios acontecidos en la composición de cada uno de los tres sectores de la economía, así como en los ingresos de la población económicamente activa ocupada en cada región.

Los datos utilizados provienen de los censos generales de población y vivienda 1990 y 2000, la muestra censal 2000 y el índice de marginación calculado por el Consejo Nacional de Población (Conapo) para 1990 y 2000. El tipo de indicadores que podemos utilizar se encuentran limitados por las características propias de este tipo de información. Además, en virtud de que la muestra censal captó migrantes que al momento del levantamiento se encontraban fuera del país, existe información no especificada en algunas variables, como es el caso de la edad del migrante o la fecha de salida para los que se utilizó únicamente la información de aquellos migrantes cuyos datos estuvieran bien especificados. Finalmente, conviene recordar que la captación de la migración internacional, particularmente la acontecida entre México y Estados Unidos, se dificulta debido a que en buena medida ésta tiene el carácter de indocumentada. Por esto, los datos que se presentan deben tomarse con cautela, en el entendido de que se desconoce el nivel de subregistro que los mismos pueden observar.

Utilizamos la regionalización propuesta por el gobierno del estado de Veracruz, a sabiendas de que es una regionalización geográfica, que no atiende necesariamente a una homogeneidad intrarregional. Por otro lado, nos parece importante tomar la misma regionalización que el gobierno veracruzano utiliza para cuestiones de planificación y políticas públicas, bajo el entendido de que este trabajo puede ser un aporte para la mejor comprensión y tratamiento del fenómeno migratorio a nivel regional, por parte de los tomadores de decisiones.

Hemos estructurado el capítulo en cinco apartados. En el segundo describimos brevemente las principales características geográficas, económicas y demográficas de las diferentes regiones del estado, así como su participación en la migración entre 1995 y 2000. El tercer apartado constituye el corazón de este trabajo, ya que presenta análisis detallados de la relación entre diversos factores socioeconómicos de las regiones y su participación en la migración internacional del estado. Consideramos factores tales como la participación de la PEA en los diversos sectores de la economía, los principales productos agrícolas de las regiones, marginación y porcentaje de población económicamente activa ocupada que recibe dos o menos salarios mínimos. El cuarto apartado ofrece una breve ilustración de las estacionalidades de salida de los migrantes hombres de algunas regiones, entre 1995 y 1999. El quinto corresponde a conclusiones.

Las siete regiones del estado de Veracruz

FIGURA 1

MAPA DE LAS REGIONES DE VERACRUZ

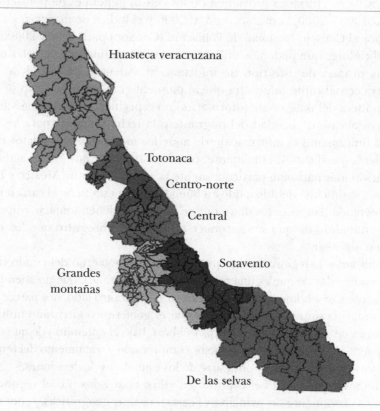

Fuente: Página web del gobierno del estado de Veracruz: http://regiones.veracruz.gob.mx/

En este apartado presentamos primero una breve descripción de cada una de las siete regiones en las cuales el gobierno veracruzano ha dividido el territorio estatal, "atendiendo a sus características físicas y culturales". El propósito es tener una visión general de la geografía estatal, así como algunos antecedentes que ayuden a comprender los análisis presentados más adelante. En la segunda parte, proporcionamos un breve análisis de la participación regional en el volumen migratorio estatal de 1995 a 1999.

Geografía, población y economía regionales

De norte a sur la primera región es la huasteca. La población total regional es de 1'065,304 habitantes, de los cuales 218,899 (20.55 por ciento) son mayores de cinco años y hablan una lengua indígena. La región es una productora importante de maíz y caña de azúcar: en 2000, cinco de sus municipios se encontraban entre los 10 mayores productores de maíz del estado, Pánuco fue el tercer productor de caña y El Higo fue el octavo.[1] El principal producto agrícola de la región es la naranja; en 2000, el municipio de Temapache cosechó más de 40,000 hectáreas de naranja (primer lugar en el estado) y Tihuatlán más de 10,000 (tercer lugar); en total el 51.79 por ciento de las hectáreas cosechadas del cítrico correspondieron a esta región. Las industrias ganadera y pesquera son también importantes en la región, en la cual se ubica el puerto de Tuxpan.

La siguiente región es la totonaca, con una población total de 541,758 habitantes, de los cuales 113,117 (20.88 por ciento) son mayores de cinco años y hablan una lengua indígena. Esta región no tiene una participación importante en la actividad agrícola del estado, pero sí en su industria petrolera, concentrada en Poza Rica, y en la turística, principalmente en Papantla, es además un importante productor de vainilla a nivel nacional y en Tecolutla, localizada en la llamada costa Esmeralda.

Continuando hacia el sur, sigue la región centro norte, con tan sólo siete municipios, que concentra a 314,758 habitantes. Esta región no se identifica con un tipo de producción particular, pero contiene a Martínez de la Torre, el segundo productor de naranja del estado, y a Atzalan, Misantla, Tlapacoyan y Nautla, que también producen el cítrico, aunque en menores cantidades. Además, en 2000, Misantla y Atzalan ocuparon el noveno y décimo lugar estatal, respectivamente, por el número de hectáreas cosechadas de café.

La cuarta región es la centro, con 1'021,605 habitantes. Esta es una región importante en la producción cafetalera, en la cual participan casi la mitad de sus municipios. En 2000 la región contó con el 40 por ciento de la superficie cosechada de café en el estado: Coatepec ocupó el tercer lugar estatal con superficie cosechada de café, Juchique de Ferrer y Emiliano Zapata tuvieron el sexto y octavo lugares, respectivamente. La producción de caña es importante en cuatro municipios, cada uno con una superficie cosechada mayor a 1,000 hectáreas, en 2000. En esta región se encuentra la ciudad de Jalapa, capital del estado, que reúne centros educativos y de servicio importantes y que ha constituido un destino preferido para migrantes de la región.

---

[1]Todos los datos correspondientes a producción se refieren a hectáreas cosechadas. Los datos provienen de INEGI y gobierno del estado de Veracruz-Llave, 2001, *Anuario Estadístico, Veracruz-Llave*, INEGI, Aguascalientes, Ags.

CUADRO 1
ASPECTOS DEMOGRÁFICOS Y PROPORCIÓN DE MIGRANTES DE LAS REGIONES DEL ESTADO DE VERACRUZ, 2000

	Estado de Veracruz	Regiones del estado de Veracruz						
		Huasteca	Totonaca	Centro-norte	Centro	Grandes montañas	Sotavento	Selvas
Número de municipios	210	34	14	7	35	61	26	33
Población total	6'908,975	1'065,304	541,758	314,758	1'021,605	1'358,844	1'094,359	1'512,347
Población masculina	3'355,164	527,069	260,873	154,661	493,143	657,562	525,519	736,337
Peso porcentual de la población regional sobre total de población estatal	100	15.7	7.8	4.6	14.7	19.6	15.7	21.9
Población mayor de cinco años y hablante de lengua indígena	633,372	218,899	113,117	3,014	6,190	156,839	10,545	124,768
Proporción de migrantes respecto al total de la población de la región	1.17	0.74	0.63	1.93	1.51	1.57	1.08	0.99

Fuente: Elaboración propia con datos del Censo de 2000, INEGI, muestra censal.

Hacia el sur el territorio veracruzano se ensancha, distinguiéndose en montaña y costa; la quinta región corresponde a la primera zona, de donde obtiene su nombre de grandes montañas. Esta región concentra el mayor número de municipios (59) en el estado y el 19.6 por ciento de la población estatal, con 1'358,844 habitantes, de los cuales, 156,839 (11.54 por ciento) son mayores de cinco años y hablan una lengua indígena. Sus límites son la región Sotavento al este y el estado de Puebla al oeste, a través de zonas montañosas. En la región de las grandes montañas, existe una tradición migratoria interna importante, principalmente al centro del país (Distrito Federal y Puebla) y a las zonas industriales de la región, principalmente la de Orizaba. La producción agrícola de la región es muy importante. Cinco de sus municipios (Tezonapa, Huatusco, Zentla, Zongolica e Ixhuatlán del Café) significaron casi la tercera parte del total estatal de superficie cosechada de café en 2000, casi 50,000 hectáreas, de 152,993. De la misma manera, otros cinco municipios de la región (Tres Valles, Omealca, Paso del Macho, Tezonapa e Ixtaczoquitlán) significaron la quinta parte de la superficie estatal cosechada de caña de azúcar, esto es, casi 50,000 hectáreas de un total de 249,083.

La zona costera de esta parte del estado corresponde a la región del sotavento, con una población de 1'094,359 habitantes. Esta región es irrigada por diversos ríos y parte importante de su economía se basa en la producción agrícola y en la ganadería y piscicultura. En ella se sitúan los municipios de la cuenca del Papaloapan, región muy fértil, productora de caña y de otros productos como frijol, arroz y frutales. En 2000, Cosamaloapan fue el principal productor de caña del estado, con más de 22,000 hectáreas cosechadas. En el mismo año, otros 15 municipios de la región cosecharon entre todos más de 47,000 hectáreas de caña. La producción piscícola, aunque importante en la región, principalmente en Alvarado, se ha visto disminuida debido a prácticas pesqueras que no permiten la renovación de los recursos. En esta región se encuentra Veracruz, el municipio más poblado del estado (457,377 habitantes), uno de los puertos y destinos turísticos más importantes a nivel nacional.

La región de las selvas está en el extremo sur del estado. Es la región más poblada, con 1'512,347 habitantes, de los cuales 124,768 (8.25 por ciento) son mayores de cinco años y hablan una lengua indígena. El maíz es el principal producto agrícola de la región; se cosecharon más de 200,000 hectáreas del cereal en 2000. Las selvas es la región más importante en la producción de piña del estado; en 2000, se cosecharon 4,650 hectáreas. Algunos de sus municipios participan también en la producción cañera y de naranja y algunos municipios de la sierra de Santa Marta producen café. San Andrés Tuxtla es el productor de tabaco más importante en el estado. Esto es; como región, las selvas ha diversificado su producción agrícola. Las industrias petrolera y petroquímica han constituido importantes alternativas de trabajo para la población regional y para la residente en estados vecinos, como Oaxaca y Tabasco.

Esta breve descripción de las regiones ilustra claramente su diversidad, tanto en términos geográficos como étnicos y económicos. Puede empezar a entenderse, entonces, que las dinámicas migratorias del estado presenten la heterogeneidad que hemos encontrado. En la sección siguiente relacionamos algunos aspectos demográficos de las regiones con la magnitud de su flujo migratorio.

Participación por región en la migración
internacional del estado, 1995-1999

En este apartado queremos mostrar cómo ha cambiado la participación de las diversas regiones en la migración internacional masculina del estado, de 1995 a 2000.

GRÁFICA 1

PARTICIPACIÓN PORCENTUAL DE CADA REGIÓN EN LA MIGRACIÓN MASCULINA, DE ACUERDO CON EL AÑO DE SALIDA

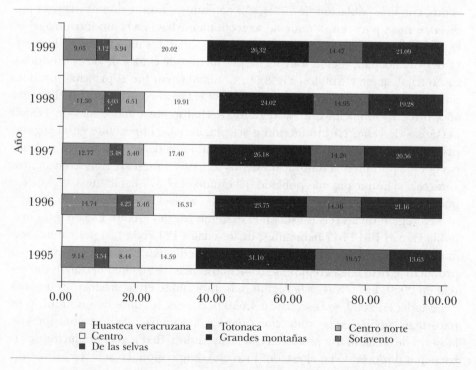

Fuente: Elaboración propia con datos del Censo de 2000, INEGI, muestra censal.

Como se observa en la gráfica 1, durante los años considerados las regiones más pobladas han presentado comportamientos interesantes. En el primer año, la región de las grandes montañas representaba casi un tercio del volumen de la migración internacional masculina en el estado y la región sotavento también presentaba un volumen importante, con casi un quinto. Al paso de los años hasta 1999, estas regiones han estado cediendo lugar a otras, tales como centro y selvas, las cuales han incrementado su participación de manera significativa, llegando cada una a representar alrededor de un quinto del volumen migratorio internacional masculino, en 1999, pasando con más de cinco puntos porcentuales a la región sotavento. No obstante, la región de las grandes montañas sigue siendo la que mayor volumen presenta, con casi un cuarto. Las regiones menos pobladas presentan comportamientos desiguales. La región huasteca tuvo un repunte en 1996, pero desde entonces su participación ha ido disminuyendo sostenidamente. Por su parte la región totonaca ha presentado un comportamiento irregular, incrementando y disminuyendo su participación, lo mismo que la región centro norte. El saldo final de estas últimas tres regiones es, sin embargo, negativo respecto de 1995. Finalmente la región centro, quinta en volumen poblacional, ha incrementado sostenidamente su participación, aumentando cinco puntos porcentuales entre 1995 y 1999. Más allá de la participación proporcional de cada región en la migración internacional masculina, debemos destacar que todas ellas incrementaron el volumen de migrantes, a partir de 1996, como lo muestra la gráfica 2.

Algunas regiones, como centro, grandes montañas, sotavento y selvas, presentaron un incremento de más de un 100 por ciento entre 1998 y 1999, confirmando la celeridad con la cual el movimiento se está incrementando en el estado.

Para complementar la información presentada, comentaremos algunos aspectos demográficos regionales y su relación con la migración internacional. En el caso de las Grandes montañas, con el 19.6 por ciento de la población total del estado y la primera en su participación migratoria a nivel estatal, con un 26.31 por ciento del total de migrantes, entre 1995 y 2000 pudiera sugerirse cierta correspondencia entre peso poblacional y número de migrantes. Dicha correspondencia es relativamente confirmada en las regiones selvas, sotavento, huasteca y totonaca (véase cuadro 1). Sin embargo el caso de la región centro nos alerta contra dicha intuición, ya que su participación en la población del estado, de 14.7 por ciento, la sitúa en quinto lugar, mientras que es la segunda en cuanto a volumen de migrantes, con el 19.03 por ciento del total. Esta relativa "desproporción" de la región centro sugiere la necesidad de poner atención en sus características específicas que propician la migración en mayores

GRÁFICA 2

TOTAL DE MIGRANTES POR AÑO DE SALIDA Y REGIÓN DE ORIGEN

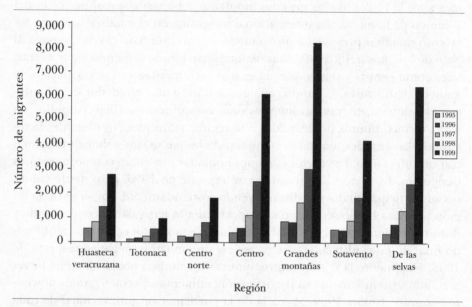

Fuente: Elaboración propia con datos del Censo de 2000, INEGI, muestra censal.

proporciones que en otras, y de manera especial sobre la diversidad entre sus municipios. Como veremos más adelante, la región centro ha sido afectada, tanto por las crisis recurrentes en los mercados del café, como por aquellas en la producción de caña, al tiempo que no ofrece a su PEA alternativas viables de inserción en los sectores secundario y terciario.

Otra manera de mirar la relación presentada en el párrafo anterior –i.e., entre volumen poblacional y volumen de migrantes– es usando la proporción de migrantes de la región con respecto a la población regional. Por ejemplo, la "desproporción" que encontramos en la región centro se expresa también en que, ocupando el quinto lugar en volumen poblacional, ocupa el tercero en proporción de migrantes respecto de su población, con 1.51 por ciento. Pero la región que más llama la atención en este rubro es la centro norte, la menos poblada del estado con el 5 por ciento de la población estatal. Al mismo tiempo, es la región que presenta la mayor proporción de migrantes, respecto a su población, con 1.93 por ciento. Esto es, casi dos personas de cada 100 en esta región son migrantes.

El caso de la región centro norte interroga la regionalización misma que estamos trabajando, por las razones siguientes. Las dos regiones en las cuales encontramos la supuesta "desproporción" colindan. Aún más, Misantla, el municipio de la región centro norte que presenta el mayor número de migrantes en la región y ocupa el cuarto lugar a nivel estatal (sólo después de Jalapa, Tierra Blanca y Veracruz, todos ellos municipios significativamente más poblados) colinda con la región centro. Esta circunstancia sugiere que la dinámica migratoria de Misantla pudiera corresponder más con la dinámica de la región centro que con aquella de la región centro norte.

Otra relación entre las características demográficas de una región y la migración internacional es aquella entre la proporción de migrantes hombres respecto a la población masculina de la región y el índice de masculinidad (IM) regional. Esta relación pone el foco en la composición por sexo de la migración, la cual, hipotéticamente, nos diría que a mayor participación masculina en la migración, menor índice de masculinidad en la región. No exploraremos esta relación en detalle, sin embargo, porque el índice de masculinidad puede estar condicionado por diversos factores, tales como la presencia de otros flujos migratorios, tanto intraestatales como internos y otros más. Sólo ilustraremos con el caso de la región centro norte, en la cual la proporción de migrantes hombres respecto a la población masculina es 2.60 por ciento, la más alta del estado. Sin embargo el número de migrantes hombres por cada 100 es sólo 67.4, el menor en el estado. Y, al mismo tiempo, su índice de masculinidad es también uno de los más altos 96.60, superior al estatal. Esto es, al parecer, la presencia importante de mujeres en la migración internacional parece estar influyendo en el relativo equilibrio entre los sexos en la región.

Este breve recorrido por las características demográficas y económicas de las regiones nos ayudará a comprender la heterogeneidad de sus dinámicas migratorias, a la luz de sus características socioeconómicas más relevantes.

Relación entre las características socioeconómicas regionales y la dinámica migratoria

A pesar de que la magnitud de la migración veracruzana se ha incrementado dramáticamente en los últimos cinco años de la década de los noventa, aún no presenta dimensiones tales que permitan establecer comparaciones con otros estados del país, con relación a los factores que la han propiciado. Por ello, los análisis que siguen se presentan de manera relacional entre regiones y entre éstas y el estado en su conjunto. Se trata, pues, de un análisis "interno" que nos permitirá empezar a identificar relaciones que parecen sostenerse a nivel estatal. Presentamos cuatro factores: proporción de población económicamente activa ocupada (PEAO) en sector primario, grados de marginación, PEAO que recibe dos o menos salarios mínimos y monto de remesas internacionales. Hemos organizado la exposición planteando hipótesis y tratando de confirmarlas o rechazarlas, según la información que poseemos.

Proporción de PEAO

La proporción de la PEAO en el sector primario en una región está relacionada de manera directa con la migración internacional, bajo las siguientes condiciones:

a) se da una disminución en la proporción de la PEAO en el sector primario entre 1990 y 2000, la cual no es compensada con la incorporación de la PEAO en otros sectores de la economía;

b) se presenta una especialización productiva agrícola regional, particularmente de café, caña de azúcar o cítricos. Veamos si estas hipótesis se cumplen.

a) La disminución en la proporción de PEAO en el sector primario (1990-2000), si no es compensada con PEAO en otros sectores de la economía, propicia migración internacional. Para ilustrar esta relación, analizaremos a la región centro norte, la cual presenta la mayor proporción de migrantes respecto a su población total regional, con 1.93 por ciento.

La producción agrícola en la región centro norte es importante sólo en el rubro de cítricos. En 2000 la región representó el 21.19 por ciento de la superficie estatal cosechada de naranja; además, Martínez de la Torre tiene el 65 por ciento de la infraestructura agroindustrial del estado. Aunque la microrregión formada por Tlapacoyan, Misantla y Atzalan es productora de café, la región completa cosechó 12,972 hectáreas de este producto en 2000, representando sólo el 8.48 por ciento de la superficie estatal. La producción ganadera tampoco es importante, con relación al estado; en 2000 la producción de carne en canal de bovino significó sólo el 3.59 por ciento de la producción total del estado.

Tanto en 1990 como en 2000 esta región presentó porcentajes de PEAO en el sector primario muy por encima del promedio estatal y el mayor en 2000: en 1990 es de 55.9 por ciento y en 2000 de 46 por ciento. La disminución observada fue de 9.9 puntos porcentuales (véase cuadro 2).

Nuestra hipótesis es que si en una región del estado se da una disminución importante del porcentaje de PEAO en el sector primario, sin que los otros dos sectores de la economía presenten incrementos significativos que permitan inferir que la población desplazada del sector primario encontró alternativas de ocupación, entonces se genera una situación propicia para la migración internacional en la región. Veamos a continuación si la disminución de la PEAO en el sector primario que se observó en la región centro norte, es compensada. De no ser así, esperaremos alguna presencia de migración internacional.

CUADRO 2

PEA OCUPADA POR SECTOR Y CAMBIO ENTRE 1990 Y 2000 DE LAS REGIONES DE VERACRUZ

		Regiones del estado de Veracruz						
	Estado de Veracruz	Huasteca	Totonaca	Centro-norte	Centro	Grandes montañas	Sotavento	Selvas
Porcentaje de PEA ocupada según sector de la economía, 1990								
Sector primario	40.4	56.5	40.2	55.9	37.8	42.8	24.7	37.3
Sector secundario	21.7	15.0	21.9	13.8	19.6	22.4	24.2	27.4
Sector terciario	37.8	28.4	37.9	30.2	42.7	34.8	51.1	35.3
Porcentaje de PEA ocupada según sector de la economía, 2000								
Sector primario	32.4	45.3	32.9	46.0	30.1	36.4	16.9	30.7
Sector secundario	19.9	17.1	19.2	15.6	20.0	20.5	21.1	21.6
Sector terciario	47.7	37.6	48.0	38.4	49.9	43.1	62.0	47.8
Cambio en el porcentaje de PEA ocupada en cada sector de la economía entre 1990 y 2000								
Sector primario	-8.0	-11.2	-7.3	-9.9	-7.7	-6.4	-7.8	-6.6
Sector secundario	-1.8	2.1	-2.7	1.8	0.4	-1.9	-3.1	-5.8
Sector terciario	9.9	9.2	10.1	8.2	7.2	8.3	10.9	12.5

Fuente: Elaboración propia con datos del Censo de 2000, INEGI, muestra censal.

En la región centro norte, los porcentajes de PEAO en el sector secundario han sido de los menores en el estado, muy por debajo del promedio estatal, con 13.8 por ciento en 1990 y 15.06 en 2000 (véase cuadro 2). El sector secundario de la región incrementó ligeramente su proporción de PEAO en 2000, en contra de la tendencia estatal que muestra un descenso de -1.8 por ciento. Dicho incremento puede entenderse considerando la importancia de la agroindustria asentada en Martínez de la Torre, tanto para procesamiento de cítricos como de caña.

Los porcentajes de PEAO en el sector terciario de la región centro norte, de 30.2 por ciento en 1990 y de 38.4 por ciento en 2000, es también de los más bajos en el estado. El incremento observado entre 1990 y 2000 en este sector, de 8.2 puntos, además de estar por debajo del promedio estatal, de 9.9 por ciento, no parece compensar el decremento en el sector primario.

Recordemos, como se dijo arriba, que esta región es la que presenta la mayor proporción de migrantes respecto a su población total regional, con 1.93 por ciento. Así, el caso de la región centro norte apunta a que la importancia del sector primario en una región, medido a partir de la proporción de PEAO en el mismo, en combinación con su disminución en el periodo intercensal considerado y el poco incremento en otros sectores, parece representar una condición propicia para la migración internacional.

Otro ejemplo que sustenta esta relación es la región sotavento. Esta región tiene el menor porcentaje de PEAO en el sector primario en el estado, tanto en 1990 (24.7 por ciento) como en 2000 (16.9 por ciento), muy por debajo del promedio estatal (32.4 por ciento en 2000). Al mismo tiempo, es la región con la segunda mayor proporción de PEAO en el sector secundario, en ambos años censales, pasando de 24.2 por ciento en 1990, a 21.1 por ciento en 2000 y la mayor en sector terciario, de 51.1 por ciento en 1990 a 62 por ciento en 2000 (el promedio estatal fue de 47.7 por ciento en 2000) (véase cuadro 2). Vemos, pues, que aunque la región desplazó una proporción importante de PEAO en el sector primario (apenas menor al promedio estatal) en 10 años, su dependencia de este sector no es muy importante. Además, el incremento en los sectores secundario y terciario parece haber ofrecido alternativas de empleo a la población desplazada del sector primario. Ambas condiciones parecen haber contribuido a una baja proporción de la emigración internacional de la región sotavento, que apenas sobrepasa el 1 por ciento, por debajo del promedio estatal, de 1.17 por ciento, y poco mayor a la mitad de la proporción de la región centro norte (1.93 por ciento).

Los dos casos presentados parecen confirmar la relación propuesta entre: importancia del sector primario en la región, su disminución entre 1990 y 2000 y la presencia proporcional de migración internacional en la región.

Otra condición que parece combinarse de manera directa con la importancia del sector primario y su disminución en una región es la importancia de la producción de café y caña, medida en hectáreas cosechadas.

b) La importancia del cultivo de café y caña en la región, hectáreas cosechadas, propicia migración. Además de los cambios en el sector primario y su relación con la proporción de migrantes internacionales en las regiones, la participación regional en las producciones de productos agrícolas tales como café, caña de azúcar y cítricos es otro factor que debe tomarse en cuenta para entender la migración internacional en el estado. Para ilustrar el caso del café, haremos un análisis de la región de las grandes montañas y la región centro. La primera contribuye con más del 50 por ciento de la producción cafetalera del estado, la segunda, con casi el 40 por ciento.

Grandes montañas es la región que ocupa el tercer lugar en el estado en relación con su PEAO en el sector primario. En 1990, este sector representó el 42.8 por ciento de la PEAO y en 2000 fue de 36.4 por ciento, en ambos años por encima del promedio estatal. Además, grandes montañas presenta el menor descenso en el porcentaje de la PEAO en el sector primario, entre 1990 y 2000, con -6.4 puntos (véase cuadro 2). A pesar de ello, la participación regional en la migración internacional entre 1995 y 2000 ha sido sostenidamente la mayor en el estado (véase gráfica 1) y la proporción del número de migrantes, con relación a la población total de la región es la segunda en el estado, con 1.57 por ciento.

Se mantiene, pues, la relación entre importancia del sector primario y la migración, pero no así aquella entre disminución en el sector primario y la migración. Analizaremos, entonces, los cambios de PEAO en los otros dos sectores. En 1990, la región de las grandes montañas tenía un porcentaje de PEAO en el sector secundario de 22.4 por ciento, el cual disminuyó ligeramente a 20.5 por ciento en 2000 (descenso igual a -1.9 por ciento). El sector terciario pasó de representar el 34.8 por ciento en 1990 a 43.1 por ciento en 2000 (incremento de 8.3 por ciento). Como vemos, en esta región el sector terciario debió absorber PEAO tanto del sector primario como del secundario, lo cual parece haberse llevado a cabo.

Dos factores pueden ayudar a explicar la presencia migratoria en la región, cuando el descenso de la PEAO en el sector primario no parece tan drástico. El primero tiene que ver con que el sector servicios de la región se concentra principalmente en las ciudades de Orizaba y Córdoba, lo cual obliga a la población a emprender un difícil desplazamiento para acceder al mercado de trabajo de dichas ciudades. El segundo factor está relacionado con las crisis cafetaleras de los últimos años. El escenario que podemos vislumbrar se basa, además de los datos ya presentados, en trabajo de campo y entrevistas realizadas con productores y equipos de trabajo del Programa Nacional con Jornaleros agrícolas (Pronjag). Dicho escenario pudiera ser como sigue. Ante las crisis recurrentes desde 1989 los productores de café han tratado de conservar sus fincas, en espera de un mejoramiento en los precios, pero al prolongarse las crisis han optado por migrar de forma internacional, como una manera de obtener recursos que les permitan, en el corto o mediano plazo, sostenerse económicamente y mantener sus fincas mientras los precios mejoran.

El caso de la región de las grandes montañas se torna complejo si consideramos además su importancia en la producción cañera del estado. En 2000, la superficie cosechada de este producto en la región representó el 44.69 por ciento del estado. Este producto ha presentado también crisis en su precio y comercialización, al menos desde 1992, año de la privatización de los ingenios. En este caso, al parecer, la persistente importancia de la producción cañera y la poca disminución del sector primario sugieren también que los productores cañeros, en general con extensiones de tierra más grandes y mayor capital invertido que los cafetaleros, proyectan también a la preservación de sus cañaverales y podrían estar recurriendo a la migración internacional, precisamente para contribuir a tales fines.

Por otro lado es necesario considerar que las crisis en el café y en la caña no sólo afectan a productores. Los jornaleros que participan en la siembra, mantenimiento y corte de tales productos también ven disminuidas sus posibilidades de empleo y pueden considerar la migración internacional como una alternativa para la obtención de ingresos. Para darnos una idea de la importancia de los trabajadores jornaleros temporales en la región diremos que del total de jornaleros que el Pronjag estatal tiene identificados en el año 2002, el 46.48 por ciento provienen de la región de las grandes montañas. A pesar de que el Pronjag no tiene información comprensiva de la población jornalera que se desplaza a los campos de café y caña de la región, sus datos son indicativos de la situación prevaleciente.

Para comprender mejor el efecto diferencial que las crisis cañera y cafetalera han tenido en diversos sectores productivos –i.e. productores y jornaleros– sería necesario efectuar análisis a nivel municipal. Por ahora sólo podemos sugerir que la región de las grandes montañas ilustra la relación entre la importancia regional de la producción cafetalera y producción cañera y la presencia de la migración internacional en la región.

Otra región que parece confirmar dicha relación es la región centro. En 1990 la PEAO en el sector primario de esta región representó el 37.8 por ciento, para 2000 había descendido a 30.1 por ciento. Durante los mismos años el sector secundario creció ligeramente de 19.6 por ciento en 1990 a 20.0 por ciento en 2000. El sector terciario creció de 42.7 por ciento en 1990 a 49.9 por ciento en 2000. La ciudad de Jalapa, capital del estado, ayuda a explicar la presencia tan importante del sector terciario, segunda en el estado, ya que en ella se asienta el gobierno estatal, con sus dependencias y una buena parte de las representaciones estatales de las dependencias federales. Sin embargo el incremento observado en el sector terciario en esta región se encuentra por debajo del promedio estatal, que fue de 9.9 por ciento en dichos años. Apenas se observa un equilibrio entre la pérdida de PEAO en el sector primario y la ganancia en los otros dos sectores.

La proporción entre el volumen de migrantes internacionales y el total de población de la región centro entre 1995 y 2000 fue la tercera en el estado, con 1.51 por ciento, lo mismo que su volumen de migrantes, el cual ha crecido sostenidamente desde 1995 y se ha mantenido en tercer lugar en 1998 y 1999. La importancia de la producción cafetalera podría ayudar a explicar la presencia tan importante de la migración internacional en esta región.

La región centro representó el 40.13 por ciento de superficie cosechada de café en 2000. Las crisis en los precios del café han desplazado a PEAO del trabajo en el sector primario, la cual no ha encontrado alternativas de ocupación en otros sectores debido parcialmente a la concentración en una sola ciudad, Jalapa. En esta región, de nuevo, es posible inferir la existencia de una relación directa entre la importancia regional de la producción cafetalera y la presencia de la migración internacional.

Los casos presentados dan elementos de soporte para la relación propuesta entre importancia del sector primario y migración, bajo condiciones de crisis en los productos más importantes de la región. Esta situación parece agravarse, en particular, cuando se da la especialización productiva agrícola. La relación no es completamente nítida debido a otros factores que intervienen en la generación de condiciones propicias para la migración internacional, además de la gran diversidad intrarregional que hemos identificado en trabajo de campo. Sin embargo, los análisis realizados son un primer acercamiento a la explicación de la diversidad de factores que están interviniendo en el crecimiento acelerado de la migración internacional en Veracruz.

Dicha diversidad está presente de modo especial en la región huasteca, cuyo comportamiento parece constituir la excepción a la relación presentada. Nos interesa, pues, entender las variables que explican su comportamiento.

La proporción de PEAO en el sector primario de la región huasteca fue de 56.55 por ciento en 1990 y de 45.3 por ciento en 2000, de los mayores en el estado y muy por encima del promedio estatal (véase cuadro 2). La huasteca es un caso que ilustra la especialización productiva agrícola, representando más del 50 por ciento de la superficie estatal cosechada de naranja en 2000.

El porcentaje de PEA ocupada en el sector secundario de esta región fue de 15 por ciento en 1990 y de 17.1 por ciento en 2000, uno de los menores en el estado y por debajo del promedio estatal (19.9 por ciento en 2000). El porcentaje de PEAO en el sector terciario fue de 28.4 por ciento en 1990 y de 37.6 por ciento en 2000, los más bajos en el estado y menores al promedio estatal en más de 10 puntos porcentuales (véase cuadro 2). Esto es, juntos el sector secundario y terciario apenas compensan por la pérdida en PEAO en el sector primario. Aún más, la especialización agrícola de la región la hace vulnerable a las constantes fluctuaciones de los precios internacionales de su principal producto, la naranja.

A pesar de las condiciones descritas la región huasteca tiene la segunda participación más baja de migración internacional con relación al total de su población, con 0.74 por ciento, y su participación en el volumen de migrantes en el estado ha disminuido sostenidamente desde 1996 (véase gráfica 1). Entre las condiciones particulares de esta región que permiten entender su poca participación en el movimiento migratorio internacional, relativo a las demás regiones del estado, podemos destacar principalmente su cercanía con el estado de Tamaulipas. Este estado constituye una alternativa a la migración internacional, porque ofrece la posibilidad de absorber parte de la PEA desplazada del sector primario de la región. Por ejemplo, el principal destino de los trabajadores jornaleros del municipio de Tantoyuca es Tamaulipas; a este estado se dirigieron más del 19 por ciento de ellos, entre 1999 y 2001. Tamaulipas también ofrece la alternativa de trabajar en la industria petrolera, en Ciudad Madero, y en la maquiladora, principalmente en la ciudad fronteriza de Reynosa.

La producción de maíz pudiera ser también un contenedor de la migración internacional en la huasteca, principalmente para las zonas indígenas de la sierra, donde los pobladores, además de cultivar maíz para su subsistencia en sus propias localidades, participan como jornaleros de los campos maiceros de otros municipios de la región, como Pánuco, Tantoyuca, Chicontepec y Temapache, con superficies cultivadas de más de 15,000 hectáreas cada uno.

En conclusión, en Veracruz existe una relación directa entre la importancia regional del sector primario –en combinación con factores como disminución en la PEAO en el mismo sector entre 1990 y 2000, el poco o nulo incremento en los otros sectores y la especialización agrícola regional en productos como café y caña– y la presencia de la migración internacional en la región. Dada la importancia del sector primario en el estado y la disminución que ha sufrido en los años señalados, podríamos sugerir que parte de la explicación de la aceleración del flujo migratorio se encuentra precisamente en dicha relación. Sin embargo, debemos explorar otros factores, que pudieran estar participando también en la generación de condiciones propicias para la migración internacional en el estado. Entre ellos los grados de marginación y la proporción de PEAO que recibe dos o menos salarios mínimos, temas de los siguientes apartados.

Marginación y migración internacional: una relación ambigua

Para explorar si existe algún tipo de relación entre la marginación –medida a partir del grado de marginación (GM)– y migración internacional en las regiones, analizamos los datos de dos maneras. Primero partiendo de que la marginación es un índice que se refiere a comunidades o municipios, tratamos de encontrar una relación entre la proporción de municipios de la región que presentaran GM muy altos o altos y la presencia de la migración internacional. Nuestros hallazgos son ambiguos. Veamos.

Primero, como hemos visto a lo largo de este trabajo, en la región de las grandes montañas la migración internacional tiene una importante magnitud. Por otro lado, más del 70 por ciento de sus municipios presentan GM muy alto (34.4 por ciento, equivalente a 21 municipios) o alto (39.15 por ciento, equivalente a 23 municipios). Estos datos podrían hacernos pensar que existe una relación directa entre la marginación y la presencia de migración internacional.

Sin embargo, el caso de la región totonaca contradice esta conclusión. En esta región, el 50 por ciento de los municipios (siete) tienen un GM muy alto (la mayor proporción en el estado y muy por encima del porcentaje estatal, de 21.8 por ciento) y el 35 por ciento (cuatro municipios) tienen un GM alto. La proporción de migrantes de esta región con respecto a su población total es de 0.63 por ciento, la menor en el estado. La región de las selvas presenta una situación similar, con 12 por ciento de sus municipios (cuatro) con GM muy alto, 54.5 por ciento (18) con GM alto y sólo 0.99 por ciento de migrantes respecto al total de la población regional, proporción inferior a la estatal, que es de 1.17 por ciento. Esto es, no observamos una relación directa entre el porcentaje de municipios con GM muy alto o alto y presencia de la migración internacional.

En ambos casos, tanto en los que apreciamos una relación directa entre marginación y migración como en los que no, estamos utilizando datos que esconden grandes variaciones entre las regiones. Una primera variación se refiere al número de municipios. Mientras la región de las grandes montañas tiene 59 municipios, la región totonaca sólo tiene 14 y la de las selvas 33. Las inferencias no son confiables.

Una segunda variación se presenta tanto en el nivel interregional como en el intrarregional. Nos referimos al tamaño poblacional de los municipios y, por tanto, a la cantidad de personas que habitan municipios con GM muy alto o alto.

CUADRO 3

GRADO DE MARGINACIÓN EN LAS REGIONES DEL ESTADO DE VERACRUZ, 2000

	Veracruz-Llave	Huasteca	Totonaca	Centro-norte	Centro	Grandes montañas	Sotavento	Selvas
				Regiones del estado de Veracruz				
Población total	6'908,975	1'065,304	541,758	314,758	1'021,605	1'358,844	1'094,359	1'512,347
Número de municipios por región según grado de marginación								
Total de municipios	210	34	14	7	35	59	28	33
Muy alta	49	10	7	1	5	21	1	4
Alta	97	18	4	3	16	23	15	18
Media	39	2	2	3	10	9	6	7
Baja	17	4	0	0	3	4	4	2
Muy baja	8	0	1	0	1	2	2	2
Porcentaje de personas según grado de marginación del municipio en que habitan								
Veracruz-Llave	100.00	100.00	100.00	100.00	100.00	100.00	100.00	100.00
Muy alto	21.80	14.70	15.31	4.85	18.61	1.34	4.58	10.80
Alto	46.56	44.98	24.39	23.62	26.58	19.31	43.55	33.13
Medio	10.24	12.11	60.30	21.78	21.58	14.13	19.37	19.22
Bajo	21.41	-	-	11.52	21.61	11.02	13.03	13.85
Muy bajo	-	28.21	-	38.23	11.62	54.20	19.47	23.00

Fuente: Elaboración propia con datos de Conapo, Índices de marginación 2000.

Considerando estas variaciones abordamos la relación entre marginación y migración internacional de otra manera: calculamos el porcentaje de personas según el GM del municipio que habitan. Encontramos relaciones interesantes. Primera, que la región de las grandes montañas tiene el mayor porcentaje de municipios con GM muy alto y alto, y el porcentaje de población que habita tales municipios alcanza el 45.19 por ciento de la región, el cuarto lugar en el estado. Esta región representa la segunda proporción de migrantes con respecto a su población total y es la que tiene la mayor proporción con respecto a los migrantes totales del estado. Es decir, la relación directa entre migración y marginación parece confirmarse en la región de las grandes montañas. La región de las selvas presenta una correspondencia similar, con un porcentaje de 48.13 por ciento de sus habitantes en municipios con GM alto y muy alto y el 21.09 por ciento de migrantes internacionales en el estado (0.99 por ciento de su población).

Pero encontramos también casos con una relación inversa entre marginación y migración internacional. En la región totonaca, hay un 59.68 por ciento de habitantes en municipios con GM alto y muy alto, el segundo lugar en el estado en este rubro, y la menor proporción de migrantes, tanto con relación a la población total de la región, como con relación a la totalidad de migrantes del estado. También la región huasteca sugiere la ausencia de una relación directa entre marginación y migración, pues tiene la mayor proporción en el estado con habitantes en municipios con GM alto y muy alto (68.36 por ciento) y una baja proporción de migrantes con respecto a su población (0.63 por ciento).

El caso de la región centro pone el dedo en la llaga, porque es una región con poco porcentaje de su población en municipios con GM alto y muy alto y, sin embargo, es la segunda en participación de migrantes en el estado, con un porcentaje de 1.51 por ciento respecto de su población. Esto es, una región con relativamente poca marginación pero alta participación en la migración internacional.

A partir de la información presentada, sólo podemos concluir que la marginación puede constituir un factor propicio para la migración internacional regional, cuando se acompaña de factores coyunturales que coloquen a grupos poblacionales en el límite del aprovechamiento de sus recursos, como en el caso de las crisis recurrentes de café de las regiones centro y grandes montañas. Tendríamos que afinar el lente y abordar la información a nivel del municipio y encontrar si, más allá de las proporciones regionales, los municipios presentan una relación más definida entre migración internacional y marginación.

Pero aún más importante, debemos preguntarnos cuáles son los supuestos con los cuales interrogamos a la migración internacional, cómo estamos interpretando los factores estructurales o coyunturales que condicionan la migración, cómo estamos relacionando las formas de vida de poblaciones y la incorporación de la migración internacional entre sus alternativas para cumplir sus expectativas o construir vidas satisfactorias.

Con el propósito de seguir interrogando dichos supuestos hicimos un ejercicio más de búsqueda de relaciones entre la migración internacional y otras características socioeconómicas de las regiones. El próximo apartado aborda los cambios entre 1990 y 2000 de la PEAO que recibe dos o menos salarios mínimos, así como las remesas recibidas.

*Población económicamente activa que recibe dos
o menos salarios mínimos y su relación con las
remesas recibidas por región*

Para explorar una posible relación entre la migración internacional en Veracruz y la PEAO que recibe dos o menos salarios mínimos tomaremos los casos de la región centro y la región de las selvas, las cuales presentan los comportamientos "extremos"; la primera con el mayor descenso en dicho rubro, y las selvas como la única región que experimentó un aumento.

La región centro experimentó la mayor disminución en el porcentaje de PEAO que recibe dos o menos salarios mínimos, con un -7.3 por ciento. Una explicación a este descenso es que dichas personas pasaron a las filas de los desocupados, otro escenario es que incrementaron su salario. Considerando que la región centro presenta una proporción relativamente alta de migrantes respecto a su población total, podríamos pensar en la factibilidad de la primera circunstancia. De acuerdo con los datos del censo, el 0.82 por ciento de los habitantes de la región recibió remesas internacionales, con un monto mensual promedio de 2,111.60 pesos, superior al promedio estatal de 2,039.90. Podríamos sugerir, entonces, que quienes pasaron a las filas de los "desocupados" lo hicieron porque están recibiendo remesas internacionales y, quizá, no están en la necesidad de trabajar por un salario.

El escenario de incremento de salario puede no ser muy plausible, debido al escaso incremento en los sectores secundario y terciario en la región. Es apropiado sugerir, entonces, que la migración en la región centro está contribuyendo a la disminución de la PEAO que recibe dos o menos salarios mínimos. Y no sólo la migración internacional; de acuerdo con el censo, el monto promedio mensual de las remesas nacionales recibidas en la región es de 1,199.70 pesos, el tercero a nivel regional y por encima del promedio estatal de 1,095.90.

Por su parte, la región de las selvas fue la única que incrementó el porcentaje de PEAO que recibe dos o menos salarios mínimos, en 1.9 por ciento. Es la región con el mayor incremento en el sector terciario (12.5 por ciento) y el mayor decremento en el sector secundario (-5.8 por ciento), así como el segundo menor decremento en el sector primario (-6.6 por ciento). Estos datos sugieren que la situación de la región ha empeorado. Esta región ocupa el tercer lugar en

CUADRO 4

PEA OCUPADA QUE RECIBE DOS O MENOS SALARIOS MÍNIMOS Y PROMEDIO MENSUAL
DE REMESAS POR PERCEPTOR, EN LAS REGIONES DEL ESTADO DE VERACRUZ, 2000

	Estado de Veracruz	Huasteca	Totonaca	Centro-norte	Centro	Grandes montañas	Sotavento	Selvas
	Regiones del estado de Veracruz							
	Porcentaje de PEA ocupada que recibe dos o menos salarios mínimos							
1990	78.4	73.4	78.2	73.9	75.6	61.7	68.3	
2000	76.8	71.2	77.1	66.6	71.6	55.1	70.3	
Cambio entre 1990 y 2000	-1.6	-2.2	-1.1	-7.3	-4.0	-6.6	1.9	
	Proporción de perceptores de remesas, respecto a la población total de la región							
2000	0.7	0.56	0.42	0.91	0.82	0.9	0.67	0.6
	Promedio mensual de remesas recibidas por perceptor (en pesos)							
Internacionales	2,039.9	1,361.8	1,567.0	1,454.7	2,111.6	2,045.8	2,244.6	2,547.8
Nacionales	1,095.9	683.2	785.8	920.3	1,199.7	1,424.8	1,376.3	1,014.9

Fuente: Elaboración propia con datos del censo de 2000, INEGI, muestra censal.

volumen de migrantes, 18.55 por ciento del total estatal, pero su proporción de migrantes respecto a su población total es relativamente pequeña –0.99 por ciento, inferior a la estatal– y la proporción de perceptores de remesas internacionales respecto a la población total de la región es muy baja, de 0.60 por ciento, sólo mayor que la huasteca y la totonaca. Ambas proporciones bajas pudieran explicarse por la magnitud de su población, la más alta en el estado (21.9 por ciento). Por otro lado, los receptores de remesas internacionales de esta región son quienes reciben la mayor cantidad promedio en el estado, con 2,547.8 pesos mensuales.

¿Qué nos dicen todos estos datos sobre la región de las selvas? Primero, pareciera que las consecuencias de la crisis de las industrias petrolera y petroquímica han sido graves. Segundo, al parecer los migrantes internacionales provenientes de esta región pudieran pertenecer a grupos que han contado con entrenamiento industrial, lo que parece reflejarse en la percepción de remesas. Esta región tiene una proporción de migrantes no retornados de 96.2, la más alta del estado. Ello puede sugerir al menos dos cosas. Primero, que los migrantes partieron recientemente y no han cumplido con algunos planes migratorios básicos. Segundo, que estén colocados en puestos cuya "calidad" los retiene en el norte. Estas hipótesis no son, de ninguna manera, excluyentes.

Respecto al porcentaje de PEAO que recibe dos o menos salarios mínimos la región de las grandes montañas experimentó un descenso de -3.8 por ciento entre 1990 y 2000, pasando de 75 a 71.2 por ciento. Esto es, a pesar de la importante presencia de la migración internacional, ésta parece no estar participando significativamente en un mejoramiento de los ingresos de la población de la región. Un dato que refuerza esta posibilidad es que el promedio mensual de remesas recibidas por perceptor en la región es de 2,012.4 pesos, menor al promedio estatal.

En la región del sotavento, el porcentaje de la PEA ocupada que recibe dos o menos salarios mínimos se redujo en un 6.8 por ciento, la mayor reducción regional en el estado, sólo después de la región centro (7.3 por ciento). A pesar de que la proporción de migrantes es relativamente pequeña respecto al total de población regional, pudiera suceder que exista alguna relación entre el promedio mensual de remesas de cada perceptor, el segundo más alto en el estado, con 2,313.40 pesos. No hablamos de un efecto directo en la percepción salarial, sino en un posible efecto multiplicador que las remesas suelen tener en los municipios que las reciben. Debemos ser cuidadosos, sin embargo, con tratar de encontrar relaciones en territorios con una presencia del movimiento migratorio internacional tan heterogénea y, por ahora, relativamente baja.[2]

---

[2] A las cifras de migración internacional hay que agregar las de migración interna y sus posibles efectos multiplicadores en la economía regional. El promedio mensual de remesas nacionales por perceptor en la región es el segundo más alto en el estado, con 1,376.30 pesos.

Es importante terminar este apartado aclarando que las cifras de migrantes que estamos considerando se refieren sólo a quienes salieron entre 1995 y 1999. No es el caso para el cálculo de la recepción de remesas, que incluye a todos los hogares que las reciben. Podemos sugerir, una proporción significativa, aunque por ahora desconocida, de hogares que reciben remesas de migrantes que salieron antes de dicho periodo, situación que nuestro trabajo de campo parece confirmar. Si este es el caso, la relación entre las remesas y la disminución de la PEAO que recibe dos salarios mínimos o menos puede ser válida.

Particularidades regionales de la estacionalidad de las salidas

No hemos querido dejar de lado la exploración de posibles patrones de estacionalidad de salida de los migrantes. Nos interesa saber si, a partir de la juventud del fenómeno y de la relación que hemos observado en algunas regiones entre producción agrícola y magnitud de la migración, las estacionalidades de salida se influyen, por ejemplo, por los ciclos de siembra y cosecha del tipo de producto preponderante en la región. Analizamos la estacionalidad de salida de los migrantes hombres del estado.

GRÁFICA 3

ESTACIONALIDAD DE SALIDA DE MIGRANTES INTERNACIONALES
EN VERACRUZ, 1995-1999

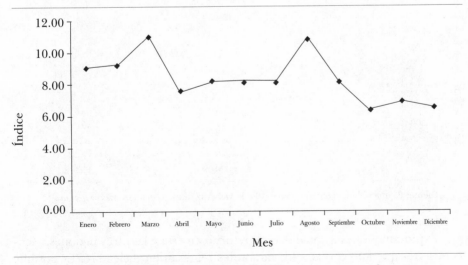

Fuente: Elaboración propia con datos del Censo de 2000, INEGI, muestra censal.

La estacionalidad a nivel estado durante los cinco años considerados, es clara, presentando un pico en marzo y otro en agosto. Considerando que la cosecha de café termina aproximadamente en marzo, pudiéramos pensar que la producción del aromático influye de algún modo la estacionalidad de salida de los migrantes. Esta gráfica es indicativa de un aspecto de la dinámica temporal de la migración, aunque tiene un gran nivel de agregación, pues comprende todas las regiones, durante cinco años.

Un análisis por región y por año nos ofrecerá una visión más clara de la dinámica que nos interesa. Es interesante observar que la región de las grandes montañas presenta una estacionalidad de salida de migrantes varones entre 1995 y 1999, con algunos patrones identificables, con puntos máximos claros en marzo entre 1995 y 1999 y en agosto en los años 1995, 1998 y 1999. Esta estacionalidad de salida es acorde con la presentada a nivel estado y la relativa claridad de sus patrones anuales es consistente con la magnitud del flujo migratorio y con la relativa antigüedad del mismo, ya que en la región se encuentran municipios que se incorporaron a la migración internacional varios años antes que los considerados aquí, según hemos observado en trabajo de campo.

GRÁFICA 4

ESTACIONALIDAD DE LA SALIDA DE MIGRANTES (VARONES):
REGION 5: GRANDES MONTAÑAS

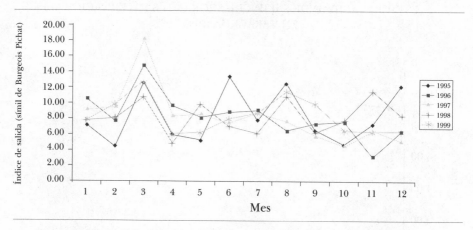

Fuente: Página web del gobierno del estado de Veracruz: http://regiones.veracruz.gob.mx/

Exploramos la estacionalidad de retorno en ésta y las otras regiones, y encontramos que año con año los migrantes regresan en diciembre. Es posible, sin embargo, que se establezcan nuevos patrones una vez que los migrantes que apenas salieron por primera vez empiecen a retornar; en la región de las grandes montañas, el 88.4 por ciento de los migrantes que salieron entre 1995 y 1999 no han retornado.

En la región totonaca no se ven patrones en la estacionalidad de salida de varones, quizá debido a los pocos casos o a que la mayoría de los municipios con migrantes empezaron a participar en el movimiento hasta 1998.

Respecto a la estacionalidad de salida la región centro presenta una elevación en marzo y otra en agosto, consistente con la estacionalidad estatal. Si partimos de la hipótesis de que las estacionalidades van adquiriendo patrones más firmes conforme pasa el tiempo y conforme se incrementa la participación de la población, que es el patrón de estacionalidad es directamente proporcional al tiempo y a la magnitud de la migración, entonces dicha estacionalidad tiene sentido. Podría estar relacionada con dos ciclos; el primero tiene que ver con factores climáticos en Estados Unidos, pues el invierno termina en marzo y las temperaturas entonces son más llevaderas; el segundo tiene que ver con el ciclo escolar.

La proporción de los migrantes no retornados es de 88.9, sólo superado por las selvas (96.2). Una explicación al escaso retorno pudiera ser que, siendo varios municipios de migración de tiempo más largo, vayan estableciendo patrones de permanencia en los Estados Unidos, comportamiento consistente con las tendencias nacionales.

Dos conclusiones pueden obtenerse de este breve análisis de la estacionalidad de salida de los migrantes hombres en el estado. Una es que parece que 1999 constituye un punto de quiebre en la migración del estado, no sólo por el volumen de migrantes, que en varias regiones duplicó el de 1998, sino por el establecimiento de patrones de estacionalidad de salida, que parecen apuntar a marzo y a agosto. Estudios longitudinales municipales mostrarán si esta intuición fue acertada o completamente alejada de la realidad.

Consideraciones finales

El movimiento migratorio internacional de México hacia los Estados Unidos se está incrementando. El deterioro sostenido de las condiciones de vida de su población aumenta la incertidumbre sobre sus posibilidades de reproducción social en el mediano y largo plazos. Por ello es que regiones del país que antes no emitían migrantes internacionales lo están haciendo ahora y con gran ímpetu, aprovechando los recursos sociales que han sido construidos por los migrantes mexicanos durante más de 50 años de movimiento sostenido. La reciente presencia migratoria en dichas regiones permite ver que la migración internacional no está "naturalmente" integrada en el universo de estrategias de las personas para cumplir sus expectativas o, simplemente, para asegurar su reproducción social. Su incorporación en tal universo está condicionada por la combinación de factores estructurales con otros de carácter coyuntural.

En el caso de Veracruz la heterogeneidad de sus regiones nos ha permitido observar diversas formas como tales factores se combinan. La región de las grandes montañas, por ejemplo, ilustra claramente cómo en condiciones de alta marginación, combinadas con crisis recurrentes en los principales productos agrícolas –en una región cuya economía depende de manera importante del comportamiento del sector primario– la migración internacional parece estar adquiriendo una dimensión masiva en pocos años. En contraste, la huasteca parece haber encontrado una salida relativamente viable a las crisis de sus productos agrícolas a través de la migración interna hacia el estado fronterizo de Tamaulipas, el cual ofrece alternativas de trabajo tanto en sus campos como en su industria maquiladora. La región centro sugiere que las crisis en los precios de café han dejado sin alternativas locales a una población con niveles de vida previamente aceptables, expresados en grados de marginación relativamente bajos, induciéndola a recurrir a la migración internacional como única alternativa para preservarlos.

Por su parte, el análisis de las estacionalidades de salida de migrantes hombres nos sugiere el establecimiento relativamente precoz de patrones de salida, los cuales, al parecer, tienen más que ver con condiciones climáticas y sus consecuencias en los mercados de trabajo de Estados Unidos que con las dinámicas regionales locales. Consideremos también que el flujo migratorio internacional veracruzano puede estarse "montando" en patrones ya establecidos por los migrantes mexicanos originarios de otros estados del país.

El análisis presentado, sin embargo, nos ha sugerido más preguntas que respuestas, no sólo por la diversidad que existe entre las dinámicas migratorias regionales o por la escasa cantidad de información que tenemos sobre la migración internacional veracruzana. El tipo de agregación del análisis, a pesar de que constituye un avance respecto a aquel de nivel estatal, todavía compacta la enorme heterogeneidad que tiene lugar en los municipios del estado.

Hace falta llevar a cabo análisis a nivel municipal y de localidad. Y no sólo para satisfacer la curiosidad intelectual de las investigadoras, sino porque sólo con un conocimiento detallado al mismo será posible implementar estrategias de atención del fenómeno.

Parte III
Importancia social y económica de las remesas para el desarrollo local y regional

Migración internacional y desarrollo local: una propuesta binacional para el desarrollo regional del sur de Zacatecas

Rodolfo García Zamora

Globalización, desarrollo y migración

EL MUNDO actual se caracteriza por lo que se conoce como mundialización o globalización, es decir, la creciente gravitación de los procesos económicos, sociales y culturales de carácter mundial en los ámbitos nacional y regional. Aunque no se trata de un proceso nuevo, puesto que tiene profundas raíces históricas, los cambios en términos de espacios y tiempos provocados por la revolución en las comunicaciones y la información le han dado nuevas dimensiones, que representan transformaciones cualitativas con respecto al pasado.

En el último cuarto del siglo XX se consolidó una tercera fase de globalización, cuyos rasgos principales son la gradual generalización del libre comercio, la presencia creciente en el escenario mundial de empresas transnacionales que funcionan como sistemas internacionales de producción integrada, la expansión y la considerable movilidad de los capitales unida a la persistencia de las restricciones al movimiento de mano de obra, y el acceso masivo a la información en "tiempo real", gracias al desarrollo de tecnologías de la información y comunicaciones. Asimismo, se advierte una notable tendencia a la homogeneización de los modelos de desarrollo.[1]

La globalización comprende tanto aspectos económicos como sociales, políticos y culturales que afectan a todas las regiones del mundo. Respecto a los económicos sobresalen los siguientes:

a) la creciente vulnerabilidad financiera a nivel mundial;
b) la reestructuración productiva y tecnológica en todas las regiones del planeta, y
c) mayores desigualdades y asimetrías en el orden global.

---

[1] Comisión Económica para América Latina. Globalización y Desarrollo. Santiago de Chile, 2002, p. 5.

Esta última tendencia va acompañada de dos fenómenos que adquieren gran intensidad a finales del siglo xx: la marcada y creciente dispersión de los ritmos de crecimiento de los países en desarrollo y el agravamiento de las desigualdades al interior de esos países. Estas asimetrías son a su vez resultado de las asimetrías básicas del orden global, que presentan tres modalidades centrales:

a) altísima concentración del progreso técnico en los países desarrollados;
b) mayor vulnerabilidad macroeconómica de los países en desarrollo;
c) contraste entre la elevada movilidad del capital a nivel mundial y la restricción al libre movimiento de la mano de obra, en especial, la menos calificada.

A nivel de América Latina los rasgos sobresalientes de sus sociedades en la actual etapa de la globalización son los siguientes:

a) La extrema vulnerabilidad económica, resultante del nuevo modelo económico "aperturista" que privilegia al mercado como eje, por encima de las actividades de regulación y promoción que cumplió el Estado latinoamericano en etapas anteriores.
b) El fomento de la actividad comercial, la inversión y el desarrollo tecnológico que en lugar de promover el desarrollo independiente de los diferentes países profundiza su dependencia económica, comercial y tecnológica.
c) Los problemas crecientes de sustentabilidad ambiental como resultado del desmantelamiento estatal en la región y el creciente protagonismo de la inversión extranjera, que ve en los recursos naturales una forma fácil de acumular sin considerar las graves consecuencias de su actividad depredadora para el futuro de las sociedades locales.
d) Los enormes rezagos sociales, la precariedad laboral y la mayor vulnerabilidad social, resultado de las políticas de estabilidad macroeconómica, el desmantelamiento de las políticas de desarrollo social y la explotación del *dumping* ambiental y laboral como una "ventaja comparativa".
e) La importancia creciente de la migración internacional.

Este último fenómeno adquiere un nuevo impulso en la tercera fase de la globalización, después de más de medio siglo de baja movilidad de la mano de obra. En este periodo se incrementaron los flujos hacia casi todos los países de la OCDE, pero éstos fueron de menor magnitud que los correspondientes a la primera fase de la globalización (1870-1913), periodo también conocido como "era de la migración masiva". Además se observan cambios importantes en lo que respecta a las regiones y países de origen de los inmigrantes, que cada vez más son los países en desarrollo, pero el rasgo más destacado es que estos movimientos migratorios estuvieron enmarcados en significativos cambios legislativos que, en general, se tradujeron en normas mucho más restrictivas que en el pasado y muestran una clara preferencia por la mano de obra calificada. A la vez, se han instrumentado programas especiales para facilitar la residencia temporal, normalmente asociada a permisos de trabajo en áreas específicas, ya sea para darle mayor flexibilidad al mercado laboral o para hacer frente a la escasez de oferta en determinados segmentos.

La relación entre la acentuada propensión migratoria de los países en desarrollo y las restricciones a la libre movilidad laboral condujo a un notable incremento de la migración ilegal a los países de la OCDE en la década de 1990 que, por su propia naturaleza, es imposible detectar plenamente. Las estimaciones sobre la migración a Estados Unidos indican que hay cinco millones de inmigrantes indocumentados en el país, tres cuartas partes de los cuales provienen de América Latina y el Caribe. La mayoría de los países de la OCDE ha respondido a la persistente migración indocumentada reforzando los controles al ingreso, residencia y al empleo extranjero. Junto con ello, en algunos casos, se han aplicado programas para regularizar la situación de los residentes indocumentados.[2]

En América Latina y el Caribe coexisten dos patrones migratorios internacionales: la migración fuera de la región y la migración intrarregional. El primer patrón es el dominante y se orienta preferentemente hacia los Estados Unidos, donde viven cerca de 15 millones de latinoamericanos y caribeños, que representan más de la mitad de la población inmigrante en aquel país. Tomando en cuenta ambos patrones, se estima que cerca de 20 millones de latinoamericanos y caribeños viven fuera de su país de nacimiento, cifra que representa el 13 por ciento de los migrantes a escala mundial.

La emigración a los Estados Unidos ha ido en aumento, en medio de constantes revisiones y enmiendas de las leyes y políticas migratorias estadounidenses, como un fenómeno que ocupa un lugar destacado en sus relaciones con los países de la región. Los inmigrantes de origen latino conforman un grupo heterogéneo. Los mexicanos, que superan los siete millones, son una mayoría evidente que equivale al 7 por ciento de la población de su país. Aunque también son numerosos, los inmigrantes cubanos, dominicanos y salvadoreños no alcanzan el millón de personas; estos últimos equivalen a más del 10 por ciento de la población de El Salvador. Entre los oriundos de México y Centroamérica se

---

[2] *Ibidem*, p. 24.

observa una elevada proporción de personas con niveles relativamente bajos de calificación; entre los sudamericanos y caribeños este perfil tiende a ser diferente, lo que explica su mayor inserción laboral en servicios profesionales y las menores diferencias con los estadounidenses. Los emigrantes hacia otros países suman poco más de dos millones de personas. Algunos de los principales países de destino son Canadá, donde vive más de medio millón de inmigrantes; varios países europeos (Reino Unido, Países Bajos, España e Italia), Australia y Japón.

La migración entre países de la región es de menor magnitud y su intensidad se redujo en las últimas dos décadas. Estas tendencias están signadas por la reducción del atractivo de los dos principales países de destino, Argentina y Venezuela, en los que se concentraba el 75 por ciento de la migración intrarregional, lo que no se ha visto compensado por el surgimiento de nuevos polos de atracción (Costa Rica, Chile y República Dominicana). Un rasgo distintivo del patrón de migración intrarregional es la existencia de territorios de tránsito en las rutas hacia el norte, lo que afecta a algunos países centroamericanos y a México. En el Caribe se registra una intensa circulación entre los territorios insulares.

Estos flujos migratorios masivos han acrecentado la importancia de las remesas enviadas por los migrantes a varios países de la región; éstas superaron los 17,000 millones de dólares en el año 2000 y acusan una vertiginosa expansión. En valores absolutos destacan las remesas enviadas a México y, con relación al PIB o las exportaciones, las transferidas a El Salvador, Nicaragua, República Dominicana, Ecuador y Jamaica.[3]

Los graves problemas económicos y sociales que han sufrido los países latinoamericanos y del Caribe llevan a que la Comisión Económica para América Latina (CEPAL) proponga la adopción de una agenda positiva para la construcción de un nuevo orden económico internacional y que los países se comprometan realmente a instrumentarla. Esta convicción recoge una lección esencial de la historia, según la cual la mera resistencia a procesos tan poderosos como la globalización han fracasado a la larga. Las alternativas deseables, son por lo tanto, el desarrollo de una globalización más sólida y equitativa, así como una mejor inserción en dicho proceso. El propósito de la agenda propuesta es poner fin a las deficiencias de las instituciones actuales, para que sea posible "conseguir que la mundialización se convierta en una fuerza positiva para todos los habitantes del mundo", como se expresa en la Declaración del Milenio de las Naciones Unidas. La globalización ha puesto en evidencia la necesidad de avanzar en la consecución de tres objetivos esenciales: garantizar un suministro

---

[3] *Ibidem*, p. 24.

adecuado de bienes globales, superar gradualmente las asimetrías de carácter global y construir una agenda social internacional basada en derechos.[4]

Para el organismo antes mencionado, la agenda se debe integrar con los siguientes elementos:

a) Provisión de bienes públicos globales de carácter macroeconómico.

b) El desarrollo sustentable como bien público global.

c) La corrección de las asimetrías financieras y macroeconómicas.

d) Superación de las asimetrías productivas y tecnológicas.

e) Construcción de una ciudadanía global con base en el respeto a los derechos económicos, sociales y culturales.

f) Plena incorporación de la migración en la agenda internacional.

Para la CEPAL no existe justificación teórica para liberalizar los mercados de bienes, servicios y capitales, mientras se sigan aplicando estrictas restricciones a la movilidad internacional de la mano de obra. La liberalización asimétrica de los mercados tiene efectos regresivos, ya que beneficia a los factores más móviles y perjudica a los menos móviles, entre estos últimos la mano de obra menos calificada. Por otra parte, imponer mayores restricciones a la movilidad de la mano de obra menos calificada drena selectivamente el capital humano de los países en desarrollo, tiende a acentuar las desigualdades de ingreso en función de la calificación y da origen a una de las ramas de actividad más dañinas del mundo actual: el tráfico de trabajadores y otras personas. Fuera de ser un factor de relevancia económica, la migración es una fuente muy importante de enriquecimiento cultural mutuo y de constitución de una sociedad cosmopolita. Por lo tanto, una de las prioridades de la agenda internacional debe ser la concertación de acuerdos que amplíen la movilidad de la mano de obra y fortalezcan la gobernabilidad de la migración internacional. En este campo el principal objetivo debe ser la adopción de un acuerdo global sobre políticas migratorias. En general, los instrumentos vigentes tienen un alcance limitado. El más amplio de todos, pero que aún no se ha ratificado, es la Convención Internacional sobre la Protección de los Derechos de todos los Trabajadores Migratorios y de sus familiares, aprobado por la Asamblea General de las Naciones Unidas en 1990. La importancia de la ratificación de esta convención estriba en que brinda a los estados un instrumento legal que facilita la articulación de legislaciones nacionales uniformes.

Un elemento estrechamente ligado con el anterior es la reducción de los peligros que plantean la discriminación y la xenofobia, mediante la ratificación

[4] *Ibidem*, p. 29.

de los instrumentos internacionales correspondientes y el cumplimiento del Plan de Acción suscrito en la Conferencia Mundial contra el Racismo, la Discriminación Racial, la Xenofobia y las Formas Conexas de Intolerancia. Los gobiernos de los países receptores deben adoptar medidas que apunten a la plena incorporación de los inmigrantes en las sociedades de destino. Con tal objeto, los estados deben establecer mecanismos que faciliten su integración, entre otras cosas, a la educación pública y a los servicios de protección social, como una forma de contribuir a la ampliación de sus derechos económicos y sociales. Los países de origen de la migración también pueden verse beneficiados por este fenómeno a través de diversos mecanismos: las remesas y el empleo de los vínculos con los emigrados para aprovechar su preparación científica, técnica, profesional y empresarial, así como para crear un mercado potencial de productos "nostálgicos". Asimismo, los países de la región deberían reconocer el derecho de los emigrantes a participar en los procesos políticos de sus países de origen. Por último, tanto los países de origen como los de destino, tienen la responsabilidad de combatir conjuntamente el tráfico de migrantes.[5] En el siguiente apartado desarrollamos una propuesta de desarrollo regional binacional con base en las iniciativas de una organización de migrantes zacatecanos en California y de productores agropecuarios del sur de Zacatecas.

Zacatecas y la migración internacional

A lo largo del siglo XX el flujo migratorio de mexicanos hacia los Estados Unidos ha sido un proceso permanente con diferentes magnitudes, que en las últimas décadas cobra mayor relevancia, no sólo en términos cuantitativos –al ampliarse el espectro de zonas y personas que tradicionalmente migraban–, sino también por la variedad de espacios y relaciones sociales asociadas al fenómeno, tanto en el lugar de origen como en el de destino. Es tal la importancia de la migración internacional, que trasciende a las más altas esferas políticas de México y los Estados Unidos, atraviesa las fibras más sensibles de la economía del país y, sobre todo, de las economías locales con mayor tradición de migración internacional.

En el caso particular del estado de Zacatecas la migración internacional hacia los Estados Unidos ha representado históricamente uno de los flujos más importantes a nivel nacional. Se estima que entre 1990 y 1995 cerca de 24,500 zacatecanos abandonaron anualmente la entidad hacia otros estados del país y los Estados Unidos en busca de sustento familiar, éxodo que se incrementa a 30,000 zacatecanos de 1995 al 2000. En este proceso han influido diferentes

---

[5] *Ibidem*, p. 29.

factores, pero quizá el más relevante y explicativo sea la precariedad y el carácter excluyente de la estructura productiva de Zacatecas, caracterizada, entre otras cosas, por un limitado sector industrial, una actividad agrícola tradicional, una ganadería extensiva y un sector minero con poco impacto en el empleo y el desarrollo regional. Todo ello se traduce en una precaria oferta de trabajo asalariado, al grado de que Zacatecas se sitúa como una de las entidades con menor capacidad para generar empleos en el país. En este contexto, la necesidad de la migración se ha convertido en un fenómeno interno a la sociedad y a la economía estatal en los últimos 70 años, abarcando a regiones y sectores más amplios de la sociedad zacatecana, estimándose que actualmente hay 800,000 zacatecanos radicados permanentemente en Estados Unidos, 100,000 migrantes temporales y 1.1 millones de personas de origen zacatecano. Esto, entre otras consecuencias se materializa en un flujo anual de remesas familiares que en los últimos cuatro años han rebasado los 500 millones de dólares.[6]

Los clubes de zacatecanos en Estados Unidos y el Tres por Uno

La larga tradición migratoria internacional de los zacatecanos a los Estados Unidos les ha permitido formar en los últimos lustros una importante organización de clubes zacatecanos en aquel país, cuya base central radica en compartir un sentimiento de pertenencia comunitaria con los lugares de origen que los vincula en las comunidades de destino, para realizar actividades conjuntas en beneficio de sus comunidades de procedencia. Estos clubes tienen sus antecedentes desde los años sesenta, cuando de forma incipiente comienzan a organizarse en el país vecino para otorgar apoyos solidarios a migrantes enfermos, afectados por accidentes o migrantes fallecidos que requerían ser trasladados a su tierra sin contar con los recursos necesarios para hacerlo. Sin embargo, es en los últimos tres lustros cuando los clubes zacatecanos, inicialmente en el sur de California y luego en otras ciudades de la Unión Americana, comienzan una etapa de desarrollo que en los años 2000-2001 los convierte en la organización de migrantes mexicanos más importante por el número de clubes (más de 230) y por el apoyo sistemático de apoyo financiero para la realización de obras sociales en sus comunidades de origen.

La maduración de las redes sociales de los migrantes zacatecanos, su largo apoyo a las comunidades de origen, la intensificación de la migración internacional y de la entrada de remesas, junto con un nuevo tipo de políticas públicas que intentan aprovechar el aporte de los migrantes para el desarrollo re-

---

[6]Juan Manuel Padilla, *Dinámica demográfica en Zacatecas en los años recientes*, 2001 (inédito).

gional, explican el surgimiento del Programa Dos por Uno en 1992 en Zacatecas, con el propósito de apoyar financieramente los proyectos de los clubes zacatecanos en sus comunidades de origen con la aportación de un dólar del gobierno estatal y otro del gobierno federal, por cada dólar que los migrantes inviertan en sus comunidades. Así, en 1993 se inicia la ejecución de los primeros proyectos con una inversión de 575,000 dólares; en 1999 se tiene una inversión de casi cinco millones de dólares para 93 proyectos en 27 municipios bajo la modalidad de Tres por Uno, establecido en marzo de ese año, con la aportación de un dólar adicional por los municipios. La prioridad en el destino de las inversiones ha sido el desarrollo de la infraestructura básica, suministro de agua potable, alcantarillado, energía eléctrica, escuelas, campos deportivos, caminos pavimentados, iglesias, parques, plazas y lienzos charros.

Para el año 2000, bajo la nueva modalidad del Tres por Uno, los clubes de zacatecanos en Estados Unidos aportan 1.5 millones de dólares, que con los aportes gubernamentales reúnen seis millones de dólares que financian 93 proyectos comunitarios, en los cuales resaltan nuevos tipos de proyectos como becas para estudiantes y centros de cómputo comunitarios en Monte Escobedo y Jalpa. Para el año 2001 el programa invierte siete millones de dólares para 113 proyectos comunitarios y para el año 2002 8.5 millones de dólares para 149 proyectos comunitarios. Las cifras anteriores muestran cómo el aporte de los migrantes zacatecanos se ha convertido en un elemento muy importante para las obras de infraestructura de sus comunidades, para la inversión municipal y los proyectos estatales de desarrollo regional. Política y socialmente, tanto los migrantes como sus clubes se han convertido en un nuevo actor social binacional, que tiene influencia en el país vecino y en la propia entidad zacatecana, tanto en términos de las remesas familiares, las remesas colectivas y sus proyectos sociales, como en la participación política directa o indirecta, a través de la influencia en los familiares que no han emigrado. Los migrantes son conscientes de la importancia de su aporte económico y social a Zacatecas, por ello, simultáneamente son críticos de los problemas que presenta actualmente la ejecución del Programa Tres por Uno. Señalando las siguientes limitaciones:[7]

1. Excesivo burocratismo en la tramitación de los proyectos, que se hace evidente en el requisito de ocho firmas para que cualquier iniciativa reciba aprobación.
2. Todas las iniciativas tienen que pasar por la oficina del gobierno de Zacatecas en Los Ángeles, California, representación que no cuenta con el

---

[7] Miguel Moctezuma y Héctor Rodríguez, *Programa 3x1 y Mi Comunidad: evaluación con migrantes zacatecanos y guanajuatenses radicados en Chicago*, Illinois y Los Ángeles, California, 12 de octubre de 2000 (inedito).

personal técnico para tales tareas y en la práctica genera una traba institucional y fricciones frecuentes con su titular, por su proselitismo político y la manipulación de los proyectos.

3. La frecuente demora en la entrega de las partidas del gobierno estatal y los municipios, que frena las obras y en ocasiones ha llevado a su cancelación.

4. Inconformidad por la falta de supervisión en la construcción de las obras y la mala calidad de las mismas.

5. Ausencia de mecanismos para darle continuidad a los proyectos y obras que requieren mantenimiento permanente y la coordinación de varias administraciones municipales, como clínicas, caminos, hogares para ancianos y niños.

6. La diferencia de prioridades entre las obras que promueven los clubes y las que deciden los alcaldes y funcionarios estatales.

Frente a las limitaciones anteriores, los clubes plantean las siguientes propuestas:

1. Disponer de mayor libertad para definir junto con sus comunidades el tipo de obras que quieren realizar.

2. Que se ejerza adecuadamente el 3 por ciento de los "indirectos" de todos los proyectos para supervisión de la calidad en las obras a realizar, que no se ha hecho hasta ahora y explica la frecuente mala calidad en las obras construidas.

3. Mayor participación y responsabilidad de las autoridades municipales para la realización y supervisión de obras, pero, sobre todo, en el mantenimiento de las mismas.

4. Revisar y modificar la reglamentación del Tres por Uno de acuerdo con las nuevas condiciones del país y del estado.

5. Fortalecer la organización social en las comunidades de origen como soporte de un correcto diseño de los proyectos, supervisión de la construcción, puesta en marcha y funcionamiento de los mismos.

En la Segunda Convención Anual de Organizaciones Zacatecanas en los Estados Unidos, realizada en la ciudad de Chicago los días 17 y 18 de julio de 2001, entre otras conclusiones se llegó al compromiso del gobierno de Zacatecas para poner en su página web la totalidad de los proyectos del Programa Tres por Uno, los recursos invertidos, su grado de avance y las empresas responsables de las obras. Además, se propuso la creación de una Fundación Zacatecana que consiga financiamiento internacional para promover el desarrollo local y regional en el estado de manera conjunta con los esfuerzos de los clubes zacatecanos. Dos propuestas adicionales relevantes fueron integrar a los hijos de migrantes en los Estados Unidos, posibilitando su organización juvenil como relevo generacional de los clubes, para lo cual será fundamental aumentar el fondo de becas para elevar su educación y capacidad de acción comunitaria en Estados Unidos y México. Finalmente, se acordó aprovechar todas las ventajas de internet para socializar las experiencias y avances de las diferentes federaciones de clubes de zacatecanos en Estados Unidos y los estudios e investigaciones sobre migración realizados por la Universidad Autónoma de Zacatecas y otras institucionales nacionales e internacionales.[8]

En la Tercera Convención Anual de Organizaciones de Zacatecanos en Estados Unidos, realizada en el condado de Orange, en California, el pasado mes de julio, los trabajos sobre el Programa Tres por Uno fueron los más importantes. La Federación de Clubes del Sur de California planteaba, como ya lo había hecho en Chicago, la correcta aplicación del 3 por ciento del costo de los proyectos en supervisión, que en los últimos años asciende a 400,000 dólares, o bien que el gobierno de Zacatecas les entregue el 1 por ciento de los mismos para sufragar la supervisión que en los últimos años ha estado realizando con sus propios recursos. Los acuerdos finales más importantes sobre el programa mencionado fueron los siguientes:

1. Que se establezca una comunicación mandatoria vía medios electrónicos por parte de los secretarios de proyectos de cada federación de los clubes zacatecanos en Estados Unidos.
2. Que se provea información y se haga una evaluación del 3 por ciento sustraído del fondo de proyectos de los últimos tres años, esclareciéndose en qué se gastó el dinero y si se cumplió cabalmente con el objetivo del mismo.
3. Activar una página web del Tres por Uno y actualizarla por lo menos una vez al mes.
4. La integración de organismos empresariales y de la UAZ en la supervisión de las obras.
5. Incorporación de las federaciones de zacatecanos en Estados Unidos al acuerdo de transparencia y combate a la corrupción.
6. Que se flexibilicen las reglas de operación del Tres por Uno (montos, tipo de obra y consideración de comunidades de alta migración internacional).
7. Flexibilizar las reglas del Ramo 20.

[8]Chicago, Illinois, 19-21 de junio de 2001.

8. Revisar los otros programas del gobierno federal aplicables a los objetivos del Tres por Uno para buscar nuevas acciones por parte de los clubes zacatecanos.

9. Realizar un inventario de proyectos productivos, empresariales y de interesados en México y Estados Unidos.

10. Realizar en el mes de septiembre en la Cámara de Diputados un foro sobre el Programa Tres por Uno bajo su nueva vertiente nacional, donde participen migrantes, diputados, senadores e investigadores de las universidades, para hacer aportes que propicien su mejor funcionamiento.

Los migrantes y el desarrollo regional en Zacatecas

El problema económico más grave de la entidad es su incapacidad estructural para retener a su población. Es también la causa de una larga tradición migratoria nacional e internacional que en los últimos lustros está provocando un fuerte despoblamiento en 34 de los 57 municipios del estado. Esta situación revela la ausencia de desarrollo económico local y regional en el estado y plantea un desafío a toda la sociedad zacatecana, instituciones gubernamentales y educativas, organismos empresariales, sociales, económicos, no gubernamentales, de migrantes, etcétera, diseñar una estrategia integral de desarrollo local y regional con el apoyo del gobierno federal, instituciones internacionales y otros organismos. En esta estrategia los proyectos sociales y productivos de los migrantes deberán jugar un papel muy importante para sus comunidades, municipios y regiones de origen. Ello no significa pretender exigirles a las organizaciones de migrantes que asuman unilateralmente la responsabilidad del desarrollo económico de Zacatecas, que hasta ahora el país no ha sido capaz de promover eficazmente. Tampoco significa pensar que la migración internacional sea un camino directo al desarrollo local y regional, de hecho, en ningún lugar ha sido así. Pero, en un contexto de atraso económico estructural como el que experimenta nuestro estado, carente de una clase empresarial, con ausencia de ahorro e inversiones privadas suficientes para detonar el desarrollo local, las iniciativas de las organizaciones de los migrantes zacatecanos en los Estados Unidos, tanto de proyectos sociales como de proyectos empresariales, adquieren gran relevancia.

Esta importancia crece a la luz de su compromiso comunitario reiterado a través del Programa Tres por Uno con montos y obras sociales ascendentes, así como de su demanda reiterada de una política económica específica de fomento a los proyectos empresariales de migrantes, para que sus comunidades no sean tan pobres y evitar que se queden totalmente despobladas. Este compromiso se ha hecho manifiesto en diversas ocasiones. Por ejemplo, le fue planteado al presidente Fox en Los Ángeles, California, el 7 de noviembre del año 2000.[9] También se reiteró en la Segunda Convención de Chicago, durante la cual, en reunión específica sobre una propuesta de proyectos productivos entre migrantes y el Fomin-Nafin, aquéllos reiteraron su interés en tales proyectos, pero con un programa "hecho a la medida", que considere sus propias características, demandas y necesidades.[10] En este sentido, la última semana de enero de 2002, el vicepresidente de la Federación de Clubes Zacatecanos del Sur de California planteó la necesidad de extender el Programa Tres por Uno a proyectos productivos, negociando con los tres niveles de gobierno para constituir un fondo de 200 millones de pesos para tal fin; solicitando información legal para garantizar sus inversiones y capacitación técnica para mejorar los microproyectos como panaderías, engordas de ganado vacuno, tortillerías, talleres mecánicos, etcétera. Resalta que en estas preocupaciones y propuestas representa un lugar central la generación de empleos en las comunidades locales de alta migración y la seguridad en sus futuras inversiones, para lo cual solicitan conocer experiencias nacionales de elaboración de diagnósticos regionales sobre sus fortalezas y debilidades productivas y de infraestructura.[11]

Una estrategia alternativa de desarrollo local y regional requiere revertir las tendencias actuales que desestiman el papel del Estado como activo promotor económico, motivo por el cual el gobierno de Zacatecas, tal como lo indica en su Plan Estatal de Desarrollo 1999-2004, deberá promover las reformas pertinentes para llevar a cabo una dinámica gestión para el fomento del desarrollo económico.

El objetivo es refuncionalizar el aparato político-administrativo, de manera que adquiera la capacidad para impulsar la creación y fortalecimiento de bases científicas y tecnológicas, la formación de recursos humanos en todos sus niveles, el fortalecimiento y ampliación de la infraestructura física, así como la regulación y el fomento de los distintos niveles de la vida económica, con el denominador común del mejoramiento del bienestar social a nivel estatal, regional y local.

Bajo la perspectiva anterior, es fundamental entender el desarrollo como un proceso que reclama la participación conjunta de las instituciones públicas y de los actores económicos privados y sociales. Esto implica fomentar una práctica de gobierno sustentada en una concepción democrática de la rectoría económica y social del Estado, que lo sitúe como una instancia articuladora y un espacio de encuentro de los esfuerzos de la sociedad.[12]

---

[9] Los Ángeles, California, 7 de noviembre de 2000.
[10] Chicago, Illinois, 21 de julio de 2001.
[11] Comunicación electrónica, 30 de enero de 2002.
[12] Plan Estatal de Desarrollo Zacatecas 1999-2004, p. 67.

En la nueva estrategia integral de desarrollo local y regional se deberá asumir que el combate al enorme rezago social y la pérdida de dinamismo de las actividades productivas que caracterizan a la entidad, tiene una dimensión regional y local que no ha sido incorporada adecuadamente a las políticas públicas. Los planes y programas gubernamentales han soslayado la interrelación compleja y dinámica que existe entre las dimensiones políticas, económicas, sociales, culturales y territoriales de esta problemática. Y más aún: las formas de intervención estatal ensayadas hasta ahora, al aplicar indiscriminadamente esquemas generales. Dispersan esfuerzos en programas aislados y privilegian enfoques parciales y sectoriales, que lejos de contribuir a la solución, la han agravado, con la consecuente profundización de las desigualdades y desequilibrios regionales existentes.

Ante la situación anterior, tal como está plasmado en el Plan Estatal de Desarrollo Zacatecas 1999-2004, que no se ha cumplido, el gobierno estatal deberá generar una nueva dinámica, donde gobierno y sociedad inicien un proceso de cambio e innovación, que abra cauces para la superación de los fuertes rezagos sociales y productivos que sufre la entidad, en la perspectiva de avanzar hacia un auténtico desarrollo regional integral. Se debe buscar, ante todo, emprender un proceso de aprendizaje colectivo que se convierta en memoria actuante; adquiera conciencia de la magnitud de los retos en términos de los recursos, acciones y lugares específicos que requiere; integre a las localidades y regiones como agentes activos en la búsqueda de soluciones; y reconozca sus particularidades como fundamento para la acción.[13]

Para concretar la alternativa del desarrollo regional antes indicada se ratifican los objetivos específicos plasmados en el mismo Plan Estatal de Desarrollo:[14]

1. Otorgar un carácter integral y decididamente regional y local a la estrategia de desarrollo.
2. Fomentar la participación activa de los sectores sociales y privados en el proceso de planeación regional.
3. Realizar las reformas del marco normativo y orgánico para la instrumentación de un programa de desarrollo regional integral.
4. Crear las condiciones para fortalecer la capacidad de aprendizaje gubernamental, mediante el ejercicio de la planeación y la profesionalización de las instancias encargadas de concretar los diferentes programas.
5. Elaborar un diagnóstico de las carencias, rezagos y problemas sociales y productivos de la entidad, identificando las formas específicas en que éstas se expresan a nivel regional y local.

[13] *Idem.*
[14] *Ibidem*, p. 71.

6. Coordinar y promover una planeación de la infraestructura social, mediante la jerarquización de centros regionales concentradores de servicios.
7. Impulsar la planeación del desarrollo urbano en todos los niveles: vialidad, equipamiento, servicios, etcétera.

Consecuente con los objetivos antes indicados, siguen vigentes estrategias del mismo Plan Estatal de Desarrollo, hasta ahora sin aplicación, como las siguientes:

1. Elaborar el Programa de Desarrollo Regional Integral, que incorpore las orientaciones correspondientes a los diferentes sectores involucrados, sobre la base de estrategias y acciones específicamente regionales y locales. Para lo cual resulta de gran utilidad la metodología LEADER de la Unión Europea sobre el desarrollo local con base en una visión integral y el eje de los grupos de apoyo local.
2. Introducir una reforma administrativa, orgánica y de procedimiento en la administración estatal, para generar un esquema participativo y coherente, que permita al Comité de Planeación para el Desarrollo de Zacatecas (Copladez), en coordinación con las diferentes secretarías de gobierno, asumir las funciones y capacidades necesarias para encauzar estratégicamente el proceso de desarrollo regional. Esto reclama el reforzamiento de la coordinación técnica de ese organismo, de manera que instrumente las orientaciones generales decididas en los subcomités sectoriales, en función de los requerimientos específicos de las regiones y localidades, instancia en la cual los proyectos sociales y empresariales de los migrantes deberían recibir la ubicación y apoyo necesarios en el contexto integral de la estrategia de desarrollo.
3. Profesionalizar al personal técnico del Copladez para que realice con eficacia las tareas correspondientes a la promoción del desarrollo regional: procesamiento de datos, métodos cualitativos de investigación, proyectos de inversión, proyectos de desarrollo local, comercialización, finanzas, cambio institucional, medio ambiente, administración municipal, redes informáticas, etcétera.
4. Promover los cambios legislativos necesarios para ampliar la capacidad de acceso a fuentes de financiamiento de las regiones y los municipios.
5. Darle vida al Consejo Estatal de Ciencia y Tecnología y en coordinación con las dependencias estatales y municipales efectuar proyectos de investigación estratégicos para el desarrollo del estado sobre tecnologías alternativas, desarrollo sustentable, optimización en el uso del agua, granos básicos, invernaderos, integración informática de todos los municipios y clubes de zacatecanos en Estados Unidos, etcétera.

6. Impulsar formas asociativas de producción y comercialización con base en nuevas tecnologías, que permitan a los actores locales decidir sobre el curso de la reconversión de los sistemas productivos y comerciales.
7. Establecer escenarios de evolución urbana, previniendo posibles limitantes de crecimiento, especialmente para las ciudades intermedias y pequeñas.

Para que esta estrategia integral de desarrollo regional funcione, se requieren, entre otras medidas, las siguientes:

1. El cumplimiento de los objetivos y estrategias del Plan Estatal de Desarrollo 1999-2004.
2. La creación de una Fundación para el Desarrollo de Zacatecas (Fundezac), de carácter no gubernamental, pero en la cual tengan representación el gobierno estatal, los municipios y los consejos regionales para el desarrollo, los organismos empresariales, instituciones educativas y organizaciones de migrantes.
3. El funcionamiento permanente, de forma coordinada y responsable, del Copladez y el Comité para la Planeación del Desarrollo Municipal (Coplademun).
4. Garantizar una representación permanente de los clubes zacatecanos en la Fundezac y el respeto a sus proyectos sociales y empresariales, con plena transparencia en la aplicación de sus inversiones y remesas colectivas.
5. Promover la Cámara Binacional de Empresarios Zacatecanos, dentro de la cual, además de otras acciones, resulta central en la estrategia aprovechar el "mercado paisano" de los Estados Unidos para comercializar masivamente productos estatales.
6. Para que la Fundezac tenga un soporte científico y tecnológico adecuado es fundamental que funcione el Consejo Estatal de Ciencia y Tecnología con una agenda de investigación de proyectos prioritarios y estratégicos para el desarrollo regional integral de Zacatecas.
7. Promover y respaldar las iniciativas de creación de microbancos regionales como mecanismo de expansión de los servicios bancarios y financieros a las más de 4,000 comunidades rurales zacatecanas, de transferencia barata de remesas, concentración del ahorro local y financiamiento complementario del desarrollo local.
8. Apoyar el fortalecimiento de la Fundación para el Desarrollo Integral del Sur de Zacatecas, A.C. y sus diferentes proyectos productivos y de desarrollo local.

Una propuesta binacional para el desarrollo del sur de Zacatecas

La posibilidad de que un proyecto integral de desarrollo regional se pueda concretar en Zacatecas adquiere un carácter binacional con la participación de la Federación de Clubes Zacatecanos del Sur de California, la más grande en Estados Unidos con 60 clubes, que aporta el 75 por ciento del Programa Tres por Uno en los últimos años, por un lado, y la Fundación para el Desarrollo Integral del sur de Zacatecas, A.C., por otro. Esta última nace el 2 de septiembre del año 2000, como una necesidad de trabajar proyectos conjuntos en todos los municipios del sur de Zacatecas, para hacer frente a la profunda crisis económica que experimenta el sector agropecuario de la región. La fundación aglutina a las diferentes organizaciones de productores con diversos proyectos productivos, que en todo momento han contado con el aporte de las familias migrantes en Estados Unidos como mecanismo alterno de financiamiento. Muchos de sus integrantes son ex migrantes con familiares en Estados Unidos, otros son migrantes y productores agropecuarios en Zacatecas al mismo tiempo, mediante sus familiares, estancias cortas y otras modalidades.

Los objetivos de la Fundación para el Desarrollo Integral del Sur de Zacatecas son:

1. Contribuir al desarrollo integral del sur de Zacatecas mediante la elaboración y ejecución de proyectos productivos y sociales que tengan impacto local y regional.

2. Promover de forma especial los proyectos productivos que a mediano plazo puedan ayudar a atenuar la migración internacional que ha caracterizado a esta región por más de 60 años.

3. Promover programas y acciones que preserven la cultura y las tradiciones mexicanas en los paisanos que viven en los Estados Unidos.

Sobre los proyectos productivos destaca de forma especial la formación de las asociaciones de productores de agave, sábila, hortalizas, guayaba, azafrán, orégano, ganado vacuno y de producción de camisas charras por parte de talleres de mujeres. Los principales municipios involucrados son Nochistlán, Juchipila, Apozol, Jalpa, Tabasco y Apulco. Resalta la visión de integralidad en estos proyectos en los que desde ahora se pretende trascender al desarrollo agroindustrial, como en la producción del mezcal con una fábrica construida y otra en construcción, la alianza estratégica con los productores de mezcal de Pinos o el procesamiento de hortalizas en Tabasco y el beneficio del ganado vacuno en Nochistlán. Un rasgo adicional de estas iniciativas es su carácter autónomo, ya que en su mayoría se han hecho de forma independiente de las dependencias gubernamentales, obteniendo el financiamiento como lo indicamos antes, de sus familiares en los Estados Unidos. Esta relación ha posibilitado que la Federación de Clubes Zacatecanos del Sur de California esté trabajando coordinadamente con la fundación para buscar que los proyectos del Tres por Uno en obras de infraestructura puedan servir como soporte a estos proyectos productivos y otros nuevos.

De la misma manera, es la Federación del Sur de California la que en los últimos tres años ha estado planteando la necesidad de avanzar hacia los proyectos productivos con los migrantes, con un nuevo tipo de políticas públicas que fomenten y respalden tales iniciativas, con programas "hechos a la medida" de los propios migrantes. La identidad entre ambas organizaciones es su compromiso por avanzar hacia los proyectos productivos con mayor impacto local y regional en el empleo y el bienestar de esta región de Zacatecas. Ello ha generado un actor social inédito binacional, que allende las fronteras y en forma concertada con los productores locales está trabajando en sus proyectos productivos con una visión transnacional, pero de beneficio local para las comunidades y regiones de origen. Esta nueva dimensión del desarrollo regional bajo una visión binacional o transnacional se enfrenta al desafío de la maduración y fortalecimiento, tanto de la fundación como de la Federación de Clubes Zacatecanos en California, lo que ha llevado a la primera a promover una serie de talleres de organización y capacitación, dentro de los cuales destaca el Primer Taller sobre el Potencial Productivo del Desarrollo Económico del Sur de Zacatecas[15] en el que se llega a los siguientes acuerdos:

1. Promover programas de formación sobre gestión y desarrollo económico municipal.
2. Fortalecer el desarrollo económico regional integral con mayor organización y capacitación de las organizaciones de productores, que les permitan planear adecuadamente sus actividades y hacer un mejor uso de sus factores productivos.
3. Elevar la capacidad de producción, comercialización y financiamiento mediante la organización de figuras integradoras y asociativas.
4. A partir de lo anterior, proponer esquemas propios de financiamiento que les permitan acceder al mercado nacional de créditos y a los organismos internacionales como el Banco Interamericano de Desarrollo, el Banco Mundial, la Fundación Interamericana para el Desarrollo y la Unión Europea.

---

[15] Julián Macías, *El desarrollo regional en el sur de Zacatecas*, tesis de maestría en economía regional, Unidad Académica de Economía, UAZ, 2002.

5. Desarrollar una nueva cultura del uso responsable del agua en toda la población. Promover estudios sobre las existencias reales de ese valioso recurso a nivel estatal, regional y municipal. Buscar técnicas alternativas que permitan hacer un uso racional del agua, con riegos adecuados, invernaderos, etcétera, aprovechando el potencial de las instituciones de educación superior (IES) del estado, del país y del extranjero, como la Universidad Autónoma de Zacatecas, la Universidad Autónoma de Chapingo y Universidad de Berkeley, California, entre otras.

6. Diseñar programas permanentes de formación empresarial para las diferentes organizaciones de productores de la región, aprovechando a las IES, las diferentes dependencias gubernamentales, organismos no gubernamentales e instituciones como el Fomin del BID y diversas fundaciones internacionales.

7. Impulsar la agroindustria familiar y empresarial aprovechando las vocaciones productivas de los diferentes municipios, bajo el enfoque de sistema-producto con una forma de promover y fortalecer el desarrollo local.

8. Incorporar un enfoque de sustentabilidad en todas las actividades de las organizaciones de productores y las presidencias municipales, como una forma de garantizar un aprovechamiento respetuoso de la naturaleza y evitar mayores desequilibrios ambientales, que a futuro se vuelvan inmanejables.

9. Estudiar las posibilidades de fortalecimiento y desarrollo de los talleres textiles de mujeres en la confección de camisas charras en los municipios de Nochistlán y Apulco, para lo cual se requiere capacitación en diseño, comercialización, mejora de la maquinaria y financiamiento, con el objetivo de aprovechar las ventajas del mercado nacional y el mercado paisano para ese producto en los Estados Unidos.

El 20 de abril del año 2000 se realizó en Tlachichila, Nochistlán, Zacatecas, el Taller sobre el Manejo, Cultivo, Industrialización y Comercialización del Agave Azul, Tequilana, en el que además de los integrantes de la Fundación para el Desarrollo Integral del Sur de Zacatecas, participaron varios presidentes municipales, funcionarios de Sagarpa, funcionarios del gobierno estatal e investigadores de la UAZ y otras instituciones educativas. Entre las principales conclusiones del evento, destacan las siguientes:

1. Ante al atraso económico del sur de Zacatecas y del estado en general, el sistema agave presenta un gran potencial de desarrollo local y regional.
2. Para aprovechar ese potencial se necesita mucha organización, capacitación y trabajo en equipo.

3. Además de los diagnósticos locales y regionales, se requiere planeación estratégica que integre a los productores, al gobierno en sus tres niveles, a la iniciativa privada, las instituciones educativas, organismos no gubernamentales e instituciones internacionales del desarrollo.

4. En la situación actual de la crisis del campo mexicano es fundamental que el gobierno mexicano establezca nuevas políticas de apoyo de corto, mediano y largo plazos para los proyectos locales, microrregionales y mesorregionales.

5. Se acuerda buscar la relación directa con los organismos internacionales como el Banco Interamericano, el Banco Mundial y la Fundación Interamericana para el Desarrollo, para aprovechar sus diversos programas de capacitación y financiamiento a tasas preferenciales.

Finalmente, el pasado día 1o. de octubre en la Delegación de Nacional Financiera en Zacatecas, se sostuvo una reunión de trabajo con la Fundación para el Desarrollo Integral del Sur de Zacatecas y los representantes de la Federación de Clubes Zacatecanos del Sur de California, para conocer el programa Invierte en México del BID y Nafin de proyectos productivos con migrantes. En esencia la propuesta consiste en un fondo de 2.2 millones de dólares formado con aporte del BID a fondo perdido de 1.1 millones y el resto con aportaciones de los gobiernos de Zacatecas, Hidalgo, Puebla y los migrantes (pasajes, hospedaje y gastos diversos relacionados con la promoción de los proyectos). La propuesta es una nueva versión de lo que antes se llamó "las remesas como instrumento para la promoción del desarrollo", con un mayor avance estratégico e institucional, ya que además de ofrecer financiar la elaboración técnica de los proyectos productivos, plantea la creación de consejos estatales para tal fin, consejos de migrantes en California, Illinois y Texas y los respectivos programas estatales con sus coordinadores. Nafin se interesó mucho al conocer que existe una Fundación de Productores para el Desarrollo del Sur de Zacatecas íntimamente ligada con la Federación del Sur de California, y los dirigentes de esta federación se interesaron en la propuesta como una opción que responda a una doble demanda de la comunidad migrante en Estados Unidos sobre los proyectos productivos: los migrantes ahorradores que tienen una idea en general sobre ciertos proyectos productivos y requieren la asesoría para materializarla en un plan de negocios; y los migrantes empresarios, que tienen proyectos viables y sólo buscan adecuarlos a las condiciones mexicanas exigiendo rentabilidad y seguridad equivalentes a las de Estados Unidos. Esta reunión fue provechosa porque se acordó establecer una relación de colaboración permanente entre la Federación de Clubes de California y la representación de Nafin en Santa Ana, California; con la fundación se acordó iniciar los trabajos de estudio con los productores de hortalizas, mezcal, azafrán y camisas charras.

Conclusión

Hoy en Zacatecas existe un nuevo actor social binacional comprometido con el desarrollo local y regional, que es la Fundación para el Desarrollo Integral del Sur de Zacatecas y la Federación de Clubes Zacatecanos en el Sur de California, quienes en los hechos ya están trabajando con sus diversos proyectos productivos en un proyecto binacional de base del desarrollo local y regional. Ellos representan la base material más importante para poder concretar nuestra propuesta de la Fundación para el Desarrollo de Zacatecas. El reto colectivo consiste en acompañar, respaldar todas las iniciativas de organización y capacitación que permitan el fortalecimiento de este nuevo actor social. Para ello los tres niveles de gobierno deben actuar bajo una dinámica de cambio institucional, desterrando el corporativismo aún vigente, las IES deberán comprometerse con todos los recursos a su alcance para lograr una auténtica vinculación con la promoción del desarrollo local y regional, las ONG y organismos internacionales deben reconocer la importancia de las acciones y propuestas de este nuevo actor social, respaldando sus actividades organizativas, de capacitación y los propios proyectos productivos. Ellos están poniendo la muestra. Los demás tenemos la palabra.

Características de la migración internacional en Oaxaca y sus impactos en el desarrollo regional*

Rafael G. Reyes Morales
Alicia Sylvia Gijón Cruz
Antonio Yúnez Naude
Raúl Hinojosa Ojeda

Introducción

EL PROPÓSITO principal de este ensayo es analizar las características de los flujos de emigrantes hacia los Estados Unidos procedentes de comunidades rurales y semiurbanas de las regiones mixteca y valles centrales, las de mayor expulsión de población en Oaxaca. Asimismo, se incluyen de manera tangencial localidades urbanas que albergan centros de mercado regionales; estos centros concentran los beneficios de las remesas. Otro propósito es evaluar los impactos de la migración en el desarrollo local y regional. Finalmente se presenta una propuesta de desarrollo alternativo basado en el uso de las remesas. En concreto, se analiza la relación entre la emigración internacional y los mercados laborales regionales ubicados en los centros urbanos. La emigración campo-ciudad al nivel regional no resulta ser un proceso relevante sino, más bien, lo es el movimiento pendular de la fuerza de trabajo rural y, sobre todo, la concentración espacial de las remesas. Estos hallazgos concuerdan en varios aspectos con Reyes Morales *et al.* (2001) en los valles centrales de Oaxaca, con Marroquín (1978) en la mixteca oaxaqueña y con Johnson (1965; 1970) en la India.

Se parte de un marco de referencia histórico que explica en forma general el papel protagónico que han jugado los centros regionales de mercado y las políticas públicas en el desarrollo regional en Oaxaca. En realidad, estos centros constituyen la génesis de los nuevos centros urbanos.

*Con la colaboración de David Runsten y Felipe López, NAID Center, UCLA.

Metodología

Durante diciembre de 2001 y febrero de 2002 se aplicó una encuesta a una muestra probabilística de 181 hogares en siete localidades, de entre 500 y 4,500 habitantes, de las regiones valles centrales y mixteca. Un equipo de estudiantes de posgrado bien entrenados entrevistaron a los jefes de los hogares,[1] siguiendo un cuestionario de 59 páginas. El tiempo promedio por entrevista fue de 1.5 horas. El tamaño de la muestra por localidad varió entre 25 y 29 hogares,[2] de acuerdo con las recomendaciones de Yúnez-Naude y Taylor (1999) para localidades rurales de México. Para asegurar que los hogares fueran seleccionados al azar seguimos un procedimiento en tres etapas (Reyes Morales et al., 2001). Primero, la muestra por localidad se distribuyó por área geoestadística básica (AGEB)[3] proporcionalmente al número de manzanas (cuotas). Segundo, las cuotas de manzanas por AGEB se obtuvieron mediante un muestreo aleatorio simple. Tercero, los hogares se seleccionaron para cada cuota de manzanas mediante un muestreo sistemático. Una esquina de cada manzana fue escogida siguiendo estas direcciones cíclicamente: noreste ➞ noroeste ➞ suroeste ➞ sureste. Tratamos de evitar las viviendas localizadas en las esquinas de las manzanas porque éstas están normalmente mejor equipadas con relación a la vivienda promedio y por lo tanto introducen sesgos.

El cuestionario de la encuesta está compuesto principalmente por preguntas semiabiertas y cuadros de preguntas (matrices). Las preguntas semiabiertas cuentan con opciones de respuesta codificadas, incluyendo una opción abierta para poder registrar cualquier respuesta espontánea del entrevistado. Se diseñó una base de datos a la medida del cuestionario cuya interfase de captura se hizo en Delphi. Se verificó la calidad de los datos capturados mediante dos procedimientos diferentes. Cada cuestionario fue verificado en la base de datos y además se usaron las herramientas del paquete SPSS 10.0 para el análisis de encuestas.

Se aplicaron también entrevistas a las autoridades municipales y agrarias, a los emigrantes y productores locales. Asimismo, se obtuvo información mediante observación participante.

El análisis de datos consistió en la aplicación del análisis estadístico descriptivo y multivariado de las variables seleccionadas de la base de datos. Qui-

[1] Salvador López Platas, Jesús Pablo Montes, Rogelio Pacheco Aquino y Patricia Soledad Sánchez Medina, estudiantes de posgrado del Instituto Tecnológico de Oaxaca.
[2] Que representa entre 3.0 y 16.7 por ciento del total de hogares por localidad, de acuerdo con el XII Censo General de Población y Vivienda del INEGI.
[3] Área geoestadística básica que representa la unidad espacial en la cual divide la traza urbana de las localidades el INEGI.

zás el esfuerzo más importante fue crear una base de datos automatizada para análisis posteriores. El financiamiento estuvo a cargo de la Fundación MacArthur y del Sistema de Investigación Benito Juárez (Sibej).[4]

Desarrollo y emigración en el estado de Oaxaca durante el siglo XX

Al iniciar el siglo XX, el estado de Oaxaca estaba conectado con el resto del país a través un sistema ferroviario que atravesaba a tres de las ocho regiones (véase mapa).[5] Existía conexión con Europa y Asia a través del puerto de Salina Cruz y de dos redes ferroviarias. Las localidades de las regiones sierra norte, sierra sur, istmo y costa intercambiaban mercancías con las regiones de los valles centrales y la mixteca a través de veredas por las cuales transportaban los arrieros sus mercancías a lomo de bestias. La rica región del Papaloapan estaba separada del resto de la entidad por la sierra norte, las sierras de la Cañada y por selvas impenetrables. Así, esta región se encontraba integrada económicamente al estado de Veracruz. En los años veinte, con la ampliación de la red ferroviaria en el estado de Veracruz, la región del Papaloapan quedó totalmente integrada a los principales mercados de Veracruz y al resto del país.

La Revolución mexicana, 1910-1920, cambió los sistemas de producción agrícola y pecuarios de las haciendas mediante el reparto de sus tierras, proceso que estuvo vigente hasta los años treinta en todo el país. Sin embargo, en los densamente poblados valles centrales de Oaxaca el reparto agrario continuó hasta los años setenta, abarcando haciendas que sí cumplían con los requisitos de la ley agraria. Desafortunadamente, en Oaxaca la Revolución mexicana no trajo consigo la construcción de carreteras modernas ni sistemas de riego como ocurrió en el norte del país desde los años veinte. Fue hasta los años cuarenta que el programa nacional de carreteras alcanzó a llegar a Oaxaca. La carretera Panamericana atravesó tres regiones espacialmente organizadas en centros regionales de mercado (mixteca, valles centrales e istmo) y una parte aislada de la región sierra sur (véase mapa). De hecho, esta carretera constituye el parte aguas de un nuevo proceso de

[4]El proyecto: "Globalization and public goods from below: Migrant organizations, productive remittances, and economic development between Mexico and California", fue financiado por la Fundación MacArthur, Grat#00-67264-002-GSS, 2001-2002; y el financiamiento del proyecto: "El uso de las remesas internacionales y el papel de las organizaciones binacionales en el desarrollo de la mixteca oaxaqueña", estuvo a cargo del Sistema de Investigación Benito Juárez (Sibej), clave 19990503012, 2000-2002.

[5]Estas ocho regiones se definieron para propósitos de planeación, aunque se les han atribuido características geográficas, étnicas y de integración económica; éstas son: cañada, costa, istmo, mixteca, Papaloapan, sierra norte, sierra sur y valles centrales.

desarrollo regional en Oaxaca. Si bien el reparto agrario cambió los sistemas de producción rurales, no proporcionó mejores medios de transporte para alcanzar los mercados.

En la región mixteca surgieron nuevos centros de mercado sobre la carretera Panamericana como son Huajuapan, Tamazulapan y Nochixtlán.[6] En los valles centrales y el istmo se reforzaron los centros regionales de mercado beneficiados por el acceso al ferrocarril desde principios del siglo XX. En particular en la mixteca se fueron rezagando los centros regionales de mercado coloniales[7] que quedaron lejos de la nueva carretera. Aunque estos centros siguieron funcionando por muchos años mediante el intercambio de mercancías a través de los arrieros, y aunque conservaron un papel relevante en la administración pública regional como cabeceras distritales, no lograron sostener el control de sus zonas de mercado.

Una segunda carretera importante se construyó en los años cincuenta conectando a Huajuapan con la pequeña e industriosa ciudad de Tehuacán, Puebla. Esta carretera fortaleció aún más a Huajuapan como centro regional de mercado desplazando a Tlaxiaco de su primacía. Por las nuevas carreteras llegaron productos modernos y relativamente baratos procedentes del estado de Puebla, del centro y norte del país. Estos productos desplazaron la producción artesanal y manufacturera en los valles centrales y la mixteca.

En la segunda mitad de los cuarenta se inicia el programa gubernamental de las cuencas hidrológicas que benefició en un principio a la región del Papaloapan y más tarde también a la sierra norte. El primer proyecto importante de este programa fue la construcción en territorio oaxaqueño de la presa Miguel Alemán, la más grande de México en esos años, para controlar inundaciones y generar energía eléctrica. Asimismo, se apoyó vigorosamente, pero únicamente en el distrito de Tuxtepec, la agricultura comercial, la ganadería y además se financió directamente la industrialización (celulosa y papel, producción de azúcar, enlatado de piña). En el istmo, como resultado de las alianzas de México con los Estados Unidos durante la Segunda Guerra Mundial, se construyó un aeropuerto militar e infraestructura de guerra, la carretera transístmica y se modernizaron las instalaciones portuarias de Salina Cruz. En la década de los sesenta la Comisión para el Desarrollo del Istmo construyó la presa Benito Juárez sobre el río Tehuantepec y un sistema de riego con capacidad para irrigar 50,000 hectáreas. Así, el istmo se dota del primer distrito de riego en la entidad.

---

[6] Los nombres oficiales de estas localidades son: Huajuapan de León, La Villa de Tamazulapan del Progreso y Asunción Nochixtlán, sin embargo, para hacer más ágil el ensayo decidimos utilizar sus nombres cortos.

[7] Tlaxiaco, Silacayoapan, Juxtlahuaca, Coixtlahuaca y Teposcolula.

MAPA

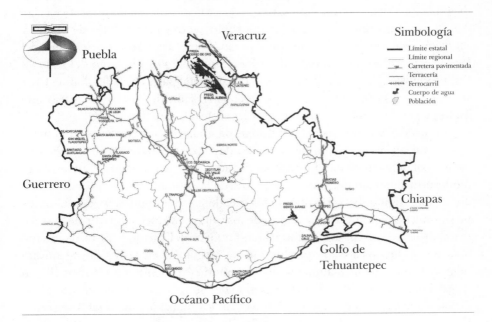

En la región mixteca, en los años cincuenta con la llegada de la Comisión del Río Papaloapan, se crea una extensa red de carreteras rurales; se inicia la electrificación rural, la construcción de escuelas, un programa de granjas familiares en pequeña escala, la construcción de una presa y sistemas de riego. Las carreteras secundarias pavimentadas llegan a la mixteca en los setenta y ochenta, como en el resto del estado de Oaxaca, y conectaron a los centros de mercado tradicionales (Juxtlahuaca, Tlaxiaco y Teposcolula) con la carretera Panamericana.

El gobierno federal concentró recursos en tres regiones de Oaxaca (Papaloapan, istmo y valles centrales) para aprovechar el potencial agrícola y pecuario basado en abundantes recursos hidráulicos, extensas planicies costeras y recursos turísticos. En cambio en la mixteca los proyectos fueron modestos, debido principalmente a la escasez de terrenos planos para la agricultura de riego. En los valles centrales no son escasos los terrenos planos, pero existen dos restricciones serias. Por un lado está la alta densidad de población que condujo al minifundio desde la llegada de los españoles (Chevalier, 1970) y, por otro, la escasez de agua para riego. Así, la mixteca y los valles centrales han mantenido la producción de cultivos de básicos para el autoconsumo y la producción de varios cultivos comerciales en pequeña escala, orientada al mercado regional.

Otra fuente de ingresos de estas regiones son las artesanías y manufacturas tradicionales en pequeña escala (ladrillo, teja, artículos de madera y cancelería). Así, los centros urbanos se caracterizan como centros proveedores de bienes y servicios y no como centros de producción. Por el contrario, las regiones del Papaloapan y el istmo han recibido inversiones federales a lo largo del siglo XX y se producen manufacturas modernas en sus principales ciudades. Salina Cruz se especializa en la petroquímica y la construcción de barcos, mientras que Tuxtepec en la elaboración de cerveza, celulosa y papel.

En los valles centrales los programas de gobierno se centraron en el turismo y reforzaron la posición de la ciudad de Oaxaca como el centro de la actividad económica regional. En realidad, la actividad turística agregó un atributo moderno a la ciudad mercado más grande de la entidad. El auge económico de esta ciudad siguió dependiendo de los excedentes de producción y monetarios de su zona de influencia en la región de los valles centrales y a partir de la construcción de la carretera Panamericana, también del turismo. El turismo creó una nueva dinámica en la producción de artesanías en la región; al mismo tiempo, la migración en aumento iba generando excedentes monetarios adicionales. Buena parte de las remesas regionales se han gastado en la ciudad de Oaxaca o llegan indirectamente a través de los mercados regionales secundarios, ubicados en las cabeceras distritales. La característica principal de esta región, es la existencia de una ciudad central y de un sistema urbano regional cuyo mercado laboral ha tenido capacidad de reducir la emigración intrarregional; en su lugar, se ha mantenido un sector laboral regional de tipo pendular (Reyes Morales *et al.*, 2001a).

La emigración interna e internacional productos del proceso de desarrollo regional

Las carreteras intensificaron la migración interna. La construcción misma de las carreteras fue reclutando la mano de obra de los pueblos cercanos por donde ésta iba cruzando. Los campesinos pasaron a ser peones y algunos aprendieron nuevos oficios como albañiles, carpinteros y choferes. Muchos pasaron de las carreteras a la construcción de presas en la región del Papaloapan y en el estado de Chiapas. Otros utilizaron las carreteras para emigrar temporalmente como jornaleros a las plantaciones de caña de azúcar del Papaloapan y del estado de Veracruz, a las nuevas colonias de Chiapas y para emigrar en forma permanente a la capital del país y al Estado de México.

Los pequeños granjeros y agricultores de la mixteca utilizaron la carretera Panamericana y las carreteras secundarias para alcanzar nuevos mercados. Así, la producción de huevo se dirigió a Salina Cruz en Oaxaca, a Arriaga y Tapachula en el estado de Chiapas. Las hortalizas se fueron a Huajuapan. Varios de estos mercados también se convirtieron en lugares de residencia para las familias rurales cuando las granjas fracasaban.

En la segunda mitad de los cuarenta, se inicia el Programa Bracero que captó emigrantes temporales para los Estados Unidos de todas regiones comunicadas por carretera o ferrocarril, pero principalmente de las regiones mixteca y valles centrales. Este programa ha tenido la mayor influencia para promover la emigración internacional en Oaxaca, ya que ni los efectos devastadores de la Revolución mexicana en muchos pueblos ni la construcción de los ferrocarriles en los Estado Unidos a principios de siglo, tuvieron tal impacto. Se han detectado muy pocos emigrantes de la región valles centrales que fueron a trabajar a los Estados Unidos en la construcción de ferrocarriles en los años veinte. En cambio, los mixtecos han contribuido al crecimiento de ciudad Nezahualcóyotl y otras ciudades del Estado de México, así como de la ciudad de México.

Las políticas públicas continuaron concentrándose en la industrialización basada en unos cuantos polos de desarrollo nacionales. Cuando terminó el Programa Bracero la gran masa campesina que continuaba prácticamente marginada siguió optando por la migración internacional. En el caso particular de Oaxaca, los programas de desarrollo se concentraron en unas cuantas localidades como Salina Cruz, Tuxtepec y la ciudad de Oaxaca. Las demás regiones se beneficiaron solamente de la construcción de carreteras secundarias que en algunos casos permitió la rápida colonización de las selvas y la explotación de los bosques de pino-encino, el acceso a las playas y a los sitios arqueológicos. Para dar una idea cabal al lector, mencionaremos que Oaxaca sigue siendo un estado en donde la mayor parte de la población es rural y vive de las actividades primarias. Dicho de otra manera, la mayor parte de la población de la entidad está clasificada como de alta marginación según el Consejo Nacional de Población. Por lo tanto, la migración internacional, ahora con carácter ilegal, continúa siendo la válvula de escape a los problemas sociales del medio rural. La emigración interna que se dirigía al Distrito Federal y al Estado de México se ha reducido considerablemente. En su lugar ha adquirido importancia la emigración temporal y permanente hacia los campos agrícolas de los estados del noroeste.

Los gobiernos neoliberales han tratado de rescatar las políticas de bienestar de los gobiernos priístas posrevolucionarios a través de los programas del combate a la pobreza y fomento de la producción rural. Sin embargo, gran parte de los recursos destinados a estos programas se ha gastado en la burocracia nacional y estatal que los administra. Así, los beneficios que llegan a los campesinos son raquíticos y han servido, en la mayoría de los casos para mantener el control político sobre ellos. La encuesta detectó que 25 por ciento de la población de las siete localidades analizadas y de dos centros regionales de mercado de la mixteca (Santiago Juxtlahuaca y Huajuapan) recibieron apoyos del gobierno[8] y 55 por ciento de estos apoyos estuvieron condicionados. La única opción real, al parecer, para que la mayoría de los oaxaqueños mejore sus condiciones de vida sigue siendo la emigración interna e internacional.

Centros regionales de mercado

Los centros regionales de mercado constituyen los principales nodos de la red de carreteras de las regiones de Oaxaca y éstos atraen personas y productos de las comunidades rurales. Constituyen pequeñas "ciudades mercado" (Marroquín, 1978; Diskin y Cook, 1975) que suministran bienes y servicios a las áreas rurales y capturan los excedentes monetarios procedentes de las remesas, de la producción artesanal, agrícola y del ganado de traspatio. Por consiguiente, estos centros urbanos concentran los beneficios del desarrollo regional. Formalmente pueden no satisfacer la definición de Unikel (1977) de centro urbano pero, en efecto, realizan las siguientes funciones (Reyes-Morales, Yúnez-Naude y Gijón-Cruz, 2002; Reyes Morales *et al.*, 2001a):

1. Constituyen *centros administrativos* que ofrecen servicios públicos, los cuales no están disponibles en las cabeceras municipales rurales de su zona de influencia y además ofrecen servicios especializados, tales como los bancarios y médicos. Asimismo existen hoteles, restaurantes y centros de educación superior, entre otros servicios.

2. Constituyen *centros comerciales*. Es decir, uno puede encontrar tiendas especializadas, por ejemplo de abarrotes, de materiales de construcción o de muebles y electrodomésticos. Asimismo, existen supermercados, ferreterías y farmacias. Existe también un mercado permanente y una vez por semana el centro regional de mercado se convierte en la sede del tradicional mercado regional (*tianguis*) que se mueve a través de los otros centros de mercado de la región. Este sistema itinerante de mercados tiene su origen en tiempos prehispánicos (Kowalewski y Finsten, 1983; Blanton *et al.*, 1982).

3. La atracción que cada "ciudad mercado" ejerce sobre las comunidades de su zona de influencia, parafraseando a Christaller (1966), está en relación directa con su peso económico en la región, frecuentemente relacionado con su tamaño y en relación inversa a su cercanía con la ciudad más próxima.

[8]92 por ciento de estos apoyos corresponden a dos programas, Progresa y Procampo, y el resto a becas SEP, leche Diconsa, Insen y apoyo a la vivienda.

Los centros regionales de mercado representan espacialmente los puntos en donde se da la acumulación de capital y la concentración de las inversiones del gobierno en equipamiento urbano, escuelas, clínicas y hospitales. La actividad económica regional, si bien se concentra en estos centros, se alimenta principalmente de las remesas de la migración y, en menor, medida de los excedentes de la producción y la burocracia gubernamental.

Los resultados del proyecto Oaxacalifornia, realizado en seis localidades de los valles centrales y la sierra norte (Reyes Morales *et al.*, 2001b; Reyes Morales, Yúnez Naude y Gijón Cruz, en preparación), muestran que las remesas nacionales e internacionales constituyen la mayor parte del ingreso total de las localidades analizadas. Aún los centros regionales de mercado como Tlacolula, a pesar de contar una economía diversificada, dependen de las remesas casi en un 50 por ciento. Las excepciones son localidades como Santa Ana del Valle, en donde todas las familias reciben ingresos monetarios procedentes de la producción de tapetes de lana. Seguramente también ocurre lo mismo con los pueblos de la sierra norte y sierra sur que viven de la explotación de sus bosques de pino-encino, ya que esta actividad genera suficientes empleos asalariados para su fuerza de trabajo. Sin embargo, no se logra reducir la migración debido a que la racionalidad de la actividad forestal no está orientada a elevar el nivel de vida de las familias mediante el pago de salarios atractivos. Las ganancias se acumulan en el banco y se utilizan para realizar inversiones productivas y para la construcción de obras de beneficio colectivo (auditorios, carreteras, instalaciones deportivas y para complementar las inversiones de los gobiernos federal y estatal en infraestructura social). La migración aparece como resultado de las expectativas de un mejor nivel de vida de las familias y del aumento en el nivel de escolaridad. Al parecer los individuos con niveles de escolaridad alta emigran a las ciudades y los individuos de baja escolaridad a los Estados Unidos.

Características de la emigración internacional actual en Oaxaca[9]

Es conveniente aclarar al lector que las comunidades seleccionadas son representativas de la emigración internacional en Oaxaca, ya que el 85 por ciento de los emigrantes procedentes de las siete localidades se dirige a los Estados Unidos. Según los resultados del XII Censo General de Población

[9] Esta sección constituye una versión revisada y ampliada del artículo: "Características de la migración internacional actual en el estado de Oaxaca, México", publicado por Reyes Morales y Gijón Cruz en la revista *Entre Redes*, núm. 10, julio de 2002.

y Vivienda 2000, los tres distritos[10] de la mixteca (Huajuapan, Juxtlahuaca y Silacayoapam) y dos distritos de los valles centrales (Zimatlán y Tlacolula) a los que pertenecen las localidades de estudio, presentan los mayores niveles de emigración internacional (véase cuadro 1). Estas dos regiones son las de mayor expulsión de población. Todos los distritos de la mixteca presentan niveles de emigración total por arriba de los de la entidad, mientras que en los valles centrales el mayor flujo de emigrantes internos sale del distrito centro, que alberga la Zona Metropolitana de la Ciudad de Oaxaca. Sin embargo, en el distrito Centro el flujo de emigrantes internacionales es prácticamente igual al del distrito de Tlaxiaco. Tanto los resultados censales como los estudios económicos (Reyes Morales *et al.*, 2001a; y 2001b) indican que la emigración interna sigue siendo la más importante en Oaxaca.

Mientras que las crisis sexenales y los cambios en política económica explican el éxodo rural y urbano en Oaxaca, los empleos generados por la economía norteamericana se han convertido en un poderoso imán para los emigrantes oaxaqueños. Esto ocurre a pesar de las políticas migratorias adversas.

Perfil del emigrante

Las familias envían a sus miembros a los mercados laborales nacionales e internacionales como una estrategia para obtener ingresos monetarios, cuando carecen de actividades generadoras de excedentes para el mercado, tales como las artesanías o la agricultura comercial en pequeña escala, y cuando el trabajo asalariado es escaso localmente o en la región. Los emigrantes típicos son hijos varones casados o solteros; la frecuencia de emigración de los jefes de familia es baja e incluso es más baja para otros miembros de la familia. La unión libre empieza a ser importante entre los emigrantes. Esto es especialmente cierto en las localidades de Silacayoapan y El Trapiche, en donde 30 y 18 por ciento de los emigrantes, respectivamente, viven en unión libre.

Se determinó que la mayoría de los emigrantes (86.6 por ciento) tienen una edad de entre 15 y 44 años (véase gráfica 1). Esto sugiere básicamente que los mercados laborales requieren de mano de obra de estas edades. La pirámide de edades de los emigrantes tiene una base casi tan pequeña como el vértice, es decir, se excluyen personas de la tercera edad y niños menores de 14 años, quienes

---

[10] Debido a que Oaxaca cuenta con 570 municipios resulta difícil referirse a éstos para hacer un análisis de la emigración. Por esta razón se recurre a los distritos rentísticos (30 en total que agrupan 19 municipios en promedio cada uno) que ofrecen un marco de análisis más apropiado.

Cuadro 1

MIGRACIÓN INTERNA E INTERNACIONAL POR DISTRITOS Y REGIONES EN OAXACA, 2000

Región	Distrito	Porcentaje de migrantes internos	Porcentaje de migrantes internacionales	Porcentaje total de migrantes
	Estado de Oaxaca	2.54	0.25	2.79
Mixteca	Huajuapan	3.87	0.87	4.74
	Juxtlahuaca	2.45	1.20	3.65
	Coixtlahuaca	3.63	0.01	3.64
	Nochixtlán	3.43	0.15	3.58
	Silacayoapam	2.14	1.43	3.57
	Teposcolula	3.23	0.17	3.40
	Tlaxiaco	2.91	0.33	3.24
Valles centrales	Centro	4.05	0.35	4.40
	Etla	2.44	0.19	2.63
	Zimatlán	1.53	0.89	2.42
	Tlacolula	1.18	0.87	2.05
	Zaachila	1.34	0.20	1.54
	Ejutla	1.11	0.26	1.37
	Ocotlán	1.15	0.19	1.35
Istmo	Juchitán	2.98	0.04	3.02
	Tehuantepec	2.75	0.04	2.79
Papalopan	Tuxtepec	3.69	0.07	3.76
	Choapam	0.98	0.02	1.00
Costa	Pochutla	1.87	0.10	1.97
	Jamiltepec	1.85	0.08	1.93
	Juquila	1.41	0.14	1.55
Cañada	Teotitlán	1.99	0.01	2.00
	Cuicatlán	1.65	0.01	1.66
Sierra norte	Benemérito Distrito de Ixtlán de Juárez	1.33	0.59	1.92
	Villa Alta	1.09	0.52	1.61
	Mixe	1.48	0.03	1.51
Sierra sur	Putla	1.33	0.42	1.75
	Miahuatlán	1.34	0.11	1.45
	Yautepec	0.49	0.06	0.56
	Sola De Vega	0.42	0.10	0.51

Fuente: Porcentajes calculados con base en el XII Censo General de Población y Vivienda del INEGI.

no tienen cabida en el mercado laboral. Las edades de los migrantes coinciden con los datos reportados por el XII Censo General de Población y Vivienda 2000 del INEGI para los migrantes internacionales. La encuesta reporta, sin embargo, más mujeres migrantes que el censo (9.3 puntos porcentuales). Esto se explica porque la muestra contiene más localidades de la mixteca, en donde emigración internacional es la más alta (véase cuadro 1).

GRÁFICA 1

ESTRUCTURA GENERAL DE EDADES DE LOS EMIGRANTES
PROCEDENTES DE SIETE LOCALIDADES

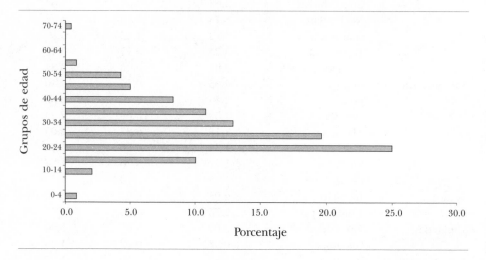

Tendencias actuales de la emigración

La encuesta presenta la historia migratoria reciente de Oaxaca caracterizada por los flujos migratorios creciendo en forma exponencial, aunque la emigración se inició antes de los sesenta (véase gráfica 2).

Este periodo estuvo dominado, en un principio, por las políticas nacionales de bienestar, pero en la segunda mitad de los setenta el gobierno federal entró en un proceso rápido de endeudamiento para tratar de satisfacer los requerimientos generados por las altas tasas de crecimiento de la población. El modelo de desarrollo basado en la sustitución de importaciones se colapsó y, como consecuencia, desde diciembre de 1982 México tuvo que cambiar sus políticas económicas y sociales; de aquéllas del Estado de bienestar con énfasis en el gasto social pasó a las políticas neoliberales y reformas tales como la liberalización del comercio y reducción del gasto social del gobierno y de su burocracia. El gobierno, para salir de la

GRÁFICA 2

TENDENCIAS MIGRATORIAS EN LAS SIETE LOCALIDADES

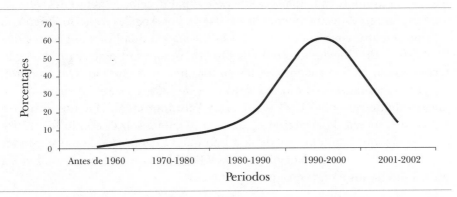

crisis financiera, se vio obligado por el Fondo Monetario Internacional a vender muchas de sus empresas (Ayala-Espino, 1988; Ward, 1989; Pardo, 1991; Espinoza Valle, 1993). El nuevo modelo fue útil para resolver las crisis económicas al nivel macroeconómico durante los años ochenta y noventa. Sin embargo, estas políticas, de hecho, empeoraron aún más el problema de la distribución del ingreso (González de la Rocha y Latapí, 1991; Alarcón González, 1994). Esta situación se reflejó en parte en el éxodo masivo de la población rural. Muchos emigrantes se movieron hacia a las ciudades secundarias, tales como Tijuana, Ciudad Juárez y Puebla (Aguilar, Graizbord y Sánchez Crispín, 1996). Los flujos migratorios que se dirigieron a los Estados Unidos fueron creciendo rápidamente a partir de los años cincuenta y en forma exponencial en los ochenta y noventa (OECD, 1999: 175-178). Este fue el caso del estado de Oaxaca, en donde en la segunda mitad del siglo XX la emigración se fue incrementando de acuerdo con las crisis económicas nacionales de cada sexenio. Considerando el total de los flujos migratorios captados por la encuesta desde antes de los sesenta y hasta los primeros meses de 2002, dichos flujos se hicieron más visibles a partir de los años setenta (6.8 por ciento); en los ochenta tuvieron un crecimiento acelerado (17.3 por ciento) y alcanzaron su máximo en la década pasada (61.2 por ciento).

Lugares de destino y viajes de retorno

Los lugares de destino más atractivos en México son localidades del estado de Oaxaca, el Distrito Federal y el Estado de México[11] y los estados del no-

[11] Es conveniente hacer esta corrección con base en el XII Censo General de Población y Vivienda del INEGI: la encuesta no captó al Estado de México como un importante receptor de emigrantes oaxaqueños; esto se debe a que se confunde a los municipios conurbados del Estado de México con el Distrito Federal.

roeste; sin embargo estos lugares escasamente dan cuenta del 11.4 por ciento del total de los emigrantes. En los Estados Unidos el estado de California, cuya economía es la más grande de ese país, recibe la mitad del total de los emigrantes; específicamente la ciudad de Los Ángeles capta solamente el 1.8 por ciento, cifra que representa la misma cantidad de emigrantes que va al estado de Florida. El estado de Oregon se encuentra en segundo lugar, recibiendo al 13.2 por ciento de los emigrantes, más que todas las ciudades mexicanas juntas. Otros estados del noroeste que se están convirtiendo en lugares de destino populares son Utah y Washington. Finalmente, otros estados cuya fuerza de atracción es todavía pequeña son el estado fronterizo de Arizona, que capta menos de la mitad que Oregon; y en la parte este los estados de Carolina del Norte, Georgia y Florida, que reciben en total al 7.2 por ciento de los emigrantes oaxaqueños.

CUADRO 2

FRECUENCIA DE VISITAS DE LOS EMIGRANTES OAXAQUEÑOS
A SU LOCALIDAD DE ORIGEN (N = 241)

	Porcentaje
De una a cuatro veces por año	22.8
Una vez cada dos años	16.2
Una vez cada tres o cuatro años	2.9
Una vez cada seis o más años	1.2
No visitan su localidad de origen	48.1
No especificado	8.7
Total	100.0

Fuente: Base de datos de la encuesta.

Debido a que los emigrantes oaxaqueños se encuentran, en general, en forma ilegal en los Estados Unidos, casi la mitad de ellos no visitaba sus comunidades de origen cuando se aplicó la encuesta (véase cuadro 2). Los emigrantes que retornaban con frecuencia a Oaxaca representaban también un número importante (39 por ciento): el 23 por ciento lo hacía de una a cuatro veces por año; y el 16 por ciento, una vez cada dos años. Seguramente estos emigrantes están en mejores condiciones económicas que el resto. Aquellos que retornaban a intervalos largos de tiempo son muy pocos (4.1 por ciento). Así, se puede decir que en general, conforme los migrantes adquieren su residencia y mejoran su situación económica, están en condiciones de visitar a sus familiares en México más seguido.

Uso de las remesas

La mayoría de las familias encuestadas que reciben dinero de los emigrantes (97 por ciento) declararon que gastan 46.2 por ciento de sus remesas en la satisfacción de sus necesidades básicas. Esto es en alimentos, ropa y servicios médicos. A la educación de los hijos se asigna el 10.2 por ciento. Este hallazgo es congruente con los resultados de otras investigaciones sobre la emigración oaxaqueña en la región valles centrales de Oaxaca (Gijón Cruz, Rees y Reyes Morales, 2000; Cohen, 2001). A la educación se destina aproximadamente la misma cantidad que a la inversión en pequeños negocios. A su vez la educación, que representa un gasto casi constante a lo largo del año resultó ser más importante que la inversión en la agricultura (5 por ciento) y en la vivienda (7.5 por ciento). Finalmente, podemos reafirmar que en estas comunidades las familias ven a la emigración como una inversión que les permite alcanzar un mejor nivel de vida, un estatus social más alto en sus comunidades y, eventualmente, obtener ahorros para poder invertir en pequeños negocios.

Emigración y desarrollo regional

Relación entre emigración y fuerza de trabajo asalariada local

Se encontró que en las comunidades rurales, en donde la mayoría de la fuerza de trabajo (58 por ciento) se encuentra involucrada en actividades primarias (agricultura, actividades de traspatio, pastoreo, recolección de leña) y por lo tanto no recibe salarios, la emigración es mucho mayor (2.5 emigrantes por familia) que en las localidades con una economía más diversificada y con características urbanas (0.85 emigrantes por familia). En estas últimas la mayoría de la fuerza de trabajo recibe salarios. Así, la emigración constituye el medio para obtener ingresos monetarios para adquirir satisfactores tales como ropa, insumos agrícolas, útiles escolares, medicinas, etcétera.

Sin embargo, en comunidades rurales como San Jerónimo Silacayoapilla, especializadas en las artesanías y en las manufacturas en pequeña escala, la asignación de la fuerza de trabajo a las unidades familiares de producción reduce también considerablemente la emigración (0.96 emigrantes por familia). Aunque en este caso, los ingresos no se distribuyen entre los miembros de la familia mediante salarios, la distribución tradicional del ingreso sí satisface, al parecer, las metas familiares. De esta manera se reduce el incentivo para emigrar.

Los resultados anteriores se pueden expresar en forma general mediante la siguiente ecuación:

Emigración $= 2.007 * WL - 4.172 * Ln (WL)$ [1.1]

$R^2 = 0.532$, $R^2_{ajustada} = 0.513$, $F_{estadística} = 28.386$ significativa para $p < 0.000$ [1.2]

En donde WL representa la fuerza de trabajo asalariada y Ln(WL) el logaritmo natural de WL; Emigración mide el número de emigrantes por hogar. Existe una relación curvilínea de tipo logarítmica entre emigración y fuerza de trabajo asalariada modelada por la ecuación de regresión sin ordenada al origen [1.1]. Esta ecuación es estadísticamente consistente debido al valor que toma F y su nivel de significancia (véase [1.2]) y además los dos términos de la derecha de la ecuación [1.1] resultaron ser estadísticamente significativos para la prueba t de student ($p < 0.000$). El grado de explicación de Emigración dado por R^2 o $R^2_{ajustada}$ es aceptable ya que es mayor al 50 por ciento.

Impactos de la emigración en el desarrollo regional

Hasta aquí se puede establecer que la emigración por localidad depende significativamente de la proporción de mano de obra asalariada que se emplea localmente o regionalmente. En las localidades de estudio, los salarios locales son generados por actividades productivas tales como las artesanías, el cultivo de hortalizas, la construcción y manufacturas en pequeña escala, mientras que los salarios regionales están asociados principalmente a las actividades terciarias y secundarias en los centros regionales de mercado. Estas dos categorías de salarios permiten distinguir la movilidad diaria de la fuerza de trabajo local en la región. Así, los salarios locales se pagan a la fuerza de trabajo por realizar actividades económicas dentro de una localidad de referencia y los salarios regionales implican desplazamientos de ida y vuelta a otra localidad. Los salarios regionales constituyen flujos monetarios que entran a la localidad y los salarios locales son generados por actividades que producen excedentes que llegan al mercado o bien son financiados por las remesas de la migración. En el rubro de asalariados incluimos también la mano de obra familiar que recibe una retribución de manera tradicional. Esto es, pagos en especie (alimentos, ropa, atención médica y alojamiento) por realizar trabajo en las actividades propias de la unidad de producción familiar y asignaciones de cuotas monetarias cuando existe liquidez.

En localidades campesinas marginadas de los valles centrales con fuerte expulsión de población, como San Lucas Quiaviní, se pagan salarios locales y regionales por la construcción de vivienda y la agricultura (Gijón Cruz, Rees y Reyes Morales, 2000). La escasez de mano de obra local es consecuencia de la emigración internacional y las actividades financiadas por remesas crean una creciente demanda local de mano de obra. Por consiguiente, los salarios se in-

crementan y la demanda de mano de obra que no se alcanza a satisfacer localmente se cubre con mano de obra de los pueblos vecinos. Paradójicamente los
pueblos más pobres distribuyen parte de sus remesas en la región a través de
la contratación de mano de obra. Más aún, la mayor parte de las remesas se
gastan en los centros regionales de mercado (Reyes Morales *et al.*, 2001b). En
consecuencia, la emigración oaxaqueña juega los siguientes roles en el desarrollo local y regional e incluso nacional e internacional:

1. Asigna parte de las remesas para el desarrollo local a través de la contratación de la mano de obra, el consumo y la inversión.
2. Asigna la mayor parte de las remesas para el desarrollo regional a través de:
    a) el consumo en los centros regionales de mercado,
    b) la contratación de mano de obra y la compra de insumos rurales, y
    c) del ahorro en las cajas de ahorro y bancos.
3. Contribuye al financiamiento del desarrollo nacional a través del ahorro
en los bancos.
4. Distribuye otra parte de las remesas entre las empresas de envío de dinero nacionales e internacionales.
5. Subsidia la economía norteamericana, principalmente mediante el suministro de mano de obra barata y abundante.

La ausencia de instituciones de crédito en el medio rural constituye una se-
ria restricción para el desarrollo local. Las remesas podrían constituir una importante fuente de financiamiento para proyectos productivos; sin embargo, en
las condiciones actuales los excedentes monetarios destinados a la inversión
son exiguos debido a las fugas de remesas hacia los centros de mercado. Los
microbancos y cajas de ahorro representarían un mecanismo para captar las remesas localmente y suministrar créditos para apoyar la producción.

Los centros regionales de mercado:
los nuevos centros urbanos

Los centros regionales de mercado constituyen las localidades más dinámicas y
crecen debido al auge de las localidades de su zona de influencia. Huajuapan,
Juchitán y Juxtlahuaca son buenos ejemplos. Las fuerzas que alimentan el crecimiento de estos centros son:

1. Como centros de abastecimiento de bienes y servicios de las localidades
de su zona de influencia, reciben y concentran los excedentes monetarios y de
la producción.

2. Las ventajas derivadas de su localización sobre carreteras pavimentadas son la reducción de los precios de alimentos y manufacturas normalmente importados de otras regiones de la entidad, de otros estados o de otros países.

La disponibilidad de medios de transporte y la acumulación histórica de capital en estas localidades, les permite tener acceso a los artículos distribuidos o producidos en los principales centros de mercado nacionales. De esta manera los centros regionales de mercado mantienen subordinados a los pequeños negocios de su área de influencia, a los cuales abastecen de mercancías e insumos para la producción. Las zonas de influencia se encuentran naturalmente protegidas por sierras en la mixteca y los valles centrales y articuladas entre sí por ejes carreteros. En los valles centrales, el sistema de centros regionales de mercado gira en torno a la única ciudad central de la entidad: la ciudad de Oaxaca.

La función de los centros regionales de mercado como centros administrativos irá perdiendo importancia conforme éstos se convierten en centros urbanos y en ciudades medias, ya que entonces empiezan a recibir beneficios de las políticas públicas urbanas (Garza y Rodríguez, 1998; Aguilar, Graizbord y Sánchez Crispín, 1996). De esta manera se pueden captar mayores inversiones en equipamiento urbano, tales como la construcción de hospitales y escuelas de nivel medio superior y universidades. Estas inversiones externas a la región permitirán a los nuevos centros urbanos continuar consolidando y extendiendo su área de influencia. Para el lector interesado en el tema de los centros urbanos señalaremos que en Oaxaca las dos ciudades medias, Oaxaca ciudad capital y Tuxtepec, son también "ciudades mercado" se benefician y que se han beneficiado de las políticas públicas por su potencial económico. La ciudad de Oaxaca recibe además turistas nacionales y extranjeros, por lo que, su crecimiento no depende exclusivamente de su zona de influencia.

El papel de las remesas

Es necesario subrayar que los centros urbanos localizados en centros regionales de mercado continuarán creciendo si la producción de su zona de influencia también lo hace, pero sobre todo si se generan excedentes monetarios para adquirir bienes y servicios. En este sentido las remesas juegan un papel muy importante, ya que sostienen el consumo de las familias y financian, en muchos casos, la producción en las localidades de la zona de influencia.

Para concluir esta sección, es necesario agregar que en el caso de Oaxaca en general y de otros estados pobres como Guerrero, las localidades de la zona de influencia se caracterizan más bien como consumidoras que como productoras de excedentes. La producción de básicos en temporal apenas asegura la subsistencia de las familias y las artesanías proveen un ingreso monetario escaso en general. En cambio la migración aporta los ingresos necesarios para mantener el consumo, mejorar y sostener la producción, por lo que se convierte en el combustible del desarrollo regional que concentra sus beneficios en los centros urbanos. Sin embargo, no hay que olvidar los casos exitosos de producción de artesanías (Teotitlán) y manufacturas en pequeña escala (Silacayoapilla) que ofrecen una perspectiva alternativa de desarrollo regional con menos migración.

Mercados laborales regionales

Niños y mujeres: ¿Fuerza de trabajo improductiva?

Los niños empiezan a trabajar incluso antes de los 12 años, la edad mínima establecida por INEGI para convertirse en parte de población económicamente activa, como podemos ver en el cuadro 3. De hecho detectamos muchos casos de niños menores de 12 años de edad, quienes ya estaban ayudando a sus padres en actividades agrícolas y de traspatio, involucrados en la producción de artesanías o en el trabajo doméstico. Estos niños normalmente ayudan a sus padres antes o después de asistir a la escuela. Las mujeres combinan el trabajo doméstico con las actividades de traspatio, así también llevan la comida a sus esposos e hijos que trabajan en la milpa. Las mujeres, además de hacer trabajo doméstico, ayudan en la siembra, el desyerbe y la cosecha, por lo que, se convierten temporalmente en parte de la fuerza de trabajo de tiempo completo. En Teotitlán, Tindú, Silacayoapilla y Tlacotepec, las mujeres también hacen artesanías (textiles de lana, productos de palma y cerámica).

Estructura laboral

La estructura laboral se agrupó en 15 categorías para mostrar la participación de la fuerza laboral tanto en las actividades locales como en regionales. Como se esperaba la fuerza laboral está involucrada principalmente en la agricultura. Las actividades agrícolas incluyen agricultura campesina de temporal, agricultura comercial en pequeña escala, ganadería de traspatio y recolección de leña. En cuatro de las comunidades las artesanías son importantes. Los hogares de Teotitlán –una comunidad zapoteca a media hora por automóvil de la ciudad de Oaxaca– combina la agricultura campesina de temporal con la elaboración y venta de textiles.

Cuadro 3

EDAD PROMEDIO PARA INCORPORARSE AL TRABAJO

Localidad[12]	Número de casos	Media	Desviación estándar
El Trapiche	135	13.5	2.89
Santa Cruz	124	13.1	3.09
Silacayoapan	131	11.8	4.62
Silacayoapilla	104	12.5	3.35
Tlacotepec	130	11.6	3.53
Tindú	140	11.8	3.38
Teotitlán	134	12.3	3.54
Total	898	12.4	3.58

Fuente: Base de datos de la encuesta.

Los artesanos de Teotitlán lograron penetrar en el mercado global en la segunda mitad del siglo XX; reorientaron su producción de sarapes hechos en telares de pedal para el mercado regional hacia los turistas, quienes empezaron a comprar sus textiles como tapetes originales. Esto fue posible conforme la carretera Panamericana alcanzó la ciudad de Oaxaca y trajo turistas a los valles centrales, especialmente a las ruinas prehispánicas de Monte Albán y Mitla.

Silacayoapilla, una comunidad mixteca, produce artesanías de barro (cerámica) y manufacturas de barro en pequeña escala (ladrillo y varios tipos de tejas). Estos productos se venden en la ciudad de Huajuapan a 20 minutos por automóvil. Silacayoapilla, como El Trapiche, Tlacotepec y Teotitlán, toman ventaja de los mercados laborales urbanos cercanos para colocar parte de su fuerza de trabajo. Por esta razón la encuesta detectó dentro de la estructura laboral oficios típicamente urbanos tales como técnicos, empleados en tiendas, sirvientas, trabajadores de cuello blanco y profesionistas (véase cuadro 4).

Tlacotepec y Tindú producen artesanías de palma muy baratas para los mercados de Huajuapan y Juxtlahuaca, respectivamente. Los artesanos en estas dos comunidades son campesinos y emigrantes. Los artículos de palma producen poco dinero para las familias mientras que la agricultura campesina de

[12] Los nombres oficiales de estas localidades son respectivamente: El Trapiche (agencia municipal de Santa Cruz Mixtepec, distrito de Zimatlán), Santa Cruz Mixtepec (agencia municipal de San Juan Mixtepec, distrito de Juxtlahuaca), Silacayoapan (cabecera distrital), San Jerónimo Silacayoapilla, San Miguel Tlacotepec, Santa María Tindú (agencia municipal de Tezoatlán de Segura y Luna) y Teotitlán del Valle.

Cuadro 4

ESTRUCTURA LABORAL DE LAS SIETE LOCALIDADES

	Frecuencia	Porcentaje
1. Trabajadores agrícolas	271	53.0
2. Artesanos	79	15.5
3. Obreros no calificados	58	11.4
4. Técnicos	21	4.1
5. Comerciantes	20	3.9
6. Sirvientas(es)	14	2.7
7. Empleados en las tiendas	9	1.8
8. Trabajadores de cuello blanco	10	2.0
9. Trabajadores no calificados en pequeños negocios (normalmente en el sector informal)	5	1.0
10. Trabajadores de los servicios públicos	5	1.0
11. Trabajadores del transporte y operadores de maquinaria	5	1.0
12. Profesionales (profesionistas)	4	0.8
13. Trabajadores en el sector educativo	4	0.8
14. Trabajadores del arte	4	0.8
15. Funcionarios y gerentes	2	0.4
Total	511	100.0

Fuente: Base de datos de la encuesta.

temporal proporciona los alimentos básicos: maíz y frijol. En realidad, las remesas han sido la fuente principal del ingreso monetario desde el inicio del Programa Bracero.

Tlacotepec se localiza sobre carretera pavimentada (véase mapa), por lo que, sus habitantes pueden ir a Juxtlahuaca a comprar y a vender; Tindú, sin embargo, se encuentra a 80 kilómetros de Huajuapan y de esta distancia 60 kilómetros son de terracería. Un efecto negativo de la carretera pavimentada sobre Tlacotepec fue la pérdida de su mercado local, debido a la fuerte influencia del mercado de Juxtlahuaca. Ahora Tlacotepec es más dependiente de Juxtlahuaca que antes de que la carretera se construyera y recurre a las remesas para mantener su nivel de consumo. El relativo aislamiento de Tindú ha permitido el surgimiento de varias misceláneas. No obstante la gente gasta gran parte de su ingreso monetario en Huajuapan, en donde cobran sus remesas.

Además de la agricultura campesina de temporal tres comunidades poseen terrenos de riego y cultivan hortalizas y alfalfa. El Trapiche es una localidad recientemente creada, como resultado de un movimiento agrario en la segunda mitad de los setenta. Este fue un movimiento casi pacífico que concluyó con la distribución de la tierra irrigada perteneciente a una hacienda entre los peones. Un efecto resultante sin precedente en los valles centrales fue la creación de unidades de producción. En estas unidades la gente pasó de ser campesinos sin tierras a pequeños agricultores con terrenos de riego. Los problemas actuales son esos de una comunidad en formación, tales como falta de confianza en sí mismos, falta de identidad comunitaria y falta de acuerdo político. Es decir, la gente no tiene mucha conciencia de su potencial económico y de su nuevo estatus. Los agricultores tienen recursos (tierra, sistemas de riego y financiamiento para proyectos productivos) pero aún se sienten pobres. Habría que agregar el hecho que el líder agrario que estuvo al frente del reparto agrario se ha convertido en un cacique que ejerce el control político de la comunidad y de sus recursos. Al menos mientras continúen existiendo las actuales condiciones políticas locales, se seguirá considerando a la emigración como una forma más segura de ganar dinero. En el otro extremo están Tindú y Santa Cruz Mixtepec, comunidades con una fuerte identidad mixteca y con escasez de tierra plana irrigada para el cultivo de hortalizas.

Una localidad que no sigue este patrón es Silacayoapan, localidad semiurbana que funciona como un centro administrativo y posee un pequeño mercado municipal. Antes de la Revolución mexicana Silacayoapan fue un importante centro regional de mercado en la región mixteca. Sin embargo, las modernas carreteras llegaron muy tarde para conectar a Silacayoapan con el estado de Puebla y la ciudad de México. Juxtlahuaca y Huajuapan con mercados emergentes se apoderaron de su zona de mercado.

El patrón de desarrollo regional actual en Oaxaca y una propuesta alternativa

En general los centros regionales de mercado constituyen el embrión de los nuevos centros urbanos en las ocho regiones de Oaxaca y su crecimiento depende, en gran medida, de la presencia de remesas procedentes de la migración en las localidades de su zona de influencia. Las remesas son usadas principalmente para mejorar el nivel de vida de los hogares con emigrantes y en menor proporción para la compra de insumos para pequeños negocios y la agricultura. Sin embargo, se debe aclarar que existen ciudades en Oaxaca cuyo origen es distinto al aquí descrito. Se trata de localidades que por su localización, recursos naturales y turísticos ubicados en su zona de influencia, el gobierno federal convirtió en polos de desarrollo mediante cuantiosas inversiones a lo largo del siglo XX (ciudad de Oaxaca, Salina Cruz y Tuxtepec). Otras localidades que han recibido atención más recientemente por sus recursos de playa son Bahías de Huatulco para el gran turismo y Puerto Escondido, como una opción turística más accesible a las clases medias y populares. Estas localidades compiten con las ciudades mercado de mayor éxito como son Juchitán y Huajuapan. No obstante, estos polos de desarrollo creados por el gobierno no siempre lograron integrarse a su zona de influencia, como aquellos centros de mercado que recibieron inversiones federales debido a las ventajas comparativas derivadas de su localización (ciudad de Oaxaca y Tuxtepec). Salina Cruz y Huatulco son buenos ejemplos, ya que ambos funcionan como mercados laborales regionales pero tienen una débil presencia como mercados regionales de bienes y servicios. Por esta razón los polos de desarrollo tienen menor capacidad para superar las crisis derivadas de los cambios de políticas económicas sexenales o de los vaivenes de la economía mundial.

En general las remesas alimentan el crecimiento de los centros regionales de mercado, los cuales gradualmente se convierten en pequeñas ciudades. En cambio son escasos los ejemplos de centros urbanos que combinan la captación de remesas con la comercialización de excedentes agrícolas importantes. En la mixteca se puede citar a Tlaxiaco y Nochixtlán, en los valles centrales a Zimatlán y la ciudad de Oaxaca. Otros casos dignos de mención que no fueron tratados en esta ponencia son Juchitán, Tehuantepec, Matías Romero y Ciudad Ixtepec en el istmo. Regionalmente estas ciudades satisfacen las necesidades de bienes y servicios, exceptuando varios municipios huaves y chontales de la costa que se encuentran integrados a Salina Cruz.

Los polos de desarrollo constituyen casos aislados que son el resultado de las inversiones federales por casi un siglo (ciudad de Oaxaca, Salina Cruz y Tuxtepec). Así también las inversiones masivas en infraestructura turística en Bahías de Huatulco realizadas en el sexenio del presidente Miguel de la Madrid (1982-1988). La justificación de las inversiones federales en la ciudad de Oaxaca, en Bahías de Huatulco y Puerto Escondido ha sido la generación de divisas en la transición entre el modelo de desarrollo de estado y el modelo neoliberal. En la actualidad los centros urbanos que funcionan como centros regionales de mercado constituyen la principal fisonomía del desarrollo regional y se encuentran prácticamente al margen de los beneficios de las políticas nacionales de desarrollo.

Una propuesta alternativa de desarrollo regional[13]

Considerando como punto de partida el actual patrón de desarrollo regional, apoyado fuertemente en los centros regionales de mercado y en el flujo de re-

[13] Esta propuesta contiene en esencia los lineamientos del proyecto: "Estrategias de desarrollo para comunidades rurales indígenas en Oaxaca", 2002-2004, financiado por la Fundación Ford, grant number: 1025-1978.

mesas, es posible plantear un modelo de desarrollo que beneficie más a las localidades de las zonas de influencia. Un segundo elemento consiste en tratar de aprovechar la experiencia de los casos exitosos de actividades productivas que han permitido reducir la emigración. La propuesta establece que el flujo de remesas puede convertirse en una fuente de financiamiento para las actividades productivas locales. Asimismo, se puede aprovechar aún más la emigración como fuente de ingresos exportando artículos tradicionales a la población mexicana residente en los Estados Unidos y organizando el mercado de servicios para el turismo nostálgico y otros tipos de turismo. La población mexicana y de origen mexicano en los Estados Unidos está formada por más de 20 millones personas con poder adquisitivo y que demandan productos tradicionales mexicanos. Las estrategias para poner en práctica esta propuesta incluyen varias actividades agrupadas en tres etapas:

1. *Fortalecimiento de la producción local.* Los elementos clave para lograr este propósito son:

• *Crédito.* Las remesas internacionales rivalizan actualmente con los ingresos petroleros y con las divisas del turismo. Sin embargo, a diferencia del turismo y del petróleo cuyos beneficios se encuentran bien focalizados en los centros urbanos, las remesas se distribuyen ampliamente en las áreas rurales. Los microbancos y las cajas de ahorro constituyen mecanismos que podrían retener las remesas si se establecieran en las localidades de origen de los emigrantes. En particular, el modelo de microbancos de la Asociación Mexicana de Uniones de Crédito del Sector Social (AMUCSS, 2000) representa una buena opción para promover el desarrollo rural, ya que ofrece varios servicios (crédito, ahorro, envío de dinero y cambio de cheques del gobierno). Un microbanco local reduciría el costo para cobrar las remesas en los centros regionales de mercado (transporte y alimentos) y, en algunos casos, también el riesgo de perder las remesas en un asalto a mano armada. Pero sobre todo, un microbanco proporcionará el crédito necesario a bajo costo para financiar las actividades productivas.[14] Se ha demostrado que la escasez de crédito constituye una de las restricciones más serias que enfrenta el desarrollo rural en los países en vías de desarrollo (Taylor y Yúnez, 1999).

• *Asistencia técnica para la producción.* En casi todas las localidades existen actividades productivas que generan excedentes y que tienen cierto grado de rentabilidad (agricultura comercial en pequeña escala, artesanías, produc-

---

[14]El interés mensual del crédito a través de un agiotista está entre 10 y 25 por ciento, mientras que los microbancos cobran cuando más 2.6 por ciento de interés mensual.

ción de traspatio, manufacturas en pequeña escala, fruticultura). Normalmente los productores necesitan asistencia técnica para incrementar sus niveles de producción o para mejorar la calidad de sus productos. Un incremento en la producción requiere tanto asistencia técnica como crédito. Una mejora en la calidad de los productos aumentará la competitividad de los productores locales y permitirá colocar una mayor cuota de productos en el mercado local y regional.

• *Comercialización*. Desafortunadamente los problemas del desarrollo rural no se reducen a la producción de excedentes para el mercado. Los productores tienen que alcanzar los mercados y asegurar buenos precios para sus productos. Sin embargo, la comercialización de excedentes requiere de organización, planeación y financiamiento. Al final, en una economía de mercado el desarrollo rural va descansar en el éxito que se tenga en la fase de comercialización de los productos. En muchos casos, las artesanías y los productos agrícolas tienen bajos precios debido a la intermediación. Al respecto, los artículos de palma y lana presentan este problema. Los tapetes de Santa Ana del Valle, Díaz Ordaz y San Miguel del Valle en los valles centrales no siempre llegan directamente al consumidor sino principalmente a través de la intermediación de Teotitlán, localidad con una amplia tradición en la comercialización de tapetes. Así, un tapete se compra en Teotitlán al doble del precio que tendría en la localidad en donde se produjo, a unos cuantos kilómetros de distancia. Lo mismo ocurre con las artesanías de palma cuyo precio lo mantienen controlado a la baja los intermediarios en la mixteca. Una salida a este círculo vicioso es establecer canales propios de comercialización que eliminen a los intermediarios. Desde luego, una consecuencia directa de la eliminación de la intermediación será un aumento de precios para los productos y un aumento en las ganancias de los productores.

2. *Exportación de productos tradicionales*. Una vez que se hayan saturado los mercados local y regional, la siguiente fase del desarrollo rural puede ser la exportación de productos a otros estados y fuera del país. Se consideran dos ejemplos de productos exportables muy populares en Oaxaca.

• *Artesanías*. Algunas artesanías tradicionales –metates, molcajetes, molinillos, etcétera– tienen aceptación entre los emigrantes mexicanos radicados en los Estados Unidos. Otras artesanías han pasado de ser productos artesanales de consumo local y regional a productos decorativos del gusto nacional e internacional (tapetes, cerámica, máscaras, rebozos, vestidos tradicionales, alebrijes, etcétera). Éstos pueden colocarse tanto en Norteamérica como en Europa, en donde la gente nostálgica de sus raíces culturales perdidas, busca los vestigios culturales autóctonos del nuevo mundo. Contrario a las artesanías asiáticas baratas y de producción masiva, las artesanías oaxaqueñas son hechas a mano con el talento y sentimiento de campesinos indígenas.

• *Alimentos*. Los más de 20 millones de mexicanos e hijos de mexicanos radicados en los Estados Unidos, demandan alimentos tradicionales oaxaqueños como tlayudas, totopos, pan, queso, quesillo, chapulines, chocolate, etcétera.[15] Ahora los oaxaqueños tienen oportunidades de exportar sus productos tradicionales a sus propios paisanos radicados en los Estados Unidos. La experiencia de los países asiáticos se puede aprovechar en Oaxaca. La India, Vietnam, China y Corea, entre otros países, exportan productos tradicionales a los Estados Unidos y Europa para la población con sus raíces culturales.

3. Turismo nostálgico y ecológico. Los emigrantes oaxaqueños visitan su comunidad de origen durante la fiesta patronal y muchos permanecen por varias semanas. Aparte de enviar remesas hacen gastos durante su estancia en sus comunidades de origen. Es decir, se convierten técnicamente en turistas. Los hijos y los nietos de los emigrantes también visitan la comunidad de sus padres y abuelos. Entonces podemos hablar de un turismo nostálgico que se puede aprovechar como otra fuente de ingresos para las comunidades.

• *Fiestas patronales*. Ofrecen atractivos folclóricos, oportunidades de convivir con la gente y de sentirse parte de la comunidad. Todo esto tiene sentido para los turistas nostálgicos quienes seguramente continuarán llegando año con año a la fiesta patronal si se les proporciona atención y servicios durante su estancia. Los servicios adicionales pueden ser: baños públicos, folletos informativos, servicios de restaurante y alojamiento. Algunas casas de las comunidades pueden adaptarse como casas de huéspedes u hoteles para alojar a los migrantes y sus acompañantes. Así también, algunas fondas y puestos de tacos y tortas se pueden convertir en restaurantes típicos. El turismo nostálgico es bien aprovechado en Europa como fuente de ingresos. El norte de Gran Bretaña no sólo capta turismo nostálgico en las ciudades, sino también en las comunidades rurales aisladas de las tierras altas. Muchas viviendas han sido acondicionadas para ofrecer alojamiento con desayuno (*bead and breakfast*). Los gobiernos locales han creado los servi-

---

[15] Existen dos microempresarios oaxaqueños que exportan alrededor de una tonelada mensual de estos productos a la ciudad de Nueva York.

cios turísticos básicos (servicios de información, baños públicos, señalamientos en las carreteras) y el gobierno escocés –equivalente al gobierno estatal– se ha encargado de la promoción turística.

• *Turismo ecológico*. Los lugares de belleza escénica, los cerros, minas abandonadas, cuevas, ríos y bosques son los sitios utilizados para hacer turismo ecológico. Las comunidades pueden capacitar ciudadanos como guías para llevar a los turistas a hacer caminatas y recorridos en bicicleta, a acampar. En las comunidades que tienen gran diversidad biológica o que poseen una flora rica en endemismos, que en Oaxaca no son escasas, se puede pedir ayuda a los centros de investigación de la entidad para clasificar la flora y fauna. De esta manera se podrá ofrecer también turismo científico. El turismo ecológico en general es una opción que se promueve con cierto éxito en las comunidades de la región sierra norte.

Para concluir, se propone un proyecto de turismo rural dirigido a captar tanto turismo nostálgico como otros tipos de turismo (ecológico, de recreo, cultural) mediante la oferta de servicios y de los diferentes atractivos de las comunidades.

Migración, remesas y pobreza en Coahuila

Héctor Rodríguez Ramírez

LA MIGRACIÓN de mexicanos hacia los Estados Unidos es un fenómeno con una larga historia que ha venido adquiriendo proporciones masivas en décadas recientes, con singulares repercusiones socioeconómicas, políticas y culturales en ambos lados de la frontera. La gran mayoría de los flujos migratorios hacia el vecino del norte han provenido tradicionalmente del occidente y centro-norte de México, en particular de los estados de Jalisco, Michoacán, Guanajuato, Zacatecas, Durango, San Luis Potosí y, en menor medida, Colima y Aguascalientes.[1] Sin embargo, en los últimos años otras poblaciones se han sumado al flujo internacional, lo cual junto con los cambios registrados en el espectro ocupacional de los trabajadores mexicanos en los Estados Unidos, los cambios en los patrones migratorios tradicionales (en términos de edad, sexo, escolaridad, posición en el hogar, tiempo de estancia, etcétera) y el monto, usos e impactos de las remesas familiares, han venido a configurar un nuevo escenario de la migración internacional de mexicanos hacia los Estados Unidos.

En las últimas décadas los estudios sobre el fenómeno han producido información empírica valiosa y propuesto vetas teóricas de gran riqueza para su comprensión. No obstante esto, la diversificación y complejidad que ha venido registrando el flujo migratorio hacia el vecino del norte hacen necesario extender el análisis hacia nuevos espacios regionales, en los que las especificidades socioeconómicas, culturales y geográficas están determinando formas diversas de como se presenta el fenómeno.

Bajo este contexto, el propósito central de este trabajo es ofrecer un diagnóstico de la situación que presenta hoy en día la migración internacional de coahuilenses hacia los Estados Unidos. En particular se pretende valorar el fe-

---

[1] Jorge Durand caracteriza a estos estados como "la región histórica de la migración mexicana hacia los Estados Unidos". Para mayor detalle se puede consultar a Jorge, Durand. 1998. "¿Nuevas regiones migratorias?, en René M. Zenteno (coordinador), *Población, Desarrollo y Globalización*, México: Sociedad Mexicana de Demografía y El Colegio de la Frontera Norte, 104-106.

nómeno en tres vertientes: i) su importancia relativa dentro del contexto nacional; ii) su intensidad y dinámica, y iii) su trascendencia económica. La hipótesis central que guía el desarrollo de la presente investigación está orientada a demostrar que, si bien en términos cuantitativos la migración internacional de coahuilenses hacia los Estados Unidos no es tan significativa como en otras entidades del país, la funcionalidad económica del fenómeno es de suma trascendencia para el sostenimiento de las familias y la reducción de los niveles de pobreza.

La fuente principal de información estadística que se utiliza en esta investigación proviene de cálculos propios hechos sobre las bases de datos del Conteo General de Población y Vivienda de 1995 y el XII Censo General de Población y Vivienda del año 2000 del INEGI.

El trabajo se encuentra estructurado en cuatro secciones además de esta introducción y unas reflexiones finales. La primera de ellas presenta un panorama general de la situación actual que guarda la migración de mexicanos hacia los Estados Unidos; la segunda sección ubica la importancia relativa que tiene Coahuila en el flujo de connacionales hacia el vecino del norte; la tercera sección trata de mostrar el perfil del migrante coahuilense y su localización espacial dentro de la entidad. Finalmente, la última sección dimensiona la importancia económica que tiene la migración internacional hacia los Estados Unidos, tanto en el plano nacional como a nivel local y familiar.

La migración mexicana hacia los Estados Unidos

La migración de personas entre países es uno de los grandes fenómenos globales de nuestros días. Ningún país ni región del mundo escapa a la dinámica de las migraciones o puede mantenerse ajeno a sus consecuencias. La mayoría de los movimientos migratorios se debe a la búsqueda de mejores condiciones de vida, y su dinámica es favorecida por complejos factores estructurales como las asimetrías económicas entre las naciones, la creciente interdependencia económica y las intensas relaciones e intercambios entre los países.

De manera particular, la migración de mexicanos hacia la Unión Americana constituye un proceso, con una prolongada tradición histórica que data desde finales del siglo antepasado, con raíces estructurales y coyunturales que le han impreso sellos particulares a lo largo de la historia. Factores diversos tales como la vecindad geográfica, los acuerdos migratorios, las voluntades políticas de ambas naciones, la evolución económica de los Estados Unidos y el difícil contexto económico de nuestro país, han nutrido las distintas intensidades y orientaciones del fenómeno.

Sin embargo, en las últimas décadas se ha hecho cada vez más evidente que la migración mexicana hacia Estados Unidos es, en esencia, un fenómeno laboral que ha estado potenciado por: i) el intenso ritmo de crecimiento demográfico de la población mexicana en edad laboral y la insuficiente dinámica de la economía nacional para ofrecer un trabajo digno y bien remunerado; ii) la persistente demanda de mano de obra mexicana en los sectores agrícola, industrial y de servicios en la Unión Americana; iii) el considerable diferencial salarial entre ambas economías; y iv) la tradición migratoria (redes de migración) hacia el vecino país del norte, conformada desde el siglo XIX y sobre todo durante el siglo pasado, en muy diversas regiones del país.

Las estimaciones más recientes sobre la magnitud del fenómeno revelan que:

• en el año 2000 había 8.5 millones de personas nacidas en México residiendo de manera autorizada o no autorizada en Estados Unidos (Conapo, 2000), cifra equivalente a más de 8 por ciento de la población total de México y tres por ciento de la de aquel país;[2]
• el número de mexicanos que se fueron a vivir a los Estados Unidos entre 1990 y el año 2000 fue de casi 3.4 millones de personas; es decir, a lo largo de la década de los años noventa en promedio 340,000 mexicanos por año decidieron establecer su residencia en aquel país;[3] y
• de la cantidad anterior sólo el 19.5 por ciento retornó a nuestro país (sojourners); en tanto que el 80.5 restante estableció su residencia permanente (settlers) en Estados Unidos.

Más allá de estas cifras, que de suyo ponen de relieve la magnitud alcanzada por el fenómeno de la migración internacional, hay una serie de cambios cualitativos que han venido a modificar la imagen tradicional de los emigrantes mexicanos, vigente hasta los años sesenta. Por aquellos años, el citado proceso se caracterizaba por ser un flujo predominante circular (de ida y vuelta), compuesto por adultos y jóvenes de origen rural que procedían de siete u ocho entidades federativas del país, cuya principal ocupación en el mercado laboral norteamericano era la de trabajadores agrícolas. Todo este proceso derivaba en una migración de carácter temporal con estancias entre seis y siete meses (Escobar, Bean y Weintraub, 1999: 29).

[2] Para dar una idea del crecimiento que ha tenido la migración internacional mexicana en este rubro, es importante anotar que en 1998 la cifra de connacionales residentes en Estados Unidos era de 6.4 millones. Para mayor detalle puede consultarse a Rodolfo Corona y R. Tuirán. "Tamaño y características de la población mexicana en edad ciudadana residente en el país y en el extranjero durante la jornada electoral del año 2000", en IFE (1998), *Informe Final de la Comisión de Especialistas que Estudia las Modalidades del Voto de los Mexicanos Residentes en el Extranjero*, México, Instituto Federal Electoral, Anexo I, Subcomisión Sociodemográfica, cuadro 2-4.

[3] Cálculos propios con datos del Conteo General de Población y Vivienda y el XII Censo General de Población y Vivienda publicados por INEGI.

Por el contrario, el flujo migratorio actual manifiesta un patrón más complejo y heterogéneo (Delgado y Rodríguez, 2002: 374):

1o. una estancia más larga de los migrantes en el vecino país del norte o bien en el establecimiento de su residencia permanente en Estados Unidos, lo que evidencia el desgaste del patrón circular de la migración;

2o. una creciente diversificación regional del flujo que se ha extendido más allá de las entidades tradicionales de emigración.[4] Actualmente se originan cuantiosas corrientes migratorias en entidades que en el pasado no se contaban entre las de tradición migratoria, como Morelos, Puebla, Hidalgo, el Estado de México y el Distrito Federal;

3o. una cada vez más notoria presencia de los migrantes procedentes de las zonas urbanas; y

4o. una mayor diversificación ocupacional y sectorial de los migrantes, tanto en México como en Estados Unidos. En la actualidad los migrantes que desempeñan una ocupación agrícola ya no son mayoría ni en su lugar de origen ni en el de destino.

Coahuila en el contexto de la migración internacional mexicana hacia los Estados Unidos

Para poder entender la migración de coahuilenses hacia los Estados Unidos y ubicar en su justa dimensión la importancia del fenómeno dentro del concierto nacional, es necesario delinear algunos indicadores macroeconómicos y sociales básicos que permitan valorar las condiciones estructurales de la entidad y el contexto en el cual se desarrolla la emigración hacia el vecino del norte. Hay cuatro datos socioeconómicos, que resultan ser de gran trascendencia a este respecto:

Primero, a diferencia de las tendencias oscilantes que caracterizaron el desempeño de la economía mexicana a lo largo de la década pasada, Coahuila se situó como una de las entidades más sólidas y estables en términos de su crecimiento económico. Las estadísticas oficiales publicadas por el INEGI revelan que entre 1993 y el año 2000, el crecimiento del PIB de la entidad fue del orden del 5.3 por ciento promedio anual contra el 3.9 por ciento registrado en el plano nacional; destacando de manera singular, la dinámica mostrada por la industria manufacturera, transporte comunicaciones y, el sector de electricidad, gas y agua.

Segundo, entre 1990 y el año 2000 el número de ocupaciones generadas en el estado fue de casi 260,000 nuevas plazas, similar a una tasa de generación de empleos del orden del 4.4 por ciento anual, dato que superó con poco más del

---

[4] Esto no significa que en dichas áreas tendió a disminuir el flujo, sino que se incrementó en otras.

doble al registrado por el de la población en edad activa, pues su tasa de crecimiento se ubicó en el orden del 1.9 por ciento de crecimiento promedio anual durante el citado periodo.

Tercero, en términos de hogares pobres Coahuila se caracteriza por reflejar un promedio inferior al nacional. Cálculos propios, con datos derivados de la base de datos del XII Censo General de Población y Vivienda del año 2000 y a través del método de línea de pobreza, revelan que para ese año la entidad concentraba un 55.6 por ciento de hogares en esa situación contra el 66.4 del entorno nacional.

Y cuarto, el Índice de Desarrollo Humano,[5] refleja que la entidad ocupa la tercera mejor posición de bienestar socioeconómico dentro del plano nacional, sólo superada por el Distrito Federal y Nuevo León.

De manera particular los datos estadísticos referentes al proceso migratorio permiten señalar los siguientes aspectos:

• A lo largo de la década pasada poco más de 44,000 coahuilenses se integraron al flujo de connacionales hacia los Estados Unidos, ya sea en forma permanente o temporal. Este dato es equivalente al 1.3 por ciento del total nacional.

• En Coahuila sólo el 3.6 por ciento del total de hogares contó con la participación de al menos un migrante hacia el vecino del norte en el periodo de referencia. Esta cifra, que se encuentra un 50 por ciento por abajo del promedio nacional, ubica a la entidad como uno de los estados con mediana incidencia dentro del concierto de la migración internacional de mexicanos hacia los Estados Unidos.

• Aunque sea en términos poco significativos, el fenómeno de la migración internacional dentro del estado ha venido adquiriendo un mayor dinamismo. La comparación entre lo acontecido en los años 1990-1995 y 1995-2000 permite observar que, tanto por el número de migrantes como por el número de hogares con esa característica, la entidad muestra una mayor intensidad migratoria a lo largo del segundo periodo.

[5] El Índice de Desarrollo Humano IDH es un valioso instrumento de comparación de las condiciones básicas de vida entre distintas regiones. En esencia, se trata de un indicador compuesto que combina: i) la longevidad (medida mediante la esperanza de vida al nacer); ii) el logro educacional (a través de la alfabetización de adultos y la matrícula combinada de varios niveles educativos); y iii) el nivel de vida, mediante el PIB per cápita anual ajustado (paridad del poder adquisitivo en dólares), lo que permite de manera sintética conocer qué región se encuentra en mejor o peor situación socioeconómica. Al incluir los logros en los tres campos indicados, el IDH ha logrado abrir el abanico de indicadores que pueden utilizarse en la medición del desarrollo, al tiempo que busca medir el progreso socioeconómico de casi todos los países del mundo a través de unos cuantos indicadores suficientemente homogéneos y relativamente universales. Para mayor detalle al respecto puede consultarse la página electrónica del Consejo Nacional de Población: http://www.conapo. gob.mx/publicaciones/

CUADRO 1

COAHUILA EN EL CONTEXTO DE LA MIGRACIÓN INTERNACIONAL
MEXICANA HACIA LOS ESTADOS UNIDOS, 1990-2000

Entidad federativa	Porcentaje de hogares que tuvieron al menos un integrante de la familia que se fue a vivir a los Estados Unidos		Migrantes hacia los Estados Unidos (Temporales y permanentes)	
	Entre 1990 y 1995	Entre 1995 y 2000	Entre 1990 y 1995	Entre 1995 y 2000
Aguascalientes	10.4	8.2	25,802	22,353
Baja California	4.4	2.9	28,407	23,748
Baja California Sur	2.1	1.7	2,250	2,484
Campeche	0.7	1.1	1,757	2,344
Coahuila	3.2	4.2	21,905	22,482
Colima	10.7	7.2	16,446	13,028
Chiapas	0.7	1.0	6,495	10,057
Chihuahua	8.8	4.8	81,435	50,430
Distrito Federal	1.4	2.7	45,753	75,782
Durango	12.7	9.1	55,408	42,728
Guanajuato	18.1	12.3	209,208	165,910
Guerrero	9.7	7.7	81,255	73,261
Hidalgo	6.1	8.8	35,414	61,629
Jalisco	12.1	8.5	203,825	172,310
México	3.7	3.5	123,104	135,543
Michoacán	16.8	13.4	205,036	166,080
Morelos	8.5	9.1	42,583	45,949
Nayarit	13.2	8.9	35,943	25,583
Nuevo León	5.4	2.8	55,794	35,423
Oaxaca	4.7	5.3	42,791	54,810
Puebla	5.4	4.8	72,189	72,240
Querétaro	6.5	6.7	20,537	25,925
Quintana Roo	1.2	1.2	2,261	3,283
San Luis Potosí	11.2	8.7	67,517	61,533
Sinaloa	5.4	4.4	38,025	33,797
Sonora	3.1	2.0	19,851	14,208
Tabasco	0.4	0.8	1,937	3,993
Tamaulipas	6.2	3.7	47,424	32,998
Tlaxcala	2.5	3.6	6,039	9,253
Veracruz	2.8	3.8	56,565	80,872
Yucatán	1.4	1.4	5,961	6,225
Zacatecas	21.6	23.3	66,207	93,348
República Mexicana	6.4	5.3	1'752,265	1'612,468

Fuente: Cálculos propios con información proveniente de las bases de datos del Conteo General de Población y Vivienda, 1995 y del XII Censo General de Población y Vivienda, 2000, México, INEGI.

Más allá de estas cifras, que de suyo sirven para ubicar a la entidad en el contexto de la migración internacional, revelan de igual forma la ya secular relación migratoria entre ambos países, configurada por tendencias de marcada continuidad, pero también de significativas fuerzas de cambio; tal es el hecho de la creciente diversificación regional del flujo. Como se observa en los datos del cuadro 1, el origen geográfico de los migrantes se ha extendido más allá de las entidades tradicionales de emigración y actualmente estados como Puebla, Hidalgo, Estado de México, Chihuahua, Distrito Federal y Morelos –por mencionar algunos–, participan con cuantiosas corrientes migratorias al vecino país.

Esto no significa que el flujo en las entidades tradicionales haya disminuido, sino por el contrario, con las tendencias recientes se hace más evidente su histórica vocación migratoria. Por ejemplo, los estados que tradicionalmente se han caracterizado por ser fuertes expulsores de población hacia los Estados Unidos, concentran los más altos porcentajes de hogares con migrantes (pueden verse los ejemplos de Aguascalientes, San Luis Potosí, Jalisco, Durango, Nayarit, Michoacán, Guanajuato y Zacatecas).

Rasgos distintivos de la migración internacional en Coahuila

En los últimos años, uno de los aspectos más evidentes que ha caracterizado a la migración de mexicanos hacia los Estados Unidos es la modificación de su "tradicional patrón migratorio" hacia otro, más complejo y heterogéneo (con volúmenes cuantiosos y crecientes), cuyos rasgos centrales son: *a*) el desgaste del patrón circular migratorio que se expresa en estancias más largas de los migrantes en el vecino país del norte; *b*) la decisión de un número cada vez más significativo de mexicanos por establecer su residencia permanente en los Estados Unidos; *c*) la creciente diversificación geográfica del lugar de origen de los migrantes, así como de sus características socioeconómicas; y *d*) una presencia cada vez más notoria de la mujer en el flujo migratorio (Conapo, 2000: 194-196).

Los datos estadísticos derivados tanto del Conteo de Población y Vivienda de 1995 como del XII Censo General de Población y Vivienda del año 2000 permiten derivar importantes referencias empíricas con relación a lo antes descrito:[6]

---

[6] Las cifras que se presentan a continuación son cálculos propios derivados de las bases de datos de las fuentes antes señaladas.

• a nivel nacional, de los 1.7 millones de mexicanos que emigraron hacia los Estados Unidos entre los años de 1990 y 1995, el 21.5 por ciento lo hizo de forma temporal, mientras que en el periodo 1995-2000 ese porcentaje fue de sólo 17.4 por ciento;

• la mujer ha venido ganando terreno en el flujo migratorio, pues en el primer periodo (1990-1995) representó el 25.6 por ciento del total de desplazamientos, en tanto que para los años comprendidos entre 1995 y 2000 participó con poco más del 30 por ciento;

• en 1995 tan sólo seis entidades del país: Guanajuato, Michoacán, Jalisco, San Luis Potosí, Zacatecas y Durango, concentraban el 56.5 por ciento del total de los migrantes hacia los Estados Unidos. Para el año 2000 estas mismas entidades agrupaban solamente al 46.1 por ciento del flujo migratorio;

• el tiempo de estancia en los Estados Unidos de los migrantes de retorno se ha incrementado significativamente: hacia 1995, el promedio de estancia de los migrantes en el vecino del norte era 13 meses; mientras que para el año 2000 este indicador alcanzaba la cifra de 15 meses.

En el contorno estatal hay algunos rasgos que le dan el sello distintivo a la migración de coahuilenses hacia los Estados Unidos y que, sin duda alguna, marcan algunas divergencias y convergencias respecto al patrón migratorio en el ámbito nacional.

Espacialmente la migración estatal hacia el vecino del norte es un proceso que se encuentra concentrado en el área centro-norte del estado y en una pequeña área ubicada al suroeste de la entidad. La primera región, integrada por los municipios de Escobedo, Abasolo, Juárez, Progreso, Sabinas, Villa Unión, Nava, Morelos, Múzquiz, Acuña, Jiménez, San Buenaventura, Piedras Negras, Castaños, Zaragoza, Monclova y San Juan de Sabinas, se caracteriza por presentar la mayor intensidad del fenómeno migratorio, pues el porcentaje de hogares con migrantes entre 1995 y 2000 oscila entre el 5.3 y 29.8 por ciento.

Incluso, los cuatro primeros municipios manifiestan un patrón muy similar al de las entidades con mayor tradición migratoria, como son Zacatecas, Guanajuato, Michoacán, Jalisco o Durango.

Desde una perspectiva económica esta zona de alta intensidad migratoria se caracteriza por mostrar una alta vocación hacia las actividades industriales. Dos datos son relevantes al respecto. Primero, para el año 2000, del total de la población ocupada en esta región el 4.6 por ciento laboraba en el sector agropecuario; el 48.7 en el industrial y el 46.7 en los servicios. Estos datos marcan algunas diferencias con el contexto estatal, pues la distribución porcentual de

CUADRO 2

LOCALIZACIÓN GEOGRÁFICA DE LA MIGRACIÓN
INTERNACIONAL EN COAHUILA, 2000

Municipio	Porcentaje de hogares con al menos un migrante hacia los EstadosUnidos entre 1995 y 2000	Migrantes hacia los Estados Unidos entre 1995 y 2000
1 Abasolo	28.1	94
2 Acuña	7.0	1,806
3 Allende	4.3	218
4 Arteaga	0.5	23
5 Candela	1.5	7
6 Castaños	5.8	299
7 Cuatro Ciénegas	1.8	48
8 Escobedo	29.8	202
9 Francisco I. Madero	3.1	334
10 Frontera	3.8	605
11 General Cepeda	2.4	65
12 Guerrero	5.1	22
13 Hidalgo	0.7	2
14 Jiménez	6.8	130
15 Juárez	16.1	65
16 Lamadrid	4.5	17
17 Matamoros	6.0	1,199
18 Monclova	5.3	2,553
19 Morelos	7.3	132
20 Múzquiz	7.1	1,112
21 Nadadores	0.9	13
22 Nava	7.7	409
23 Ocampo	2.6	72
24 Parras	0.3	26
25 Piedras Negras	5.9	1,875
26 Progreso	13.6	137
27 Ramos Arizpe	1.4	132
28 Sabinas	9.4	1,238
29 Sacramento	1.4	7
30 Saltillo	1.8	2,333
31 San Buenaventura	6.5	342
32 San Juan de Sabinas	5.3	526
33 San Pedro	7.2	1,417
34 Sierra Mojada	4.0	59
35 Torreón	3.7	4,571
36 Viesca	2.0	85
37 Villa Unión	8.2	133
38 Zaragoza	5.8	174
Estado de Coahuila	4.2	22,482

Fuente: Cálculos propios con información proveniente de la base de datos del XII Censo General de Población y Vivienda, 2000, México, INEGI.

la población ocupada en términos de los sectores agropecuario, industrial y de servicios es de 6.1, 41.4 y 52.5 por ciento, respectivamente.[7] Y segundo, la región se distingue por concentrar un alto número de unidades económicas dedicadas a la producción industrial, destacando de manera especial el acero, el carbón y las empresas maquiladoras.

A manera de hipótesis –dado que este trabajo es una primera aproximación al fenómeno de la migración de coahuilenses hacia los Estados Unidos y como tal genera más dudas que respuestas– puede señalarse que aunque parezca contradictorio, es quizá esta misma estructura económica (o más bien su dinámica) la que esté influyendo en el intenso flujo migratorio que registra la zona. Cabe recordar que, si bien la migración de mexicanos a Estados Unidos es un proceso dinámico en el que interactúan una diversidad de factores históricos, económicos, sociales y culturales, los que actualmente ejercen una mayor influencia en la corriente migratoria son los factores de demanda-atracción en Estados Unidos, los factores de oferta-expulsión en México y, en menor medida, las redes sociales y familiares que vinculan la oferta y la demanda. Dentro de estos aspectos destaca de manera particular la dinámica y calidad del empleo, tanto en términos de retribución salarial, como de prestaciones sociales y estabilidad laboral.

En este sentido, no es de dudarse que la difícil situación económica por la que atraviesan desde hace ya varios años las industrias del acero y del carbón –en términos de recorte de personal, mutilación de prestaciones sociales, disminución e incluso estancamiento en el ritmo de crecimiento de la actividad–, se haya convertido en catalizador del fenómeno migratorio hacia los Estados Unidos.

Por su parte, la segunda región de alta intensidad migratoria –localizada en el suroeste del estado– comprende los municipios de San Pedro y Matamoros, cuyo rasgo central distintivo es su alta orientación económica hacia las actividades agropecuarias. Para el año 2000 el 20 por ciento de la población ocupada lo hacía en el sector agropecuario; este porcentaje es tres veces mayor que el registrado por el contexto estatal. De igual forma que en el caso de la región anterior, se puede considerar como hipótesis que la difícil situación por la que atraviesa el campo mexicano, producto de múltiples factores tales como los cambios climáticos, la indiscriminada apertura comercial, la descapitalización del sector, los escasos apoyos oficiales y la escasa dinámica en la generación de empleos en este tipo de zonas, son elementos que pueden estar influyendo en la intensidad del fenómeno migratorio.

[7] Cálculos propios con datos del XII Censo General de Población y Vivienda del año 2000, México, INEGI.

MAPA 1

LOCALIZACIÓN GEOGRÁFICA DE LAS ZONAS MÁS IMPORTANTES
DE MIGRACIÓN HACIA LOS ESTADOS UNIDOS

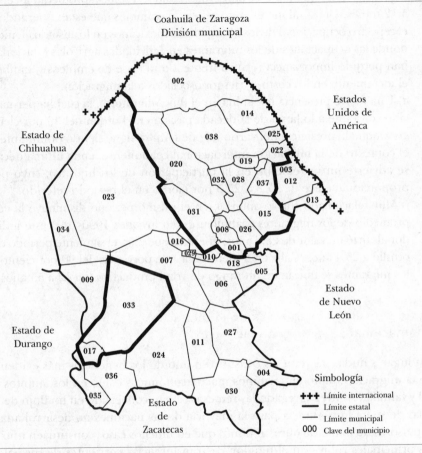

Coahuila de Zaragoza
División municipal

Fuente: Cálculos propios con información proveniente de la base de datos del XII Censo General de Población y Vivienda, 2000, INEGI.

Al analizar los rasgos que configuran el patrón migratorio internacional de los coahuilenses hacia los Estados Unidos, destacan los seis siguientes aspectos:

a) Una presencia creciente y mayoritaria de la emigración permanente. Para 1995 ésta representó el 67.6 por ciento del total de los flujos y para el año 2000 se ubicó en el 73.2 por ciento.

b) Aunque la emigración temporal representa un menor flujo, sus valores se encuentran por encima del promedio nacional.

c) Al igual que en el panorama nacional, los tiempos de estancia de los migrantes temporales han venido incrementándose: durante el periodo 1990-1995 un migrante temporal duraba en promedio en los Estados Unidos ocho meses, en tanto que para los años 1995-2000 su estancia promedio ascendió a 12 meses. Quizá tal incremento refleja los cambios que están operando en el espectro ocupacional de los trabajadores mexicanos en los Estados Unidos, donde las ocupaciones de los migrantes en actividades agrícolas estacionales han perdido importancia relativa frente a otra clase de empleos y, también, el incremento en los costos y riesgos asociados a la migración.

d) Una fuerte presencia femenina en el flujo migratorio, la cual ha permanecido constante a lo largo de la década pasada en el orden del 30 por ciento.

e) Aunque la presencia del varón jefe de familia sigue siendo dominante en el contexto de la migración internacional coahuilense, en la última década se advierte un incremento en la participación de los hijos(as), cuyo peso proporcional crece de 17.3 a 25.5 por ciento en el periodo referido.

f) Muy relacionado con lo anterior, en el mismo periodo disminuye la edad promedio de los migrantes coahuilenses: en los años 1990-1995 este indicador alcanzó un valor de 28.6 años, mientras que para el siguiente periodo descendió a 25.4 años. Cabe aquí mencionar que poco más del 90 por ciento de los migrantes se ubican en un rango de edad productivo (de 12 a 55 años).[8]

La funcionalidad económica de la migración internacional para los coahuilenses

Sin lugar a dudas las remesas constituyen uno de los beneficios más evidentes de la migración, tanto en términos macroeconómicos como en los ámbitos local y familiar. A nivel agregado las remesas se han convertido en un flujo de divisas de suma importancia para la mayoría de las naciones no desarrolladas y expulsoras de mano de obra, al punto que en muchos casos constituyen uno de los principales rubros en el renglón de transferencias corrientes de sus balanzas de pagos (Durand, Parrado y Massey, 1996).

En el caso particular de nuestro país, en correspondencia con la intensidad que acusa la migración internacional, el flujo de divisas que generan las remesas provenientes de los Estados Unidos ha venido creciendo con singular dinamismo. En 2001 este flujo de divisas alcanzó un máximo histórico de 8,723 millones de dólares (véase cuadro 3). No está por demás agregar que México sobresale, con mucho, como el principal país receptor de remesas familiares en América La-

---

[8] Los datos para el contexto nacional reflejan que el promedio de edad de los migrantes descendió de 25.4 a 25.1 entre 1995 y 2000.

tina y el segundo a nivel mundial, después de la India (Lozano, 2000: 160-161; Torres, 1998: 7-8).

Más aún, a decir por las cifras correspondientes a los dos primeros trimestres de 2002, se estima que las remesas alcancen un monto cercano a los 10,000 millones de dólares al cierre de este año. Con ello, la exportación de fuerza de trabajo logra situarse como la segunda fuente neta de divisas en importancia del país, con una contribución a la balanza de pagos muy superior a la correspondiente al turismo. Más todavía, tomando en consideración su curso tendencial, las remesas se muestran como la fuente de divisas que registra el crecimiento más consistente a lo largo de la década de los noventa. En contraste con otros rubros de exportación, en el caso de las remesas –donde la mercancía que se vende es directamente la fuerza de trabajo– se evidencia la absoluta incapacidad estructural del aparato productivo nacional para generar empleo (Delgado y Rodríguez, 2002).

CUADRO 3

IMPORTANCIA DE LAS REMESAS EN LA GENERACIÓN DE DIVISAS
(Millones de dólares)

Año	Sector de origen			
	Remesas	Turismo	Petróleo	Agropecuario
1991	2,660	4,340	8,166	2,373
1992	3,070	4,471	8,307	2,112
1993	3,333	4,564	7,418	2,504
1994	3,475	4,855	7,445	2,678
1995	3,673	4,688	8,423	4,016
1996	4,224	5,287	11,654	3,592
1997	4,865	5,748	11,323	3,828
1998	5,627	6,038	7,134	3,796
1999	5,910	5,907	9,920	4,144
2000	6,572	5,816	16,382	4,217
2001	8,723	5,941	12,798	3,903

Fuente: Elaborado con datos del Informe Anual del Banco de México, México, 2002 e INEGI, Indicadores económicos, México, 2001.

Este punto se refuerza al considerar el trabajo de Philip Martin (2001: 23), quien señala que para el año 2000 laboraban en Estados Unidos entre cuatro y cinco millones de mexicanos; cifra equivalente a una tercera parte de los trabajadores empleados en el sector formal del país (según los registros del Instituto Mexicano del Seguro Social) o una quinta parte del total de la población asa-

CUADRO 4

COAHUILA: HOGARES QUE RECIBEN REMESAS[9]

Municipio	Porcentaje de hogares que reciben remesas*	Promedio individual del envío (mensual y en dólares)**
1 Abasolo	22.1	192
2 Acuña	4.8	251
3 Allende	4.6	292
4 Arteaga	0.7	36
5 Candela	4.4	214
6 Castaños	3.7	248
7 Cuatro Ciénegas	2.6	643
8 Escobedo	15.8	223
9 Francisco I. Madero	3.8	149
10 Frontera	1.9	222
11 General Cepeda	1.4	93
12 Guerrero	5.5	176
13 Hidalgo	3.6	103
14 Jiménez	9.1	296
15 Juárez	15.9	352
16 Lamadrid	5.2	255
17 Matamoros	4.4	214
18 Monclova	2.2	236
19 Morelos	5.0	216
20 Múzquiz	7.0	236
21 Nadadores	2.7	103
22 Nava	2.6	284
23 Ocampo	3.1	137
24 Parras	0.5	423
25 Piedras Negras	5.0	182
26 Progreso	10.6	488
27 Ramos Arizpe	0.6	206
28 Sabinas	10.1	278
29 Sacramento	2.4	152
30 Saltillo	1.0	246
31 San Buenaventura	3.5	166
32 San Juan de Sabinas	6.2	262
33 San Pedro	5.3	124
34 Sierra Mojada	1.3	157
35 Torreón	3.1	238
36 Viesca	2.7	128
37 Villa Unión	10.0	171
38 Zaragoza	5.5	135
Estado de Coahuila	3.1	227

Fuente: Cálculos propios con información proveniente de la base de datos del XII Censo General de Población y Vivienda, 2000. México, INEGI. Nota: El total de hogares que reciben remesas en el estado es de 16,813.

*La información se refiere de febrero de 1999 a febrero de 2000.

** Aunque la encuesta recoge la información en pesos, los datos se convirtieron a dólares utilizando el promedio del tipo de cambio en ventanilla a la compra durante el periodo de febrero de 1999 a febrero de 2000.

[9]Cabe señalar que al tratar de medir las remesas familiares vía los censos de población existen algunos problemas que tienden a subestimar su monto real. Corona (2000: 178) sintetiza estas limitantes en

lariada "ocupada" consignada por el Instituto Nacional de Estadística, Geografía e Informática (INEGI) de México.

En el plano regional, los beneficios de las remesas están concentrados en unas cuantas regiones. Más específico, las zonas de emigración tradicional (Jalisco, Michoacán, Guanajuato, Zacatecas, Durango, San Luis Potosí, Colima y Aguascalientes) y del norte del país son las que reciben la mayor parte (más de 64 por ciento) del flujo total de remesas. Un poco más de 53 por ciento de las remesas transferidas por los migrantes tuvieron como destino la región tradicional y alrededor de 10 por ciento la región norte (Conapo, 2002a). Además, los impactos regionales y locales de las remesas son sumamente significativos, aunque diferenciados, aun entre los estados que integran la región tradicional de la migración internacional hacia Estados Unidos. Por ejemplo, se estima que Michoacán, la entidad que mayores recursos recibe por esta vía, absorbió poco más de 1,400 millones de dólares por remesas en 2001, en tanto que Zacatecas, décimo primer lugar en este rubro, obtuvo alrededor de 277 millones (Conapo, 2002b).

Sin embargo, más allá de las comparaciones que pudieran hacerse de las remesas, tanto en términos macroeconómicos como espaciales, hay que valorar la funcionalidad económica que tiene la migración internacional de mexicanos hacia los Estados Unidos al interior de los hogares (Rodríguez, 1999: 140-141). Para el caso particular que nos ocupa –la migración de coahuilenses hacia los Estados Unidos–, se ha optado por analizar tres aspectos que permiten ponderar lo antes referido: el primero hace referencia al número de hogares que reciben remesas; el segundo, busca ubicar el peso proporcional que tienen las remesas dentro del ingreso familiar y, finalmente, el tercero pondera el papel que desempeña este flujo de divisas en la disminución de los niveles de pobreza.

Referente al primer aspecto, puede señalarse que tanto el fenómeno migratorio como las remesas constituyen aspectos generalizados en la vida del país, pues involucran a uno de cada cinco hogares mexicanos, elevándose tal proporción en algunas regiones, como las áreas rurales de nueve entidades federativas del centro-occidente de la República, donde de cada dos hogares uno está relacionado con el vecino país del norte por recibir dólares, porque entre sus miembros hay alguno o algunos que vivieron o trabajaron (o trabajan) en Estados Uni-

---

cuatro aspectos: 1) no se tiene en cuenta ni se incluye el valor de las remesas en especie; 2) la posible no incorporación de las remesas enviadas por miembros ausentes durante el levantamiento de la encuesta y que el entrevistado considere poco relevantes; 3) la omisión del ingreso obtenido como prestaciones por el trabajo desarrollado en Estados Unidos; y 4) no se realiza la captación de las remesas que traen consigo los propios migrantes a su regreso al hogar. Esta situación es especialmente importante cuando se trata de migrantes que viven cerca de Estados Unidos y que realizan frecuentemente los traslados laborales a ese país, como puede ser el caso de Coahuila.

dos y/o porque de esta unidad doméstica salió alguna persona para radicar en ese país (Corona, 2000: 187-189). Coahuila no es ajeno a este proceso, ya que la información censal –derivada del Conteo de Población y Vivienda de 1995 y del XII Censo General de Población y Vivienda– revela un significativo incremento del porcentaje de hogares que reciben remesas, al pasar de 1.3 a 3.1 por ciento entre 1995 y 2000.

Más aún, los datos estadísticos contenidos en el cuadro anterior hacen evidente la importancia de la migración en un considerable número de hogares coahuilenses. Destaca de manera singular, el porcentaje de familias que reciben remesas en los municipos de Abasolo, Escobedo, Juárez, Progreso, Sabinas y Villa Unión, pues en todos ellos como mínimo uno de cada 10 hogares recibe recursos provenientes del vecino del norte. Un aspecto que llama la atención es el monto promedio de remesas enviadas y que en muchos casos representa una considerable cantidad de dinero, como lo evidencian los municipios de Cuatro Ciénegas, Juárez y Progreso. En el contexto nacional 1.2 millones de hogares se benefician de este flujo de dinero y el promedio mensual de ingreso por concepto de remesas ascendió a poco más de 190 dólares; por lo que la entidad se ubica muy por encima de la tendencia nacional.

Otro ángulo desde el que puede verse la funcionalidad económica de las remesas es mediante el análisis de su importancia dentro del ingreso del hogar. Al respecto, un estudio realizado por el Conapo (2002) con datos de la Encuesta Nacional de Ingreso Gasto para el año de 1998, muestra que a nivel nacional las remesas representan en los hogares que las reciben poco menos de la mitad (41 por ciento) de su ingreso total; 44 por ciento en localidades con 2,500 o más habitantes y 50 por ciento en los hogares situados en localidades con menos de 2,500 habitantes.

En Coahuila casi 17,000 mil hogares reciben remesas y su importancia, al igual que en el plano nacional, queda de manifiesto al considerar el hecho de que en promedio representan el 50 por ciento del ingreso total del hogar (véase cuadro 5). Más todavía, al profundizar en el análisis puede corroborarse el papel que esta fuente de ingreso cumple al interior de los hogares, ya que en uno de cada cuatro hogares que reciben remesas éstas constituyen la única fuente de ingresos. En algunos municipios este indicador se aproxima a cerca del 50 por ciento.

Finalmente, un tercer aspecto que permite dimensionar la funcionalidad económica de este flujo de divisas en los hogares, es el análisis de los niveles de pobreza entre hogares receptores y no receptores de remesas. Al respecto los datos contenidos en el cuadro 6 hacen notoria una mayor intensidad de la pobreza en aquellos hogares que no reciben este recurso. Si en Coahuila los 17,000 hogares que reciben remesas dejaran de percibirlas, el número de hogares pobres en la entidad se incrementaría en casi 10,000 familias.

CUADRO 5

COAHUILA: IMPORTANCIA DE LAS REMESAS EN EL INGRESO DE LOS HOGARES QUE LAS RECIBEN

Municipio	Porcentaje promedio de las remesas respecto al ingreso total del hogar[a]	Porcentaje de hogares donde las remesas representan la fuente principal de ingreso[ab]
1 Abasolo	58.3	28.4
2 Acuña	44.9	18.9
3 Allende	45.3	27.6
4 Arteaga	23.2	25
5 Candela	74.0	47.6
6 Castaños	50.9	20
7 Cuatro Ciénegas	45.2	30.8
8 Escobedo	63.6	36.4
9 Francisco I. Madero	40.6	16.7
10 Frontera	45.4	15.8
11 General Cepeda	43.0	30
12 Guerrero	48.0	20.8
13 Hidalgo	62.3	45.5
14 Jiménez	43.2	17
15 Juárez	68.2	37.5
16 Lamadrid	66.2	35
17 Matamoros	50.9	28.9
18 Monclova	41.5	19.4
19 Morelos	45.3	18.6
20 Múzquiz	44.7	18.6
21 Nadadores	49.8	27.8
22 Nava	43.3	15.8
23 Ocampo	57.3	37.5
24 Parras	51.1	0.2
25 Piedras Negras	38.8	16.5
26 Progreso	67.8	38.5
27 Ramos Arizpe	57.6	14.3
28 Sabinas	44.9	20.3
29 Sacramento	37.7	16.7
30 Saltillo	36.7	12.8
31 San Buenaventura	37.8	8.7
32 San Juan de Sabinas	50.8	24.5
33 San Pedro	53.2	25
34 Sierra Mojada	42.3	16.7
35 Torreón	35.9	14.1
36 Viesca	38.7	30.8
37 Villa Unión	52.8	29.2
38 Zaragoza	48.3	29.7
Estado de Coahuila	48.7	24.1

Fuente: Cálculos propios con información proveniente de la base de datos del XII Censo General de Población y Vivienda, 2000, México, INEGI.

[a] En ambos casos se refiere sólo a hogares que reciben remesas.

[b] Por fuente principal de ingreso se entiende aquella situación en la que las remesas representan más del 90 por ciento del ingreso total del hogar.

Cuadro 6

COAHUILA: IMPORTANCIA DE LAS REMESAS EN LA DISMINUCIÓN DE LA POBREZA*

Municipio	Hogares que no reciben remesas	Hogares que sí reciben remesas	Hogares pobres que no reciben remesas	Hogares pobres que sí reciben remesas	Porcentaje de hogares pobres que no reciben remesas	Porcentaje de hogares pobres que sí reciben remesas
1 Abasolo	261	74	206	47	78.9	63.5
2 Acuña	24,595	1,253	11,343	489	46.1	39.0
3 Allende	4,873	233	2,837	115	58.2	49.4
4 Arteaga	4,595	34	3,812	21	83.0	70.0
5 Candela	452	21	362	15	80.1	71.4
6 Castaños	4,972	190	3,449	64	69.4	33.7
7 Cuatro Ciénegas	2,556	67	1996	23	78.1	34.3
8 Escobedo	571	107	498	76	87.2	71.0
9 Francisco I. Madero	10,272	410	8,115	279	79.0	68.0
10 Frontera	15,780	301	9,869	184	62.5	61.1
11 General Cepeda	2,624	36	2,307	28	87.9	77.8
12 Guerrero	410	24	256	10	62.4	41.7
13 Hidalgo	296	11	212	7	71.6	63.6
14 Jiménez	1,728	174	1,191	65	68.9	37.4
15 Juárez	339	64	275	39	81.1	60.9
16 Lamadrid	361	20	275	11	76.2	55.0
17 Matamoros	19,208	883	14,840	654	77.3	74.1
18 Monclova	46,791	1,072	24,352	487	52.0	45.4
19 Morelos	1,727	90	981	46	56.8	51.1
20 Múzquiz	14,529	1,088	9,706	476	66.8	43.8
21 Nadadores	1,460	41	1,036	26	71.0	63.4
22 Nava	5,180	136	3,045	52	58.8	38.2
23 Ocampo	2,717	88	2028	60	74.6	68.2
24 Parras	9,493	49	7,007	25	73.8	51.0
25 Piedras Negras	29,968	1,576	14,421	691	48.1	43.8
26 Progreso	898	107	618	41	68.8	38.3
27 Ramos Arizpe	9,370	54	5,419	31	57.8	57.4
28 Sabinas	12,088	1,028	6,694	413	55.4	40.2
29 Sacramento	478	12	363	4	75.9	33.3
30 Saltillo	129,906	1,335	65,240	498	50.2	37.3
31 San Buenaventura	5,068	186	3,233	75	63.8	40.3
32 San Juan de Sabinas	9,677	644	5,541	321	57.3	49.8
33 San Pedro	18,599	1,036	15,656	812	84.2	80.7
34 Sierra Mojada	1,473	19	934	10	63.4	53.7
35 Torreón	120,894	3,927	59,482	1,464	49.2	37.3
36 Viesca	4,083	115	3,631	80	88.9	69.6
37 Villa Unión	1,475	143	1,051	70	71.3	49.0
38 Zaragoza	2,846	165	1,847	97	64.9	62.1
Estado de Coahuila	522,613	16,813	294,128	8,031	56.3	47.8

Fuente: Cálculos propios con información proveniente de la base de datos del XII Censo General de Población y Vivienda, 2000, México, INEGI.

* El nivel de pobreza por hogar se calculó bajo el método de línea de pobreza.

Cabe resaltar que las remesas llegan directamente a los hogares de los familiares de los migrantes y cumplen un papel determinante en el sostenimiento familiar. Su impacto en las comunidades y en los hogares receptores a menudo se pone de manifiesto a través de la información relativa al monto y modalidades de uso de estos recursos. La mayoría de los trabajos disponibles dan cuenta de un patrón general del uso de las remesas en México, congruente con numerosas experiencias internacionales que indican que la gran mayoría de los recursos recibidos se gastan en la satisfacción de necesidades básicas, en la adquisición de bienes de consumo duradero y en la compra y mejora de vivienda, mientras que sólo una pequeña porción se destina al ahorro y a la inversión productiva (Rodríguez; 1999: 135).

Reflexiones finales

De lo hasta aquí expuesto es posible identificar las principales tendencias que acusa hoy en día el fenómeno de la migración de coahuilenses hacia el vecino del norte. Se trata de un proceso con amplia convergencia hacia la dinámica mostrada por el contexto nacional. De manera particular, el patrón migratorio de los coahuilenses puede ser descrito por una fuerte presencia de la migración permanente, con la participación mayoritaria de varones jefes de familia y una significativa participación del sector femenino en el flujo hacia el vecino del norte; todo ello coronado por la presencia de una abrumadora población joven en edad productiva.

Una de las pocas diferencias entre el contexto estatal y el panorama nacional es la escasa participación que tienen las ciudades urbanas medias y grandes de la entidad, como trampolín hacia los Estados Unidos.

De igual forma, los hallazgos de esta investigación permiten corroborar la hipótesis central planteada en este trabajo, pues si bien quedó demostrado que en términos cuantitativos la migración internacional de coahuilenses hacia los Estados Unidos no es tan significativa como en otras entidades del país, la funcionalidad económica del fenómeno es de suma trascendencia para el sostenimiento de las familias y la reducción de los niveles de pobreza. Éstas constituyen un recurso económico fundamental para el sostenimiento familiar y de las comunidades, a la vez que un elemento dinamizador –en algunos casos imprescindible– para ciertos sectores de las economías locales y regionales, como son las ramas de bienes de consumo inmediato, el comercio en general, los servicios y la actividad financiera asociada al cambio de dólares por pesos.

Parte IV

Participación política extraterritorial y política migratoria

La experiencia política binacional de los zacatecanos residentes en Estados Unidos. El caso del Frente Cívico Zacatecano

Miguel Moctezuma L.

UNA CONSTANTE en los distintos ensayos y artículos publicados sobre este tema es el reconocimiento, ciertamente con algunos matices, de que entre los mexicanos que residen en los Estados Unidos existe una relación estrecha entre participación política y membresía mexicana al Estado-nación. Este es el punto medular que ningun debate sobre la ciudadanía extraterritorial debiera eludir. Por supuesto, quienes más se resisten a reconocer la viabilidad del voto extraterritorial arguyen que existen distintos grados de pertenencia a México, y que sólo unos deben de tener plenos derechos ciudadanos. Con base en la experiencia de los zacatecanos que residen en el extranjero, intentaré problematizar esta visión y delinear los elementos generales para una propuesta a favor del reconocimiento de los derechos ciudadanos extraterritoriales.

Este capítulo, a diferencia de otras reflexiones, intenta demostrar, a través de un minucioso trabajo de campo transdisciplinario, que existe una membresía comunitaria que da origen a una cierta participación política de los mexicanos que residen en el extranjero. Esta participación, aunque referida hoy sólo a lo local, puede extenderse al ámbito nacional, con lo cual se podría sustituir la demanda de conceder y respetar la ciudadanía de los migrantes mexicanos.

Una disputa electoral en California

Hasta antes de que se consumara el triunfo a la gubernatura del estado de Monreal Ávila, en el medio académico y político se reconocía a Zacatecas como *la entidad más priísta* del país. Ante un PRI con escasa organización y militancia, el corporativismo presidencialista había echado profundas raíces en el campesinado a través de la CNC; el magisterio, con una disidencia cada vez mayor, continuaba sirviendo de mediación y de correa de transmisión entre el gobierno del estado y el medio rural. Pero sucedió lo imprevisible: ese andamiaje político se fracturó. Además, esa coyuntura encontró su punto culminante en una intensa participación ciudadana que desde mediados del sexenio pasado venía desbordando a los partidos políticos y que llegó a conformar distintas organizaciones sociales independientes; lo que a la postre terminó constituyendo el amplio tejido social de la Alianza Ciudadana por la Dignidad y la Democracia. Ésta, en conjunción con el PRD, postuló al ex priísta Ricardo Monreal como su candidato a gobernador. A este proceso no fueron del todo ajenos los zacatecanos organizados que residen al otro lado de la frontera norte de México, quienes organizados en más de 250 clubes activos –más del triple que cualquier otra entidad– desde el sexenio de Borrego Estrada (1986-1992) han buscado fortalecer su presencia política y económica en Zacatecas.[1] Los hechos se sucedieron así.

En un hecho inédito, el 15 de marzo de 1998, el candidato del PRI a gobernador, José Marco Antonio Olvera Acevedo, en su gira por Estados Unidos formó, con una buena parte de los dirigentes de la Federación de Clubes Unidos del Sur de California "Los Comités de Amigos y Simpatizantes de Pepe Olvera". En los días siguientes el candidato a gobernador por el PRD Ricardo Monreal Ávila, organizó con líderes y ex líderes el Frente Cívico Zacatecano, mismo que inicialmente encabezó Felipe Delgado (*El Sol de Zacatecas*, 22 de Marzo de 1998:1 y 6 A).

Francisco Javier González, actual presidente del Frente Cívico se recuerda haciendo activismo político a favor de Monreal Ávila e impulsando actividades para el financiamiento de su campaña. Recuerda que empezaron unos pocos y que el movimiento pronto creció (Los Ángeles, Ca. julio de 2002). Sorprendentemente los asuntos de Zacatecas comenzaron a ventilarse en los programas de radio y en las televisoras californianas, e inesperadamente California acabó convirtiéndose en escenario de la disputa electoral de Zacatecas.

Pero, tal y como anteriormente se daba, se manifestó el corporativismo zacatecano en Estados Unidos. Rigoberto Castañeda, entonces presidente de la Federación de Clubes de Zacatecanos Unidos del Sur de California, primero se adhirió a la candidatura de Ricardo Monreal Ávila, pero cuando supo que la línea oficial del PRI era a favor de José Antonio Olvera Acevedo, revirtió su apoyo inicial y se alineó militante y pasivamente con Olvera. Todo parecía haber quedado bajo el anterior control corporativo, pero en una segunda visita del candidato perredista a Los Ángeles, el Frente Cívico Zacatecano reunió a más de 600 familias, haciéndose acompañar de académicos de aquel país, quienes observaban cómo los zacatecanos rompían con la tradición de fidelidad al par-

---

[1] Esto permitió en el año 2000 y 2001 dar origen a un ambicioso programa de inversiones sociales de seis y siete millones de dólares respectivamente a través del Programa Tres por Uno, el cual se destina a la realización de obras sociales y comunitarias.

tido dominante del sistema político mexicano (*El Sol de Zacatecas*, 31 de mayo de 1998, p. 5 A).

Más aún, cuando esa campaña electoral estaba en su punto más álgido, Víctor Manuel Sánchez, que ocupaba el cargo de presidente de la Confederación de Clubes de Zacatecanos (la que nunca pudo funcionar) y había permanecido en la obscuridad, arribó a la entidad a manifestar su apoyo al candidato opositor Ricardo Monreal Ávila e hizo fuertes denuncias contra Romo Gutiérrez, a la postre gobernador de Zacatecas (*El Sol de Zacatecas*, 16 de junio de 1998, pp. 1 y 6 A). Esta denuncia indicaba una ruptura muy extensa y un alto grado de confrontación con el priísmo zacatecano. En esa misma tónica, en el cierre de campaña de Monreal Ávila, fue muy significativa la presencia de varios dirigentes de los clubes zacatecanos de la federación ya mencionada.

Mientras se daban estos hechos la clase política zacatecana se mostraba sorprendida. El propio Monreal Ávila no se explicaba cómo es que los zacatecanos en Estados Unidos tenían tanta influencia política en la entidad. Pero esto era sólo la primera expresión de que en Zacatecas se estaba gestando un nuevo sujeto político extraterritorial.

Un liderazgo binacional

La campaña política a la gubernatura de la entidad también despertó en Estados Unidos la conciencia de los zacatecanos organizados. Muy pocos saben qué tan lejos han ido las acciones de esos migrantes: Rudy R. Ríos (dirigente de la Sección 652 de la Laborers' International Union of North America) y Guadalupe Gómez de Lara (Presidente de la Federación de Clubes de Zacatecanos Unidos del Sur de California), dos zacatecanos, han servido como interlocutores entre el gobernador de Zacatecas, Ricardo Monreal y el gobernador de California Gray Davis; ambos han jugado un papel importante en la relación entre el Frente Cívico Zacatecano y la Laborers' International Union of North America. Asimismo, el Frente Cívico Zacatecano ha apoyado militantemente las campañas de Lou Correa, originario de Calera, Zacatecas, y Linda Sánchez, ambos asambleístas por California; Miguel Pulido, alcalde de Santa Ana, Jesse Loera, alcalde de Norwalk; Gray Davis y Cruz Bustamante, gobernador y vicegobernador de California, respectivamente; además de Loreta Sánchez y Grace Napolitano, congresistas nacionales. Rosalva Ruiz (ex presidenta de la Federación de Clubes Unidos de Zacatecanos en Illinois) ha hecho lo propio con respecto a Luis V. Gutiérrez y Edward Burke; el primero congresista por el 4o. Distrito Electoral de Illinois y el segundo consejal del Distrito 14 de la ciudad de Chicago, sirviendo también como intermediaria para encuentros del gobernador de Zacatecas con el alcalde de Chicago (julio de 2001).

Los zacatecanos también han apoyado a políticos como Lee Vaca, *sheriff* de Los Ángeles y forman parte del Comité de Alianza con la AFL-CIO, por la campaña para la regularización de los inmigrantes y la expedición de licencias de manejar en California, además de luchar contra la discriminación racial y laboral y promover el "hermanamiento" entre las ciudades de Norwalk-Fresnillo y Azuza-Zacatecas. Esto es, nadie debe dudar que estos dirigentes se han convertido en una pieza clave en las relaciones de poder y de cabildeo entre México y Estados Unidos.

Impresiona encontrar con frecuencia en los periódicos estadounidenses las opiniones de Guadalupe Gómez de Lara, las entrevistas de empresarios como J. Ascención Salinas Carlos y de políticos y empresarios de la talla de Andrés Bermúdez Viramontes, así como las entrevistas académicas con la doctora Béatrice Knerr de la University of Kassel (Alemania) y la doctora Luin Goldring de la Universidad de Toronto (Canadá), con Rafael Barajas y con una asociación de financiamiento de Israel, via Agustín Bañuelos. Se conoce también que Guadalupe Gómez de Lara ha sido invitado por la Universidad de California en Los Ángeles a dictar conferencias y a participar en discusiones públicas de cabildeo en el Congreso de California, en tanto que Javier González, presidente del Frente Cívico Zacatecano es calificado como líder latino destacado por la Academy of Latino Leaders in Action.

Por si lo señalado no fuera suficiente a los clubes de zacatecanos, se les ubica del lado mexicano, entre los pioneros de iniciativas nacionales y estatales como: I) el Programa Paisano; II) la incorporación al IMSS de los familiares de los migrantes; III) la reivindicación de la doble nacionalidad; IV) la defensa del voto extraterritorial de los mexicanos que residen en el extranjero; V) los programas Dos por Uno y Tres por Uno; y VII) otras acciones en curso en las que podrían participar algunas fundaciones internacionales sobre proyectos productivos e iniciativas de ley sobre derechos ciudadanos extraterritoriales. Recientemente, en una visita relámpago que Guadalupe Gómez de Lara realizara a su municipio natal, Jalpa, con el objeto de inspeccionar y dar seguimiento a las obras del Tres por Uno, fue recibido masivamente en varias comunidades como si se tratara de un funcionario de alto nivel. En fin, no queda duda que los dirigentes más destacados de los zacatecanos organizados en Estados Unidos han ido superando el aislamiento y el activismo comunitario, para dar los primeros pasos hacia la conformación de un agente social binacional. Sobre esta base recién se ha conformado en Los Ángeles el Consejo de Federaciones de Mexicanos, mismo que preside el zacatecano Guadalupe Gómez de Lara y que ahora esa experiencia pionera se piensa recoger para la formación del Consejo de Presidentes de Federaciones Zacatecanas en la Unión Americana. Todo lo señalado indica el desenvolvimiento binacional de nuevas y complejas relaciones sociales y políticas en curso.

Uno de los más grandes dividendos a que esta experiencia ha dado origen es que sorprendentemente no sólo la identidad, sino también la membresía zacatecana activa viene abriéndose camino entre los descendientes de los zacatecanos que ya han nacido en Estados Unidos. Estos, igual que sus padres, han venido adquiriendo mayor preocupación por involucrarse en los programas y actividades comunitarias impulsadas por los clubes, lo cual es visto como una preparación para hacer frente al desafío transgeneracional, ya que cada día estas organizaciones están involucrando más en sus actividades a los jóvenes (Martha Elva Real y Rafael Barajas, Marcos Reyes y Rosalva Ruiz, Grupos de Foco, Los Ángeles Ca. y Chicago, Ill., octubre de 2000); lo que, a la par de despertar la reafirmación de sus raíces identitarias, promueve también su vocación por el servicio comunitario que suele evolucionar hacia la membresía. Parte de esta apuesta se basa en la experiencia que está adquiriendo el sector de población joven y en la formación política y cultural de las nuevas generaciones (Chicago, Ill., Grupo de Foco, octubre de 2000). En realidad, los resultados coinciden con el hecho de que algunos dirigentes de clubes de migrantes zacatecanos son jóvenes nacidos en los Estados Unidos, con formación universitaria y ahora también son líderes de sus clubes. Son los casos de Reina Reyes (Club Zacatecano Emiliano Zapata), Martha Jiménez (Club Hermandad Las Ánimas) y Ramón Velázquez (Club Social Tayahua), Denise González, graduada de la Universidad de Berkeley y representante del Grupo Juvenil de California, mismo que se inspiró en la Alianza Juvenil Zacatecana de Chicago, encabezada por hijos de migrantes de primera generación que se han planteado respaldar las acciones de los clubes (FCUZUSC, revista, 1999-2000: 39 y 2000-2001: 63).

El Jerez de aquí y el Jerez de allá

Ahora bien, en la entidad, la presencia política de los emigrantes es tan marcada que en el 2001 experimentamos un proceso electoral *sui generis*, en donde los líderes de migrantes contendieron como candidatos a las presidencias municipales. En este caso la figura pública más sobresaliente, que rebasó los confines del estado y del país, fue Andrés Bermúdez Viramontes, "el Rey del tomate", nativo de El Cargadero, Jerez, Zacatecas y radicado 28 años antes en la ciudad de Winters, Ca., muy cerca de Sacramento. Muchos creían que este personaje era un desconocido, pero, mediante votación popular, ganó la titularidad para encabezar la contienda perredista por el municipio de Jerez; triunfó ampliamente contra sus contendientes del PRI, PAN y PT en un municipio donde el PRD no había ganado una sola elección popular y no contaba con una militancia fuerte. Su triunfo, sin embargo, no estuvo libre de obstáculos, pues el registro de su candidatura en el PRD fue objeto de resistencia tanto de priístas como de perredistas recalcitrantes, quienes argumentaban su rechazo señalando que Bermúdez carecía de la ciudadanía mexicana y no había residido el año anterior de manera permanente e ininterrumpida en Jerez. Algunos otros actores dijeron criticarlo por no tener trayectoria en ningún partido político o desconocer los problemas de su municipio y no contar con una carrera profesional, además de ver a Jerez como si fuera un campo de tomate. Obviamente, los interlocutores de estas objeciones ahora guardan silencio y otros, paradójicamente desde el PRD, nunca reconocieron sus dudas infundadas sobre Bermúdez, quien luego de su contundente triunfo fue tratado con temor por buena parte de la clase política zacatecana, la que tomó muy en serio que estaba surgiendo una nueva clase política, capaz de desplazarla.

A este personaje, por razones obvias, distintos medios de comunicación nacionales e internacionales lo llamaron con toda justicia el candidato binacional, porque decía pretender gobernar "al Jerez de Zacatecas y al Jerez de Estados Unidos".[2] Así, en un hecho inédito para México, el 19 de mayo de 2001, todos los candidatos a la presidencia municipal de Jerez se reunieron en Montebello, California, con el objetivo de debatir sus propuestas ante los jerezanos del otro lado de la frontera. Igualmente, desde California, los representantes del Frente Cívico Zacatecano, una y otra vez, tomaron el teléfono para comunicarse a la audiencia de las radiodifusoras zacatecanas y convocar a los jerezanos a votar por Bermúdez Viramontes. Más tarde, cuando se dio el desenlace de la ruptura entre Andrés Bermúdez Viramontes y Ricardo Monreal Ávila, la Federación de Zacatecanos Unidos en Illinois encabezó públicamente su defensa, secundada en Los Ángeles Ca., por el Frente Cívico de Zacatecas, lo que dio inicio a una etapa de desencuentros y rupturas entre estas organizaciones y el actual gobernador. El problema se ha agudizado debido a los excesos de Manuel de la Cruz, representante en Estados Unidos del gobierno de Zacatecas, quien debido a su vieja militancia corporativa no alcanza a distinguir entre la naturaleza comunitaria de los clubes y la militancia partidaria de sus activistas. No en balde, éste ha sido uno de los resolutivos más debatidos y controversiales de las dos últimas convenciones anuales de organizaciones zacatecanas en Estados Unidos, la primera celebrada en julio de 2001 en Chicago, Illinois y la segunda en Orange, California:

Una de las conclusiones más importantes de esta Convención es que busquemos conservar la unidad respetando la naturaleza comunitaria de nues-

---

[2] El priísmo retrógrado presentó ante los tribunales federales el calificativo de "candidato binacional" como una prueba fehaciente para poner en duda la ciudadanía mexicana y la fidelidad de Bermúdez Viramontes hacia nuestro país. Se trataba de una campana abiertamente xenofóbica (Juicio de revisión constitucional electoral, Sala Superior del Tribunal Electoral del Poder Judicial de la Federación, 5 de septiembre de 2001).

tras organizaciones. Esto quiere decir que no se debe partidizar el trabajo que realizamos. Por ello, quienes tomen iniciativas de tipo político, reconociendo que tienen derecho, éste debe hacerse en estructuras e instancias de otra naturaleza (Primer resolutivo de la Segunda Convención Anual de Organizaciones de Zacatecanos en los Estados Unidos, Chicago, Illinois, julio 21 de 2001).

El énfasis en el tema llama la atención por el acendrado partidismo que algunos líderes de California han venido mostrando por el PRI y el PRD, lo cual es fuente permanente de conflictos con la membresía comunitaria de los clubes. Para las organizaciones de los migrantes cada vez es más claro que no pueden dejarse llevar por los objetivos de un sexenio y, menos aún, por el interés de un partido político; esto es válido independientemente del sexenio y de cualquier partido político. En sus primeros escritos investigadores internacionales como Luin Goldring, Roberto Smith, Michael Karney y otros, veían críticamente el exceso de armonía entre la Federación de Clubes de Zacatecanos del Sur de California y las administraciones de Borrego Estrada y de Romo Gutiérrez. Luin Goldring llamó a esas relaciones "neocorporativismo" y llegó a expresar sus dudas respecto al futuro democrático e independiente de los dirigentes zacatecanos. Afortunadamente eso ha sido superado, pues los líderes de los migrantes constantemente reivindican su autonomía.

Así pues, además de expresarse en Los Ángeles las diferencias entre el PRI y el PRD, los últimos dos líderes de la Federación de Clubes de Zacatecanos Unidos del Sur de California (Rafael Barajas y Guadalupe Gómez) y el líder actual del Frente Cívico Zacatecano (Francisco Javier González) se quejan de la permanente intromisión del gobierno del estado de Zacatecas, que a través de Manuel de la Cruz intenta utilizar "viejas tácticas totalitarias". Estas denuncias revelan la irreversible ruptura de los clubes con la versión perredista del corporativismo (*LAweekly*, marzo, 8-14, 2002).

Identidad y membresía comunitaria

Si tomamos en consideración que los migrantes zacatecanos comenzaron a organizarse autónomamente en clubes sociales desde la década de 1960 (Moctezuma, Miguel, 2000) y que han hecho cientos de obras sociales y comunitarias mucho antes de que el estado mexicano se interesara en la promoción de los programas Dos Por Uno y Tres por Uno (Rafael Barajas, mayo de 2002 y Agustín Bañuelos, Los Ángeles, Ca.) entonces resulta claro que desde décadas atrás, y a diferencia del migrante individual, los migrantes organizados han logrado transitar de la identidad simbólica mexicana o zacatecana hacia la práctica de la membresía comunitaria, misma que con el desarrollo de estas organizaciones suele transformarse en membresía estatal y nacional. Esto es, programas como el Tres por Uno pueden ser interpretados sociológicamente como un medio que permite que los migrantes logren conservar su raíces e identidad, además de abrir posibilidades para la realización de una variedad de prácticas extraterritoriales (Goldring, Luin, 1997).[3] Esto mismo sucede en el caso de la reproducción de la vida comunitaria en las denominadas comunidades filiales. Ambos aspectos culturales ya han sido analizados por el autor, como parte de la nueva realidad social del migrante (Moctezuma, Miguel, 1999).

Por otra parte, si retomamos la experiencia política binacional que los líderes más destacados de los clubes realizan y a la que nos referíamos anteriormente, entonces queda claro que estamos ante profundos cambios cualitativos, en los cuales, la membresía comunitaria, estatal y nacional de los migrantes se ha transformado en participación política en el sentido más amplio; es decir, no está vinculada necesariamente a los partidos políticos, ni limitada a los procesos electorales. Por supuesto todo esto nos conduce al reconocimiento de una práctica política extraterritorial que ahora presiona, desde la sociedad civil, por el reconocimiento de los derechos ciudadanos en México; es decir, por el paso de la identidad a la membresía y de ésta hacia la ciudadanía.

Las evidencias extraterritoriales que en lo social, político y cultural se muestran, aun refiriéndose sólo a la experiencia y la práctica de los zacatecanos, indican que los migrantes al mismo tiempo que se adaptan y participan de las nuevas circunstancias sociales, son también capaces de mantener orientados los vínculos y compromisos hacia su entidad y comunidades de origen. Esto por supuesto se refiere a la lealtad y a la membresía comunitaria y estatal, pero nada indica que esa práctica no se extienda también hacia la nación. Es decir, se requiere reconocer la necesidad de valorar cómo el migrante ciertamente busca desarrollar nuevas imágenes, otras coordenadas y una serie de nuevos mapas o esquemas referenciales que coinciden con el entrecruzamiento simultáneo de dos socioespacios, implicando cursos de vida significativamente distintos y mundos sociales diferentes (Rouse, R., 1994). Esta nueva fisonomía

---

[3] Tales como: *a)* la publicación de una revista en donde destacan los geosímbolos o fotografías de los paisajes más representativos de las comunidades de origen (Bonnemaison, 1981: 256 y Giménez Montiel, Gilberto y Gendreau Mónica (2002); *b)* la develación en 1987 en Los Ángeles, Ca. del busto del general zacatecano y combatiente de la Batalla de Puebla, Jesús González Ortega (Montoya Briones, J. J. 1996: 64); *c)* el certamen "Señorita Zacatecas", que sirve para reafirmar las raíces culturales entre las participantes, aspecto que es muy relevante para la identidad en las jóvenes nacidas en los Estados Unidos (*Revista de la FCZUSC*, septiembre de 1992: 23); *d)* los encuentros frecuentes de las candidatas a reinas de la Federación de los Clubes a la coronación de sus símiles de las ferias en sus comunidades de origen (*Revista de la FCZUSC*, 1996-1997: 21 y 27); *e)* la segunda develación en 1988 en Los Ángeles, Ca. del busto del poeta jerezano Ramón López Velarde, (Montoya Briones, J. J. *Ibidem*, 64) y la colocación de un tercer busto del compositor fresnillense Manuel M. Ponce (*Revista de la FCZUSC*, 1995: 23); entre otros.

está muy lejos de presuponer la asimilación en la sociedad receptora o la ruptura con la comunidad y el país de origen y encierra toda una problemática teórica, más allá del tratamiento juridicista que reclama el auxilio transdisciplinario de la sociología, la cultura, la antropología y la ciencia política.

Este cuidadoso enfoque tampoco se limita a señalar la migración como el desplazamiento de personas entre dos ambientes sociales distintos, ni reduce su experiencia a un mero proceso de transición de un orden sociocultural a otro, mucho menos, presupone la yuxtaposición de distintos mundos de vida orientados a la homogeneización y asimilación. Más bien se refiere a la sobrevivencia de cursos de vida distintos, una cierta forma de acoplamiento simultáneo que no necesariamente desaparecerá en las generaciones subsiguientes de los migrantes (*Idem*). Esta idea es clave para poner cotos a las teorías que habían venido fincándose sobre los enfoques asimilacionistas y/o aculturalistas que han sido muy criticados por exagerar sus consecuencias. Estas teorías han servido de asidero a las tendencias conservadoras que se oponen al voto extraterritorial.

Es decir, los migrantes, conservan simbólicamente un territorio y una cultura que les sirve como referente territorial y matriz de pertenencia. Justamente esto es lo que hace posible la formación y la naturaleza de la comunidad filial y el establecimiento de los lazos entre los distintos asentamientos de los migrantes, lo que posteriormente se materializa en la conformación de los clubes y sus federaciones. Por supuesto, en la postura inversa, esto tampoco debe llevar a la idea errónea de que las comunidades y los clubes de los migrantes permanecen impermeables a lo externo, como ya lo hemos tratado de explicar a partir de las experiencias políticas de sus dirigentes.

La opción de ser votados

La experiencia acumulada por la participación social, política y cultural de los zacatecanos organizados ha desembocado en la formulación de la Iniciativa de Reforma a la Constitución Política del Estado Libre y Soberano de Zacatecas. Esta es una propuesta que bajo, la denominación de Ley Bermúdez, es enarbolada por el Frente Cívico Zacatecano como demanda democrática y ciudadana, la cual ya ha hecho posible la realización de varios foros de discusión, tanto en Los Ángeles como en la entidad.

Según se desprende de los artículos 34, 35 y 36 de la Constitución Política de los Estados Unidos Mexicanos, el reconocimiento de la nacionalidad es consustancial al ejercicio universal de los derechos ciudadanos de todos los mexicanos, con las únicas limitantes de ser mayores de edad y vivir con honestidad. Sin embargo, como esto aún no se ha reglamentado en las respectivas leyes de competencia nacional y estatal, la propuesta ciudadana que se viene formulando para su discusión y aprobación en la LVII Legislatura de Zacatecas, busca resarcir en lo posible este vacío legal, reconociendo que mucha de esta reglamentación necesariamente debe de ir adecuándose a las iniciativas de reformas en el plano nacional, las cuales siguen trabadas y sin avances.

Asimismo, en la iniciativa que se comenta, se parte del hecho de que en el estado de Zacatecas una política dirigida hacia el importante sector social de los migrantes, para ser integrado no puede sólo tomar en cuenta los aspectos económicos y poblacionales, sino que debe incluir aquellos tópicos de naturaleza comunitaria, social, política y cultural que involucran a los migrantes como ente colectivo y que se expresan en medios para el fortalecimiento de la pertenencia, la identidad y el arraigo, en un contexto socioespacial que se manifiesta más allá de las fronteras del estado y país.

Según se declara como objetivo inmediato, la iniciativa de reforma pretende dar apertura, así sea por ahora de manera limitada, a la participación de los migrantes zacatecanos y de sus organizaciones en las decisiones políticas que a ellos competen, incluyendo parcialmente las de naturaleza ciudadana, en lo que corresponde a la Constitución Política del Estado Libre y Soberano de Zacatecas. Según se enuncia, quienes intervinieron en la elaboración del documento intentan recoger esta demanda, reiterada más allá de cualquier interés partidario, atendiendo a los legítimos reclamos del Frente Cívico Zacatecano con sede en Los Ángeles, Ca., y de la sociedad civil organizada que reside tanto en la entidad como en los Estados Unidos.

En la argumentación se destaca la necesidad de reconocer que las comunidades de los migrantes son socialmente construidas por sus propios miembros y que ello no se circunscribe a un solo espacio físico. Esta es la esencia de la identidad mexicana de los connacionales que residen fuera de México. En efecto, la comunidad de los migrantes es lo que ellos comparten entre sí y que, en el caso de la membresía, incluye también la realización de un conjunto de prácticas y actividades colectivas. Entonces, reconocer en las leyes primarias y secundarias los conceptos de membresía comunitaria, participación social y participación política, requiere no ignorar sus fuentes y el multiespacio donde éstas se generan. En Zacatecas y otras entidades con tradición migratoria, por la intensidad del fenómeno, es imposible perder de vista estos asuntos.

El primer aspecto que se resalta es que, en Estados Unidos, las comunidades de nuestros migrantes son una derivación de las comunidades de origen. Esta es la razón por la que Rouse, Roger., (1987 y 1994); Smith, R., (1995 y 2001); Goldring, L., (1997); Massey, D., (1991); Alarcón, R., (1995) denominan comunidades filiales o comunidades hijas a estos asentamientos humanos, cuestión que debieran reconocer las leyes electorales nacional y local. Planteando así las cosas, lo que esta iniciativa demanda es abandonar las concepciones estructuralistas de aquello que anteriormente condujo a identificar a la comunidad con su entorno inmediato. En lugar de ello requerimos hablar de la comunidad binacional. Es decir, para el caso de lo que interesa incorporar y reformar en la ley vigente, se requiere trascender las fronteras simbólicas y culturales que sociológicamente limitan el reconocimiento de la comunidad migrante. Por tanto, si la comunidad es el conjunto de prácticas sociales donde se reproduce la vida social de una población y si estas prácticas sociales son creadas, recreadas y reestructuradas más allá del espacio inmediato, entonces se hace imprescindible incorporar una conceptualización de comunidad que recoja simultáneamente esas prácticas.

Para explicarlo más, todo migrante que vive en una comunidad filial en los Estados Unidos necesariamente reproduce en ese país su vida matriótica comunitaria; obviamente, también reproduce su identidad como latino, mexicano, zacatecano, jerezano, etcétera. Esto es lo que sirve de base para voltear a su comunidad participando como miembro de ella, promoviendo apoyos a la iglesia del pueblo, haciendo donaciones para los más necesitados, y si se organizan en un club de migrantes, llegar a plantear la necesidad de que el gobierno impulse cierto tipo de obras que hacen falta a la comunidad. Por esta vía resulta claro que, los migrantes, sin residir en la comunidad de origen, actúan como miembros de ella. Es decir, más allá de lo que reconoce la ley electoral de cualquier entidad mexicana, los migrantes viven involucrados en iniciativas comunitarias tanto en México como en los Estados Unidos y esto debe de ser reconocido como una residencia binacional (que se da entre dos países) y una *residencia simultánea* (que se produce en espacios diferentes, pero a un mismo tiempo).

Así, si analizamos iconográficamente el escudo que identifica al Club Jomulquillo perteneciente a Jerez encontramos lo siguiente: *a*) en él hay un cuadro que sugiere que los elementos de su interior forman una misma unidad; *b*) se presentan dos banderas que simbolizan la presencia simultánea de Estados Unidos y México, y, *c*) en su interior y sobre estos símbolos se ubica la comunidad de Jomulquillo.

Esta expresión plasmada e imaginada por ellos es realmente magistral. Iconográficamente los migrantes se miran simultáneamente en los dos países. No se trata de que estén a medio camino, sino de una percepción en donde existe un perfecto acoplamiento. Esto es correcto y sorprende, porque muy pocos investigadores han llegado a formular esta idea tan claramente. En esencia, estos zacatecanos ilustran lo que ya se viene señalando con antelación: la comunidad de los migrantes es binacional y simultánea, se encuentra a ambos lados de la frontera México-Estados Unidos. Esto no significa que esté ausente la territorialidad; por el contrario, ésta se expresa a través de los geosímbolos que el migrante identifica como parte de su entorno.

Observando con mayor cuidado el escudo surgen otras cuestiones que trascienden lo estrictamente local: *a*) su imagen plasmada bien podría ser el estandarte de identidad que necesita el Frente Cívico Zacatecano para encabezar la demanda por la reforma a la Constitución Política del Estado Libre y Soberano de Zacatecas; *b*) igualmente, tal y como se presentó en uno de los foros de discusión, este escudo podría llegar a convertirse en el símbolo de la Coalición por los Derechos Políticos de los Mexicanos en el Extranjero que une a los mexicanos que radican en los Estados Unidos y que actualmente, desde distintas posturas, están encabezando sus derechos políticos. Sin embargo esta lectura es un resultado que sólo llegará a ser realidad cuando las demandas que se enarbolen logren encontrar asideros más allá de la localidad.

FIGURA 1

ESCUDO

De reconocerse este hecho automáticamente quedarán atrás las limitaciones constitucionales que, en lo que toca a la residencia, pesan sobre los migrantes, como impedimentos para ser votados y ocupar cargos de elección popular en el estado de Zacatecas. Esta propuesta se basa en que la Constitución Política de los Estados Unidos Mexicanos en los Artículos 34, 35, 36 y 37, establece con claridad quiénes tienen la calidad de ciudadanos de la República, sus prerrogativas, obligaciones y sobre todo, el que ningún mexicano por nacimiento, independientemente de donde resida pueda ser privado de su nacionalidad; con ello implícitamente se acepta la posibilidad de la binacionalidad o incluso la multinacionalidad, cuestión que también debiera plasmarse en lo que corresponde a la ciudadanía.

Para contar con un orden jurídico coherente con lo establecido en el artículo 40 constitucional, en cuanto a que las disposiciones normativas de los estados en ningún caso pueden contravenir el cuerpo normativo de la Constitución Política de los Estados Unidos Mexicanos, resulta impostergable el que se busque adecuar y poner al día, en primer término, la Constitución Política del Estado Libre y Soberano del Estado de Zacatecas y posteriormente el Código Electoral del Estado, en lo que respecta a la calidad de ciudadano zacatecano, la forma de adquirir la ciudadanía, los requisitos de residencia y sobre todo, hacer acompañar a esta reforma de nuevas estructuras e instituciones jurídicas, con la finalidad de que, por lo menos, el derecho a ser votados pueda ser ejercido en lo inmediato, y una vez que la reglamentación federal lo permita, volver a revisar hasta dónde es posible seguir avanzando.

Si en nuestro estado, tanto el fenómeno de la migración, como la figura jurídica de la binacionalidad son una realidad social, es necesario reconocer que los actuales requisitos legales para poder participar en la vida política del estado resultan obsoletos e incompatibles con esta realidad, tal es el caso de la denominada "residencia efectiva", entre otros.

En esta misma perspectiva, una manera de evaluar la percepción que los migrantes tienen de sí mismos y de la construcción simbólica de su identidad, consiste en rescatar las imágenes que ellos desarrollan con el objeto de develar su identidad en tanto manifestación subjetiva de su membresía local y nacional. Por supuesto, el material de que se dispone –igual que en las construcciones discursivas– requiere ser reinterpretado y desarrollado cuidadosamente.

Recuperando teóricamente la experiencia local y con el objeto de resumir lo señalado, la pertenencia es un factor que deriva de la identidad hacia una cierta unidad social o de la autopercepción y, en cambio, la membresía deriva del ejercicio de ciertos derechos y deberes, por supuesto, ello no se limita únicamente al ejercicio de votar y ser votado, por ello sigue habiendo una diferencia entre membresía y ciudadanía. Es decir, el ejercicio de la membresía siempre es práctico y social, en cambio, sin que exista una frontera infranqueable entre ambas, la pertenencia es subjetiva y cultural. Esto es, la "integración" a la nación implica la percepción de la "pertenencia" a la comunidad, la cual, dependiendo de los agentes, es factible que evolucione hacia la reivindicación y formalización de derechos y deberes de naturaleza social y política. Por supuesto, la relación entre ambos conceptos presupone un enfoque tanto sociopolítico como sociocultural.

Entrevistas:

BAÑUELOS, Agustín, presidente del Club Campesinos El Remolino (1998-1999) y secretario de Proyectos de la Federación de Clubes Zacatecanos del Sur de California, entrevista, Los Ángeles, Ca., abril 27 de 2001 y julio de 2002.

CRUZ PALOMINO, Javier, miembro del Frente Cívico Zacatecano, entrevista, Los Ángeles, Ca., julio de 2002.

GÓMEZ DE LARA J. Guadalupe, presidente de la Federación de Clubes de Zacatecanos Unidos del Sur de California, *entrevista*, julio de 2002.

GONZÁLEZ, Francisco Javier, presidente del Frente Cívico Zacatecano, entrevista, Los Ángeles, Ca., julio de 2002.

REYES, Marcos G. vicepresidente y secretario de Proyectos, de la Federación de Clubes Unidos Zacatecanos en Illinois, entrevista, Chicago, Illinois, octubre de 2000.

RUIZ, Rosalva, ex presidenta de la Federación de Clubes Unidos Zacatecanos en Illinois.

Política migratoria mexicana

Genoveva Roldán Dávila

Introducción

ES FRECUENTE que cuando se analiza la existencia o inexistencia, las fortalezas y/o debilidades de la política migratoria de México, sólo se realicen aproximaciones a las acciones de gobierno aplicadas en torno a esta problemática, vistas en forma aislada, y que poco se avance en una visión de conjunto de estas acciones, en un análisis integral de las políticas de Estado aplicadas en el terreno migratorio.

De tal manera que las reflexiones se limitan a cuestionar: cuántos asuntos atendieron las representaciones consulares de México en Estados Unidos en materia migratoria, civil, penal, laboral, de derechos humanos y administrativos; cuántas reuniones binacionales se realizaron y la importancia del tema migratorio en ellas; cantidad y calidad de la memoranda de entendimiento para la protección de nacionales entre las autoridades migratorias estadounidenses y los cónsules mexicanos, cantidad y calidad de los programas de atención a los migrantes; acciones instrumentadas para combatir el tráfico de indocumentados; declaraciones presidenciales de ambos países en torno al tema; cuáles y cuántas oficinas del gobierno federal, estatales y municipales tienen programas de atención a los migrantes y las posibilidades de establecer un Acuerdo Migratorio con los Estados Unidos, entre otras acciones de gobierno.

Aspectos todos ellos sin duda importantes y ejemplificativos de las características y condiciones en que transcurre la política migratoria mexicana; pero en pocas ocasiones se revisan en conjunto y menos aún se hace referencia a las reflexiones que se constituyeron en los antecedentes implícitos o explícitos de las acciones gubernamentales instrumentadas, como tampoco se presta atención a la concepción que desde el gobierno, sugiere una interpretación de las causas del fenómeno migratorio. No se debe perder de vista que las opiniones y prescripciones públicas no se encuentran al margen de las diferentes interpretaciones y teorías de la migración internacional, ya que cada una de ellas conlleva criterios públicos que se expresan en políticas migratorias.[1]

El objetivo de este capítulo es reflexionar sobre cuáles son las características de la política de Estado aplicada en años recientes en materia migratoria. Dicho análisis crítico permitirá precisar las causas y los cambios estructurales indispensables para la búsqueda de soluciones de corto, mediano y largo plazo a la problemática migratoria.

Lo mencionado nos obliga a precisar: lo que permitirá que diversas acciones gubernamentales en materia migratoria adquieran la connotación de *política de Estado* será, sin duda alguna, su coherencia e integración en el plano federal, estatal, municipal y regional, así como su continuidad por encima de los planes sexenales de los gobiernos en turno; pero sobre todo que estas acciones de gobierno se encuentren articuladas por un proyecto de crecimiento y desarrollo nacional en los planos económicos, políticos y sociales, que enfrenten las causales y correspondan a los requerimientos y necesidades generadas por la fenomenología y problemática migratoria.

Las políticas migratorias mexicanas

Pese a que el fenómeno migratorio data de más de 100 años, lo cierto es que la problemática migratoria durante una parte muy importante de este periodo contó con el menosprecio, ignorancia, desatención y falta de decisión en la protección y defensa de los trabajadores migratorios mexicanos por parte de las autoridades mexicanas, de tal manera que la política migratoria se limitó a algunas acciones de gobierno en aspectos muy elementales y rudimentarios de relativa importancia, tales como su participación en la firma de los programas de braceros entre 1942-1964. Señalo que de relativa importancia porque en dicho proyecto fue la Comisión de Empleos en Tiempos de Guerra y los Departamentos del Trabajo, de Estado, Justicia y Agricultura estadounidenses –quienes por presiones ejercidas por los agricultores de California, Arizona, Nuevo México y

---

[1] "Las teorías desarrolladas para entender los procesos migratorios internacionales de nuestros días postulan mecanismos causales que operan en niveles de análisis ampliamente divergentes. Las propuestas, supuestos e hipótesis que derivan de cada perspectiva no son inherentemente contradictorios, aunque traen consigo implicaciones muy diferentes para la formulación de políticas. Dependiendo de cuál sea el modelo apoyado y bajo cuáles circunstancias, un científico social puede recomendar a quienes diseñan políticas intentar regular la migración internacional cambiando las condiciones de los salarios y el empleo en los países de destino; promoviendo el desarrollo en los países de origen, estableciendo programas de seguro social en los países expulsores; reduciendo la desigualdad del ingreso en los lugares de origen; mejorando los mercados de futuros en las regiones en desarrollo; o hacer alguna combinación entre éstos". Douglas S. Massey, Joaquín Arango *et al.*, "Teorías sobre la migración internacional: una reseña y una evaluación", en revista *Trabajo. Migraciones y Mercados de Trabajo,*Centro de Análisis del Trabajo, A.C., Universidad Autónoma Metropolitana, año 2, núm. 3, enero-junio de 2000, segunda época, México, p. 44.

Texas–, condujeron a la realización de una investigación sobre las posibilidades reales de la importación de fuerza de trabajo mexicana, así como la carestía y escasez de la mano de obra estadounidense.[2]

Con sólo 10 días de negociaciones intergubernamentales se llegó a un acuerdo que permitió la firma del primer Convenio de Braceros, el cual entró en vigor el 4 de agosto de 1942.[3] El inicio y finiquito de dichos convenios dependió de los intereses y decisión estadounidenses. Hacia los años setenta encontramos algunos programas aislados de parte de las secretarías de Educación Pública, Relaciones Exteriores y la del Trabajo, así como en el Consejo Nacional de Población que se proponían primeros acercamientos con organizaciones chicanas, así como la realización de encuestas y estudios de los mexicanos en Estados Unidos.

Esta situación observa cambios sobre todo a finales de los años ochenta, cuando se inician acciones gubernamentales más estructuradas y encaminadas a la atención tanto de los mexicanos en su tránsito hacia los Estados Unidos, como a las comunidades de connacionales establecidas en ese país y a los mexicanos que en diversas épocas del año regresan a México temporalmente. Estos elementos nuevos en las acciones de gobierno se explican por: 1. la tendencia creciente observada en estos años en el flujo migratorio de mexicanos, 2. el cada vez más importante papel de las remesas en la economía mexicana, 3. el agudizamiento de la política antiinmigratoria en los Estados Unidos, 4. las acciones políticas de las organizaciones no gubernamentales de migrantes y pro migrantes en México y Estados Unidos, en la exigencia de protección y defensa de sus derechos, 5. la presencia política de los migrantes en las campañas presidenciales de 1988 apoyando a los partidos de oposición, 6. la institucionalización de la relación entre México y Estados Unidos a través del Tratado de Libre Comercio le dio otra connotación a la relación bilateral y particularmente al tema migratorio, y 7. así como el hecho de que el debate en cuanto al proceso de integración comercial y financiera con Estados Unidos, centró mucho su atención en el tema migratorio.

Las acciones más destacadas y que se implementaron a partir del viraje observado a finales de la década de los ochenta en México, son: el Programa Paisano creado en 1989; el Programa para las Comunidades Mexicanas en el Exterior (PC-ME), que inició en 1990; en ese mismo año el Pronasol creó un apartado internacional (Solidaridad Internacional) con el objetivo de recabar apoyos en los migrantes residentes en Estados Unidos; el funcionamiento del Grupo de Trabajo sobre Migración y Asuntos Consulares, una instancia de la Comisión Binacional

---

[2] Patricia Morales, *Indocumentados mexicanos*, Ed. Grijalbo, México, 1982, p. 100,101, 114-118.

[3] *Acuerdo Internacional sobre Trabajadores Migratorios y Contrato Tipo de Trabajo*, Secretaría de Relaciones Exteriores, Dirección General de Asuntos de Trabajadores Migratorios, Impreso en los Talleres Gráficos de la Nación, México, 1959.

México-Estados Unidos que sesiona regularmente desde 1990 cuyo principal resultado ha sido la elaboración del *Estudio binacional México-Estados Unidos sobre migración mexicano-americana* (1993); las Oficinas Estatales de Atención a Oriundos (OFAOS), algunas de las cuales inician actividades hacia el año de 1994; la creación de los Grupos Beta (agosto de 1990); la Comisión Nacional de Derechos Humanos presentó cuatro informes sobre la problemática migratoria (el Primer y Segundo Informe sobre las Violaciones a los Derechos Humanos de los Trabajadores Migratorios Mexicanos en su Tránsito hacia la Frontera Norte, al cruzarla y al internarse en la Franja Fronteriza Sur Norteamericana 1991 y 1996 respectivamente); el informe sobre el menor mexicano repatriado desde Estados Unidos (1993) y el informe sobre violaciones a los derechos humanos de los inmigrantes, Frontera Sur (1995); la Ley de No Pérdida de la Nacionalidad Mexicana de marzo de 1998; la creación de la Oficina Presidencial para la Atención de Migrantes Mexicanos en el Extranjero en febrero de 2001; el Programa Adopta una Comunidad (2001); en la frontera norte se creó la Comisión para Asuntos de la Frontera Norte en octubre de 2001; después de año y medio de existencia desapareció la Oficina Presidencial para la Atención de Migrantes y se firmó el convenio que dio nacimiento formal al primer Consejo Consultivo del Instituto de los Mexicanos en el Exterior, CCIME, en diciembre de 2002. En los planos estatal y municipal también encontramos acciones gubernamentales que buscaron establecer vínculos estrechos con los migrantes radicados en Estados Unidos. Es el caso del programa Dos por Uno organizado en Zacatecas en 1986 y 1993-1999 y la creación del Fideicomiso Estatal de Empresas de Solidaridad y de Empresas Juveniles; en Oaxaca el programa Dólar por Dólar en 1998. También es importante señalar que a través del Programa para las Comunidades Mexicanas en el Exterior la Secretaría de Relaciones Exteriores coordina actividades con 23 gobiernos estatales y centenares de municipios,[4] particularmente importantes han sido las actividades impulsadas por la Oficina Estatal de Atención a Oriundos (OFAO), de Guanajuato, creada en 1994 y que realiza programas de atención como el programa Mi Comunidad, programa Casas Guanajuato, así como proyectos de inversión productiva de las remesas a través del Programa Dólar por Dólar.

Las políticas estadounidenses y la migración de mexicanos

En el final de los años ochenta y durante la década de los noventa el fenómeno migratorio conoció una política profundamente antiinmigratoria en los Es-

---

[4]Remedios Gómez Arnau y Paz Trigueros, "Comunidades transnacionales e iniciativas para fortalecer las relaciones con las comunidades mexicanas en los Estados Unidos", en Rodolfo Tuirán (coord.), *Migración México-Estados Unidos. Opciones de política,* Ed. Consejo Nacional de Población, Secretaría de Relaciones Exteriores, Secretaría de Gobernación, México, 2000, pp. 263-298.

tados Unidos, absurdamente reticente, negativa y rotundamente violatoria a los derechos fundamentales de los migrantes. Diversos factores se interconectan en el análisis explicativo del porqué en estos años observamos un particular agudizamiento en el rechazo a la migración en general y en particular a la mexicana: 1. las recesiones económicas de principios de las décadas de los noventa y de la primera del siglo XXI en los Estados Unidos con sus secuelas de inestabilidad y desempleo, 2. el incremento del flujo migratorio de mexicanos en la década de los ochenta y el nivel de madurez que alcanzó en esas fechas con sus consecuentes impactos sociales, urbanos, culturales, educativos y de salud; 3. en este periodo desaparece el comunismo como el enemigo fundamental, el fin de la Guerra Fría reconvierte los enfrentamientos entre demócratas y republicanos que requieren de "nuevos" enemigos a los cuales responsabilizar de los más graves problemas del país y encuentran en el tema migratorio un importante "caldo de cultivo" de sentimientos xenófobos y racistas, de tal manera que no resultó complicado convertirlo en uno de seguridad nacional; 4. la débil postura del gobierno mexicano en la defensa de los trabajadores migratorios mexicanos, y 5. por último, se encuentran los acontecimientos terroristas del 11 de septiembre de 2001.

En los años noventa se presentaron las propuestas más xenófobas, racistas y antiinmigrantes de toda la historia de Estados Unidos: en 1993, 1994 y 1995 se presentaron ante el Congreso de Estados Unidos más de 100 propuestas de ley para frenar la corriente inmigratoria. En 1996, la Cámara de Representantes en Estados Unidos, aprobó la Ilegal Immigration Reform and Inmigrant Responsbility Act of 1996, que entró en vigor el 1o. de abril de 1997. Ese mismo día entraron en vigor otras dos piezas legislativas sobre migración: la Ley Antiterrorismo y de Pena de Muerte Efectiva y la Ley de Responsabilidad Personal y Conciliación de la Oportunidad de Empleo. El Act of 1996 tuvo un breve aplazamiento hasta el 5 de abril debido que se reconoció que "algunos aspectos de la nueva ley presentan dificultades"; la importancia de este hecho no se encontró en las 120 horas más con que contaron los trabajadores migratorios, ya que con ellas no lograrían estar en mejores condiciones para enfrentar esa nueva realidad jurídica. Lo revelador de esa posposición fue el reconocimiento implícito de que las dificultades para su instrumentación residían en las condiciones mismas en las que se había dado su aprobación seis meses antes.[5]

Esta ley de migración fue enmendada con una reforma el 21 de diciembre de 2000, por la Sección 245 (i), del Acta Legal de la Equidad de la Inmigración

---

[5] Sobre el tema véase Genoveva Roldán Dávila, "Migración y derechos humanos de los trabajadores mexicanos", en Ángel Bassols Batalla (coord.), *La gran frontera. Franjas fronterizas México-Estados Unidos. Transformaciones y problemas de ayer y hoy*, tomo II, UNAM, Instituto de Investigaciones Económicas, México, 1999, p. 370.

y la Familia (LIFE, por sus siglas en inglés), que permitían a aquellos emigrantes indocumentados que fueran padre, madre o hijos de un residente, regularizar su situación hasta antes del 30 de abril de 2001. Para el año 2001 ya se observaba que ante el "ambiente de pánico" que se vivía en estados como Arizona, California y Texas por el incremento de la emigración indocumentada, así como por la proximidad de las elecciones intermedias del 2002, se amortiguó y pospuso la discusión en el Congreso, sobre el tema migratorio.[6] En esta década también encontramos la Propuesta 187 (1994), en el estado de California, para que los extranjeros indocumentados no tuvieran acceso a los servicios sociales públicos, servicios de salud financiados con fondos públicos, educación pública elemental, secundaria y posterior a ésta.

En 1996 la Cámara de Representantes aprobó la cantidad de 3,000 millones de dólares de presupuesto para el SIN, con la intención de contratar más agentes. Con un recorte de alrededor de 60,000 millones de dólares, recientemente se promulgó una reforma a la Ley de Asistencia Pública, los recortes en esta nueva Ley de Welfare provendrán en un 40 por ciento de disminuir o cancelar beneficios a los residentes legales, tales como los vales para alimentos (*food-stamps*), asistencia para ancianos y lisiados, asistencia al programa de seguro Medicaid.

El combate a la migración se ha dado en todos los terrenos, es el caso de la Resolución de la Suprema Corte de Justicia del 27 de marzo de 2002, con el llamado caso Hoffman, según la cual se cancelan los derechos laborales a los trabajadores indocumentados, ya que éstos no tendrán derecho de libre asociación en sindicatos ni protección contra empresarios que violen sus garantías laborales.

Durante la década de los noventa encontramos que muy claramente se perfilan dos etapas en cuanto a las características de la política, aplicada por parte de los Estados Unidos frente al fenómeno migratorio: una es la que se presentó durante la primera mitad de los años noventa, en la que encontramos un endurecimiento en el trato por parte de los miembros del Servicio de Inmigración y Naturalización (SIN), señalados por los inmigrantes mexicanos como los principales violadores a sus derechos humanos: golpes con brutalidad, que provocan lesiones irreversibles, negativa de atención médica, atropellamiento con vehículos oficiales, acorralamiento y encajonamiento en barrancos y ríos, golpes con linternas o macanas, golpes con puntapiés, golpes contra la carrocería de los vehículos oficiales, tortura con el aire acondicionado en tiempos de frío, agresiones sexuales, esposamiento con lujo de violencia, sometimiento a revi-

---

[6]Al respecto consultar: Deborah Waller Meyers y Demetrios G. Papademetriou, "Un nuevo contexto para la relación migratoria de México y E.U.", *Foreign Affairs*, en español, ITAM, Ed. América Latina y el Mundo, México, primavera de 2002, vol. 2, núm.1, p. 182.

siones humillantes, destrucción o confiscación de documentos, intimidación, insultos y, en casos extremos, la muerte. La mayoría de estos patrones de conducta ocurren en lugares apartados, ya que los agresores evitan la presencia de testigos, de tal manera que sólo los agraviados pueden testificar lo sucedido.[7]

Una segunda etapa la ubico a partir de que los programas instrumentados con la Operación Bloqueo, Guardián, Salvaguardia y Río Grande, comienzan a tener resultados, durante la segunda mitad de los años noventa, sin que ello signifique que se han eliminado las prácticas anteriormente señaladas, que al materializarse han afectado con otras características y dimensiones las violaciones a los derechos humanos de los trabajadores migratorios mexicanos. Estos programas declararon tener el objetivo de limitar el tránsito de indocumentados por las rutas trazadas desde tiempo atrás; obligarlos a intentar cruzar por rutas desconocidas, con mayores dificultades climatológicas y caminos agrestes, desérticos o montañosos. El objetivo fue claro: recuperar el control de las rutas principales de acceso a territorio estadounidense, cerrando y obstaculizando los caminos más frecuentemente utilizados por los migrantes para hacer tan difícil y costosa la entrada a ese país, que se lograra eliminar la entrada de indocumentados. Objetivo que no se ha logrado, aunque lo cierto es que, en los últimos siete años, más de 2,000 mexicanos han muerto al intentar cruzar la línea, con temperaturas de más de 40 grados centígrados, remontar picos de 1,800 metros de altura, con el resultado de la hipotermia o deshidratación.

El asedio y el acoso hacia los migrantes pareciera no tener límites. En la segunda quincena de marzo de 2002 se anunció que efectivos de la Guardia Nacional se incorporarían a las labores de vigilancia en las garitas internacionales de paso entre Tijuana y San Diego, para permanecer ahí alrededor de seis meses. Esta medida es parte del proyecto de "Frontera inteligente y segura" que el gobierno de Estados Unidos instrumentó después de los acontecimientos del 11 de septiembre. La premisa actual es que la "defensa del país empieza en la defensa de las fronteras", favoreciendo con ello las posturas más conservadoras, que venían exigiendo mayores restricciones y controles a la migración. De esta manera se aumentó el presupuesto destinado a la seguridad de la frontera para el 2003 con un aproximado de 11,000 millones de dólares, incremento en el número de agentes fronterizos, así como un aumento en el presupuesto de la Guardia Costera.

---

[7] Al respecto véase *Segundo Informe sobre las Violaciones a los Derechos Humanos de los Trabajadores Migratorios Mexicanos en su Tránsito hacia la Frontera Norte, al cruzarla y al internarse en la Franja Fronteriza Sur Norteamericana*, Comisión Nacional de Derechos Humanos, México, 1996, coordinación de Héctor Dávalos y Genoveva Roldán.

Una primera evaluación

Los cambios observados en la política migratoria mexicana motivaron que al finalizar la década de los noventa ya se presentaran algunas evaluaciones sobre lo acontecido en este periodo. Para algunos especialistas en el tema, durante estos años se sentaron las bases para un cambio sustancial en la relación binacional y en esa dirección se seguiría avanzando; ya que si bien en las últimas dos décadas el tema migratorio se había distinguido como uno de los más difíciles, preocupantes y conflictivos de la agenda bilateral. Se señalaba que "...tanto en materia migratoria como en otros temas, la relación entre ambos países ha evolucionado gradualmente del distanciamiento, la confrontación y el unilateralismo a una actitud pragmática de apertura y colaboración".[8]

Por otro lado se encuentran las opiniones de diversas organizaciones no gubernamentales que han mantenido una permanente crítica a las acciones de gobierno, por considerarlas todavía limitadas y poco autónomas frente a las decisiones y propuestas de Estados Unidos.

En esta primera evaluación no se incluirán los últimos años del gobierno foxista, en virtud del "cambio" político que significó la derrota del PRI con el triunfo de Vicente Fox y, por tanto, la necesidad de diferenciar la estrategia aplicada en este periodo. Para tal efecto resulta de gran utilidad el balance realizado en el año 2000 por el presidente Ernesto Zedillo, en cuanto a las acciones de gobierno que en materia migratoria se habían realizado en ese periodo en el que, como ya señalamos, terminaron de materializarse los proyectos iniciados a finales de los ochenta y principios de los noventa.[9]

En la iniciativa Nación Mexicana, el Programa de Comunidades Mexicanas en el Exterior (PCME) se constituyó en uno de los proyectos más importantes del sexenio y se le impulsó con transmisiones a través de 72 radiodifusoras en Estados Unidos y la inserción del suplemento bimestral *La Paloma*, con un tiraje de 450,000 ejemplares en ocho periódicos en español de ese país. Este programa se autolimitó a las necesidades culturales de los mexicanos en el exterior, dejando de lado las necesidades laborales, de protección, políticas, sociales, educativas y de salud de estas comunidades. El trabajo en materia de difusión, se ha enfocado básicamente al área cultural: "... más de un 80 por ciento del material de difusión para radio y televisión es cultural. Las tradiciones mexicanas son el principal tópico de las producciones tanto de radio como de televisión. Tanto los promocionales, los spots y las cápsulas se hacen en

---

[8] Rodolfo Tuirán (coord.), *Migración México-Estados Unidos. Opciones de política*, Consejo Nacional de Población, Secretaría de Gobernación, Secretaría de Relaciones Exteriores, México, 2000, p. 13.
[9] *Sexto Informe de Gobierno*, Presidencia de la República, México, 2000, p. 19.

inglés y español para que tengan un mayor número de receptores de origen mexicano".[10]

En esta primera evaluación podemos afirmar que, pese a que el programa se había creado desde 1990, la mayoría de las actividades se realizaron en los años de 1997 y 1998, ese fue el proceso de maduración del proyecto, pero a partir de 1999 se observa un proceso de estancamiento, quizás debido a su no acercamiento a la comunidad mexicana, puesto que no ha llegado al grueso de la población, pues no cuenta con la capacidad de adecuarse a las necesidades de esta comunidad en el exterior.

En este informe presidencial tuvo particular importancia resaltar lo que significó la entrada en vigor en 1998 de la Ley de Nacionalidad, que garantiza a los mexicanos nacidos en el exterior, o que adoptaron una nacionalidad extranjera, no perder la nacionalidad mexicana; desde su expedición hasta ese momento, ya se habían otorgado 25,766 declaratorias de nacionalidad mexicana. En cuanto a la doble nacionalidad es importante comentar que, si bien quedó establecida desde el 21 de marzo de 1998 y pese a que el artículo 36 constitucional establece las bases para que los mexicanos en el extranjero hubiesen podido votar en las elecciones del 2 de julio de 2000, que lo que faltaba era que las leyes reglamentarias fueran reformadas para empatarlas con dicho mandato, esto no fue así. El Instituto Federal Electoral se dio a la tarea de estudiar las modalidades para que los ciudadanos mexicanos residentes en el extranjero pudieran ejercer el derecho al sufragio; después de seis meses estableció la absoluta viabilidad del voto de los mexicanos en el extranjero. Al turnarlo al Congreso de la Unión para realizar las modificaciones al Cofipe para su instrumentación, surgieron los problemas. El 8 de julio de 1999, en el Senado de la LVII Legislatura la bancada del PRI rechazó la iniciativa de reformas al Cofipe. Los votos del PAN y PRD no pudieron revertir esta postura.

En cuanto a la Secretaría de Gobernación se informaba que las autoridades mexicanas ya tenían, para el año 2000, operando nueve grupos Beta de protección al emigrante; seis en la frontera norte y tres en la frontera sur, los cuales habían prestado servicios de rescate de emigrantes, orientación, asistencia social y jurídica, recepción de quejas así como de protección en México. No debemos perder de vista que a los grupos Beta, localizados en Tijuana, Tecate y Mexicali (Baja California); Nogales y Agua Prieta (Sonora); Matamoros (Tamaulipas); Tapachula y Comitán (Chiapas), así como en Tenosique (Tabasco) se les redefinieron sus tareas para que tuviera prioridad la prevención y protección de los derechos humanos de los migrantes, sobre todo en los casos de locali-

---

[10] Al respecto consultar: Nancy Pérez, "Evaluación del Programa para las Comunidades Mexicanas en el Exterior, en el área de difusión (su aplicación en los Estados Unidos de América)", tesis, Facultad de Ciencias Políticas y Sociales, UNAM, México, 2002.

zación y rescate. Los grupos Beta, con 10 años de existencia, se han integrado con recursos municipales, estatales y federales; al inicio de sus actividades contaban con un reconocimiento social y estaban catalogados como la policía más honesta de México. Sin embargo, en los últimos años han generado una impresión muy dispareja. Se ha denunciado de que en Mexicali el grupo Alfa "cobra peaje" a los polleros o coyotes. Insistentemente se les ha venido señalando que sus actividades tienden a realizar el trabajo sucio de la Patrulla Fronteriza y se extiende la información sobre los malos elementos que conforman a dichos grupos. Resultó muy grave para la opinión pública nacional contar con las filmaciones que atestiguaban que, ante la presencia de miembros del grupo Beta de México y de la Patrulla Fronteriza de Estados Unidos dos migrantes murieron ahogados en el río Bravo, sin que se les brindara auxilio el 8 de julio de 2000. El argumento fue que el grupo Beta carece de instrumentos de rescate como lanchas, flotadores, equipo de buceo, cuerdas y preparación para rescate en agua y que no saben nadar, a pesar de que vigilan una de las zonas fronterizas por donde el flujo migratorio es constante y de que a Brownsville y Matamoros los divide un río que es considerado como uno de los más peligrosos de la región.

Asimismo, se informaba que el Programa Paisano había sido mejorado para que se incrementaran las acciones a favor de los connacionales que regresan o visitan el país, ampliando las facilidades para internar sus bienes y garantizarles seguridad, respeto y buen trato, fortaleciendo los lazos con sus lugares de origen. Anualmente atiende alrededor de 2 millones de personas. No podemos dejar de lado las quejas y denuncias de los emigrantes, que en cuanto a este programa han sido frecuentes. Particularmente porque durante esos años en cada temporada navideña se hicieron cambios a los trámites de internación, lo cual se ha prestado a actos de corrupción, lentitud administrativa y dificultades para los "paisanos". Las organizaciones no gubernamentales que promueven los derechos de los emigrantes a ambos lados de la frontera consideran que "es más adecuado que los paisanos gasten su dinero con la familia", a que lo entreguen a funcionarios públicos, "porque erogan un promedio de 300 dólares en mordidas y trámites para agilizar su ingreso". Para finales de los noventa los módulos de orientación a los paisanos se encontraban deteriorados y en muchos casos abandonados.

En este informe también se presentaron datos sobre la migración en la frontera sur. La política migratoria de México en la frontera sur ha sido sumamente cuestionada, pues diversos estudios han revelado que actualmente se estima que 200,000 trabajadores guatemaltecos vienen a laborar en las plantaciones mexicanas, de los cuales sólo 64,000 lo hacen documentadamente, situación que repite los esquemas del norte. Obtenemos trabajo sumamente especializado en la pizca de las fincas cafetaleras y se alimenta el negocio de los contratistas castigando la ya de por sí barata fuerza de trabajo. No olvidemos que en la frontera sur las muertes de los migrantes también están presentes. En 1999 hubo 52 ahogados en Arriaga y Tapachula. La aplicación en México de la política que permite a cualquier corporación policiaca a nivel federal, estatal o municipal que pueda requerir los documentos migratorios, ha agudizado la problemática de los migrantes centroamericanos. De los transmigrantes que llegan a la Casa Albergue del Migrante de Tapachula el 82 por ciento ha sido extorsionado por alguna corporación policiaca mexicana. Hasta la fecha México ha criminalizado a la migración proveniente de la frontera sur, como los Estados Unidos lo hacen con la nuestra. Se violan sus derechos humanos, los despojan de sus pertenencias, los maltratan y algunos mueren en su intento por llegar a México y trasladarse a los Estados Unidos. Con la creación de la Patrulla Fronteriza en 1999, con el objetivo de bloquear entradas ilegales a México y prevenir el tráfico de indocumentados, resultó interesante que también fueran enviados al norte, pero no para detener las entradas ilegales de personas procedentes del norte, sino para aprender a descubrir y desmantelar la migración de indocumentados centroamericanos, su mandato. Baste recordar la denuncia que en 1998 el Parlamento salvadoreño hizo porque el gobierno de México vulnera todos los tratados internacionales de derechos humanos en contra de indocumentados centroamericanos, incluidos mujeres y niños.

Por último se destacó que, para combatir el tráfico de personas, a los coyotes y polleros, se tipificó este delito en la Ley Federal Contra la Delincuencia Organizada y en la Ley General de Población, incrementándo su penalidad de un rango de dos a 10 años, a otro de seis a 12 años, para impedir el otorgamiento de la libertad condicional a quien incurra en este delito. Sin embargo, pese al reforzamiento de la vigilancia con el envío de 700 efectivos a las fronteras de la Policía Federal Preventiva (PFP), no se ha logrado disminuir la problemática de los "polleros", quienes en los últimos años han incrementado sus ganancias en un 50 por ciento al pasar de 5,000 a 7,500 millones de dólares anuales, informó el Servicio de Inmigración y Naturalización (SIN). Los polleros han incrementado sus tarifas hasta en un 300 por ciento; son los beneficiados de los operativos como el denominado Guardián, porque al ponerse más obstáculos se *encarecen sus servicios*. Diversas ONG señalan que operan alrededor de 10 grandes bandas internacionales. Es una verdadera industria que genera anualmente ganancias entre 7,000 y 8,000 millones de dólares; en el caso de la frontera de México-Estados Unidos se habla de 300 millones de dólares al año. Las cuotas se han elevado de 250 a 1,300-1,500 dólares por llevarlos de Tijuana a Los Ángeles, por ejemplo. La ausencia de resultados en cuanto al combate a las bandas que trafican con seres humanos, cuya acción sería inexplicable sin la complacencia y complicidad tanto de autoridades mexicanas como estadounidenses, contrasta con la eficiencia en cuanto al control de los centroamericanos; es una política migratoria que no se ajusta a los criterios de soberanía y procuración de justicia expresados en la Constitución, al realizarle el trabajo "sucio" a los Estados Unidos.

En el informe no se hizo mención a un tema de gran importancia para las familias de los inmigrantes y para la sociedad en su conjunto, el que hace referencia a que desde hace años se sabe que empresas estadounidenses y mexicanas dedicadas al envío de dinero entre ambas naciones estafan a los mexicanos. Sin embargo, las autoridades mexicanas no actuaron en defensa de millones de mexicanos víctimas de este abuso. Pese a los anuncios no se logró instrumentar el subprograma Giro Paisano, cuya operación se supone que reduciría entre 20 y 18 por ciento las comisiones que cobran las empresas privadas por el envío de remesas al país.

En esta primera evaluación requiere una mención especial un aspecto que el gobierno mexicano consideró como un parteaguas en la relación binacional en cuanto al tema migratorio y fue el referente al acuerdo tomado, en marzo de 1994, al seno del Grupo de Trabajo sobre Migración y Asuntos Consulares, una instancia de la Comisión Binacional México-Estados Unidos que sesiona regularmente desde 1990, en el sentido de elaborar un estudio de carácter genuinamente binacional con miras a facilitar el diálogo bilateral sobre este complejo y espinoso asunto. Este esfuerzo culminó cuando fue dado a conocer el *Estudio binacional México-Estados Unidos sobre migración* en noviembre-diciembre de 1997. En el prólogo de dicho estudio se afirma que su objetivo fue "...acceder a una visión global y compartida de la magnitud de los flujos, características de los migrantes, factores que inician y apoyan la migración, los efectos en ambos países y las respuestas adoptadas de manera unilateral o conjunta por México y Estados Unidos".[11] A las conclusiones de este estudio se les atribuye una "verdadera perspectiva binacional".

En esta investigación se lograron significativos avances en cuanto a la cuantificación de algunos aspectos del fenómeno y se intentó conciliar las interpretaciones diferentes, que en cuanto a las causas de la migración existen en ambos países. En cuanto a las causas de la migración este estudio refleja la interpretación neoclásica que al decir de Massey es "...probablemente la teoría más vieja y mejor conocida de la migración internacional... de acuerdo con esta teoría y sus extensiones, la migración internacional, así como sus contrapartes internas, es causada por diferencias geográficas en la oferta y la demanda

---

[11] *Síntesis del Estudio binacional México-Estados Unidos sobre migración*, boletín editado por el Consejo Nacional de Población, año 1, núm. 4/noviembre-diciembre, 1997/ISSN 1405-5589, p. 1. Posteriormente se publicó el *Estudio binacional sobre migración*, Ed. Secretaría de Relaciones Exteriores y Commission on Immigration Reform, 2000.

de trabajo...".[12] En mi opinión no es suficiente señalar que la migración de mexicanos a Estados Unidos está inicialmente motivada sobre todo por factores de "demanda-atracción" en Estados Unidos; y factores de "oferta-expulsión" en México; y que las redes sociales y familiares vinculan dicha oferta y demanda, ya que no remite a los factores estructurales, institucionales, demográficos y culturales que han configurado y dado cuerpo a dicha oferta y demanda. Este marco analítico en cuanto a las migraciones es coincidente con la teoría neoclásica actualmente dominante en las políticas económicas, de tal manera que resulta entendible que en el estudio se afirme que a raíz del "...cambio estructural que actualmente vive la economía mexicana, es probable que las redes de migración se debiliten" y que en los años recientes existen evidencias de "...que los altos niveles de la migración de México a Estados Unidos podrían comenzar a disminuir en los próximos quince años"; es el resultado de considerar que con la integración y la apertura se logrará la convergencia económica y de ahí a la disminución de la intensidad en los flujos migratorios. Si el fenómeno sólo se analiza desde la perspectiva de demanda y oferta se da el lujo de olvidar los factores estructurales de ambas economías que constituyen esa demanda y esa oferta, y por factores estructurales no me estoy refiriendo sólo a los económicos en abstracto y en general, sino a las condiciones en que se desenvuelve el proceso de acumulación de capital en ambas economías, los mecanismos de financiamiento de este proceso y las instituciones sociales y políticas que promueven y permiten su reproducción.

No resulta ocioso señalar que la realidad es contundente, que se ha encargado de desmentir los pronósticos y tendencias que con base en esta concepción se sostenían, ni en cuanto a la magnitud del flujo, ni en cuanto a las políticas que asumirían ambos países: el unilateralismo por parte de Estados Unidos y las debilidades e inconsistencias de la política de los gobiernos mexicanos frente al tema migratorio, así lo demuestran. Con el actual esquema de apertura e integración no hemos logrado ni siquiera un crecimiento estable, menos aún el tan ansiado desarrollo que nos colocaría en mejores condiciones para redefinir y controlar el flujo migratorio. En virtud de que el *Estudio binacional* requería de una postura de consenso entre ambos países, ahí se expresa que: "El catalizador de gran parte de la migración laboral actual no autorizada de mexicanos ha estado tradicionalmente en Estados Unidos, sin embargo, con el paso del tiempo, un conjunto más vasto y complejo de factores reproducen ese flujo".

Esta afirmación se permite olvidar que este fenómeno tiene más de 100 años y que el proceso de conformación de las redes sociales y familiares no es nuevo;

---

[12] Massey, Arango *et al.*, *op. cit.*, p. 9.

que sin desconocerlos como factores explicativos de la migración de ninguna manera se les puede atribuir un funcionamiento al margen de las condiciones estructurales, tanto de la economía mexicana como de la estadounidense. En la actualidad lo que sigue marcando los factores de reproducción del fenómeno son las condiciones estructurales de la economía estadounidense que requiere de esta fuerza de trabajo, situación factible por las características de subordinación, dependencia y subdesarrollo que permean el desenvolvimiento de la acumulación capitalista en nuestro país; de esta manera las redes sociales y familiares resultan complementarias en el proceso y de ninguna manera determinantes de él.

Una segunda evaluación

En esas condiciones se dio el "cambio" en el país. Con el nuevo gobierno encontramos elementos distintivos que, por el poco tiempo transcurrido, difícilmente podemos evaluar plenamente. Por tanto sólo presentaremos algunas reflexiones iniciales acerca de las acciones y políticas propuestas en el periodo 2001-2002.

En cuanto a lo sucedido con el gobierno del "cambio", es importante contextualizarlo ya que, pese a diversos pronósticos, la "nueva economía" sí se desaceleró[13] y entró en receso a nivel internacional, México no ha escapado a ello y no como un mero reflejo sino porque el país es parte de ese proceso económico y, debido a sus condiciones de dependencia y atraso, las expresiones de dicha crisis son mucho más violentas y dramáticas; por otro lado la *globalización* ha exacerbado las contradicciones políticas y económicas a nivel mundial, con expresiones tan lamentables como los ataques terroristas del 11 de septiembre, la guerra en Afganistán e Iraq mientras el flujo migratorio se continúa desenvolviendo en condiciones de unilateralismo por parte de Estados Unidos, fuerte inestabilidad, tensión y conflictividad.

Pese a las contradicciones y ambivalencias de las propuestas de campaña y a los dichos y desdichos durante los dos primeros años de gobierno, resulta evidente que sí existe un "cambio" político en cuanto a la atención e importancia que se le adjudica al tema migratorio. La migración laboral resultó un tema "popular" y bien recibido a nivel nacional e internacional. Enarbolar la bande-

---

[13] "El contexto actual de la cuestión migratoria está enmarcado por dos poderosas tendencias: la integración económica y el diálogo político. Esas tendencias ofrecen oportunidades no sólo para eliminar los aspectos irritantes de la cuestión migratoria, sino también para buscar un entendimiento de largo alcance al respecto. Además las coyunturas económica y política por la que atraviesan ambos países ofrecen oportunidades para llegar a ese entendimiento. En estados Unidos, el crecimiento económico es sostenido y no hay señales de que la "nueva economía" vaya a desacelerarse significativamente o a entrar en receso. En México, la recuperación económica ha sido rápida y sorprendente, y se tienen indicios de que ésta se consolide en una etapa de crecimiento sostenido". Francisco Alba, *op. cit.*, p. 42.

ra de que "somos 120 millones de mexicanos", porque los que están en Estados Unidos también cuentan, permitió hacer una renovación de la agenda binacional, así como tonificar la demagogia electoral.

La propuesta de Vicente Fox, presentada en campaña y reiterada en los primeros meses de su gobierno, en cuanto al libre tránsito de los trabajadores migratorios, siendo válida no fue presentada dentro de un proyecto general de negociación con los Estados Unidos, que bien pudiera haber sido el espacio surgido del TLC, con los plazos, condiciones y términos de un proyecto tan ambicioso. Todo se quedó a nivel de declaraciones muy propias de la personalidad y conducta política del presidente Fox, o se trató de un *borrego* para *tantear* el terreno y, ante el rechazo contundente de los Estados Unidos y Canadá, todo se empezó a encaminar hacia el proyecto que en el Congreso estadounidense ya se ventilaba desde septiembre y octubre de 2000; un nuevo Programa Bracero, o un aumento de la cuota de visas que anualmente entrega Estados Unidos a los mexicanos.

Una de las primeras acciones del Ejecutivo fue, en el mes de febrero del 2001, la creación de la Oficina Presidencial para la Atención de Migrantes Mexicanos en el Extranjero. Presidida por Juan Hernández Senter, la cual desapareció después de una existencia efímera de apenas un año y cinco meses, de acciones de poca trascendencia, sin articularse con los proyectos de la cancillería y al margen de los programas que ya se venían instrumentando en los años noventa. Su programa estelar fue el de Adopta una Comunidad, que tenía como objetivo el que personas, empresas o instituciones de Estados Unidos, mexicanos o no, financiaran proyectos en alguna de las 90 microrregiones definidas como aquellas de alta marginación y migración.

Al momento de desaparecer la oficina sólo logró "compromisos" por 74.6 millones de dólares que únicamente involucraban el 20 por ciento de las microrregiones; la crítica más importante a este programa consiste en que partió de un total desconocimiento del fenómeno migratorio, ya que la alta marginación y la migración no tienen una relación tan estrecha como lo presenta. De acuerdo con información publicada por Conapo, los nueve estados de mayor migración no se corresponden con los de mayor marginación. Es el caso de Jalisco, Chihuahua y Durango, entidades con grado de marginación baja, que ocupan los lugares 25, 26 y 17 respectivamente a nivel nacional; en cuanto a la intensidad migratoria ocupan el 1o., 5o. y 4o. lugar. Por otro lado se encuentran Guerrero y Oaxaca que ocupan el primer y segundo lugar de marginación en el país y son octavo y noveno en intensidad migratoria.[14] Con mucha agu-

---

[14] Melba Pría, "Mexicanos en Estados Unidos. Presencia e impacto en sus comunidades de origen", ponencia presentada en el Foro de Migración y Desarrollo que convocó la Comisión de Población, Fronteras y Asuntos Migratorios de la H. Cámara de Diputados, 24 de mayo de 2002.

deza Jorge Santibáñez, actual presidente de El Colegio de la Frontera, en torno a este debate señalaba en el periódico *La Jornada* que "...las características del Programa en cuestión proyectan la idea de que la migración se va a resolver con actos de caridad y solidaridad social que, de algo servirán, pero resulta ingenuo creer que esa será la solución a un problema estructural".

Al momento de la creación de la Oficina de la Presidencia expresé[15] que en la frontera norte se crearía la Comisión para Asuntos de la Frontera Norte, lo cual se concretó en octubre de 2001, bajo la coordinación de la Secretaría de Gobernación, la cual tendría la responsabilidad de establecer mecanismos que garantizaran la seguridad y el respeto a los derechos de los emigrantes mexicanos. Decía que expresé mi opinión en el sentido de que resultaba poco alentador que una vez más se tendiera a la atomización de los esfuerzos gubernamentales para atender el fenómeno migratorio, creando nuevas comisiones fuera del organigrama y desviando recursos humanos y económicos, cuando por otro lado se informaba sobre la precaria situación de los consulados mexicanos en Estados Unidos que impedía mejorar su eficiencia, dada la reducción presupuestal para las oficinas consulares del proyecto de egresos enviado por el presidente Fox. Ello reveló que en términos reales se estaban afectando las funciones de las oficinas consulares en cuanto a las labores de repatriación de personas vulnerables, visitas a cárceles y centros de detención, atención telefónica, campaña de seguridad al emigrante, protección preventiva, consulados móviles y que, por tanto, no se podrían abrir los consulados de Yuma y Las Vegas, ni tampoco podrían operar como consulados generales los de Nogales, Laredo y Boston.

Al desaparecer esta oficina, el presidente Fox anunció la transferencia presupuestal y de mando a la Secretaría de Relaciones Exteriores y se firmó el convenio que da nacimiento formal al nuevo Consejo Nacional para los Mexicanos en el Exterior, que será el órgano consultivo del Instituto de los Mexicanos en el Exterior, su brazo ejecutor. El Consejo Nacional funcionará mediante una Comisión Intersecretarial en la que participarán ocho secretarías de Estado bajo la coordinación de la SRE. En cuanto al nuevo proyecto resultaría aventurado expresar una opinión sobre sus posibilidades reales, pero, en principio, pareciera un ejemplo más de la falta de coherencia y continuidad en el diseño de una verdadera política de Estado en materia migratoria.

Sin lugar a dudas sí existe más claridad sobre las grandes aportaciones que significan las remesas de los paisanos. Son dos los objetivos que este gobierno se ha trazado en cuanto a este tema: promover que las remesas enviadas no sólo

---

[15] Genoveva Roldán, "Política migratoria y derechos humanos", *Diversa, Revista de Cultura Democrática*, Instituto Electoral Veracruzano, agosto de 2001, núm. 2-3, México, pp. 71-87.

vayan al consumo, sino que se destinen a proyectos productivos y reducir el costo de los envíos. Por tal motivo los presidentes Vicente Fox y George W. Bush acordaron en Monterrey, México, en marzo de 2002, promover la Sociedad para la Prosperidad. Se puso atención en un tema en verdad importante, ya que las remesas se han constituido en la tercera fuente de divisas para México. El Fondo Monetario Internacional ha señalado que las remesas en todo el mundo exceden los 100,000 millones de dólares al año, y que México se encuentra a la cabeza como país receptor. México, con 100 millones de habitantes, recibe en remesas la misma cantidad que India, con una población de 1,000 millones de personas.

Para una administración en donde la productividad y la inversión adquieren rangos magnificados, no pasa desapercibida la posibilidad de que los 6,000, 8,000 o 10,000 millones de dólares,[16] que sostienen o ayudan al sustento de cerca de más de un millón de hogares, es decir, de cuatro o cinco millones de personas, puedan ser encauzados "productivamente". Posibilidad remota, ya que los hogares receptores de remesas mantienen un alto grado de dependencia de esos dólares y ello limita la posibilidad de inversión; a esto tenemos que agregar que, como señala un informe de Conapo, existen diversas razones que impiden que estos recursos se canalicen hacia proyectos productivos: la nula o escasa capacitación empresarial entre migrantes y ex migrantes, la baja rentabilidad de las inversiones que ocasionalmente realizan estos trabajadores y la poca confianza que tienen tanto en la estabilidad macroeconómica y la paridad cambiaria, así como en el desempeño gubernamental y la eficiencia de las políticas públicas de apoyo a las pequeñas y medianas empresas. Es por ello que resulta poco realista el proyecto de canalizar estas remesas a inversiones productivas y para lo cual se implementó el programa Dos por Uno, que se propone que cada dólar enviado por un migrante mexicano dispuesto a invertir en México, será acompañado por un dólar del gobierno estatal y otro del gobierno federal.

No cabe duda que las remesas de los migrantes llaman la atención. En Estados Unidos se implementó el proyecto "Mi Primera Cuenta", así como otros aprendizajes financieros, a través del Departamento del Tesoro, con la finalidad de que se acerquen a instituciones financieras formales como los bancos y las uniones de crédito. El gobierno mexicano negoció y obtuvo acuerdos con al-

---

[16] En México las estimaciones oficiales de remesas las realiza el Banco de México y se registran en la balanza de pagos y de acuerdo con esta fuente entre 1980 y 1998 el flujo anual de divisas registrado en el rubro remesas familiares, al incrementarse de forma más o menos regular, se multiplicó ocho veces, pasando en ese lapso de poco menos de 700 millones de dólares a algo más de 5,600 millones de dólares. De tal manera que han resultado desconcertantes y poco confiables los datos que de pronto han empezado a circular sobre el monto de las remesas ya que de pronto se empezaron a estimar en 7,000 millones de dólares, y en menos de tres años ya se habla de que ascendían a 9,000 millones de dólares, cifra que se manejó en la reunión de Financiación del Desarrollo, celebrada en Monterrey, México, y unos meses después ya se habla de 10,000 mdd. Este es un claro ejemplo del manejo político que se hace de las cifras en el caso del tema migratorio.

gunos bancos extranjeros para que los inmigrantes puedan abrir una cuenta bancaria en ese país y enviar una tarjeta de cajero automático a sus familias en México;
para ello los consulados están emitiendo tarjetas de identificación a los inmigrantes que les permiten abrir la cuenta bancaria con costos por envío menores. Esta
acción se empezó a implementar a finales del año 2001 y durante sus primeros
tres meses logró depósitos por más de 50 millones de dólares en bancos de California; tan sólo en el condado de Los Ángeles los depósitos ya habían rebasado los 20 millones de dólares. De acuerdo con las políticas neoliberales de los
gobiernos anteriores y del presente, este negocio había que dárselo a los bancos privados extranjeros, de tal manera que ni se contempló la posibilidad de
que fuera a través de instancias nacionales gubernamentales. No deja de estar
presente la posibilidad de que una parte de esas remesas ya no pasen la frontera y tengan como destino los bancos extranjeros.

A principios del sexenio se habló mucho sobre la posibilidad de programas de
regularización y de acuerdos sobre el empleo y contratación de mexicanos en Estados Unidos. Se realizaron frecuentes reuniones entre ambos presidentes y sin
embargo, desde abril de 2001, ya se observaba que las negociaciones sobre migración estaban estancadas y que si se retomaban sería después de las elecciones intermedias en los Estados Unidos; esto resultó muy evidente en la reunión que en
los primeros días del mes de septiembre de 2001 mantuvieron ambos presidentes
en territorio estadounidense, durante la cual resultó evidente que lo más a que se
podía aspirar era a la ampliación de la Sección 245 8i) del Acta de Inmigración y
Nacionalidad, que permitiría que el inmigrante indocumentado que vive en Estados Unidos pudiera solicitar la expedición de una visa en territorio estadounidense, sin que fuera necesario regresar a solicitarla a su país de origen. Las resistencias más recalcitrantes ya se habían manifestado y, por otro lado, los partidarios
de ese acuerdo se encontraban muy divididos. Para los republicanos y su presidente era evidente que, si se insistía en un acuerdo migratorio, su base más antiinmigratoria se alinearía y castigaría con el voto; por otro lado las expectativas que se
habían generado eran muy altas, aunque para ese entonces diversas encuestas ya
perfilaban que los votantes latinos ya se encontraban más preocupados por el desempleo y la recesión que por el tema migratorio.

Los ataques terroristas del 11 de septiembre terminaron de configurar un
ambiente y una postura en la que a la migración se asignan connotaciones de
catástrofe que hacen peligrar la paz mundial. Las consignas de la derecha a nivel mundial coinciden en enfocar a la migración bajo el prisma del racismo y
la xenofobia.[17] El acuerdo rápido, bueno y completo se pospuso. Todas las fuerzas

---

[17] Al respecto, recordar lo acontecido en la Cumbre de Sevilla del mes de junio de 2002, donde se presentaron ante la Cumbre Europea una serie de medidas para controlar sus fronteras ante la inmigración

se enfocaron a combatir el terrorismo y, sobre todo, a identificar en el "diferente y en el de afuera" al posible enemigo, cuando a nivel internacional son muchas las voces que cuestionan que el terrorismo viniera de fuera. El crecimiento de grupos radicales y fascistas en los Estados Unidos ya se había expresado y actuado con altos costos sociales, humanos y económicos, antes del 11 de septiembre.

Las acciones fueron inmediatas y uno de los principales objetivos fue el reforzamiento de la frontera, ya que la porosidad que la caracteriza hoy representa una amenaza a la seguridad nacional; la agenda migratoria ha quedado reducida a lo que compete a la seguridad fronteriza, la militarización y el incremento en los recursos destinados fundamentalmente a la frontera con México. A finales de febrero de 2002 la Casa Blanca anunció que sería imposible que se diera una reanudación de las discusiones hacia un acuerdo en el tema migratorio con México y que el tema debería dirigirse hacia la llamada legislación 245 (i), que como ya señalábamos, sólo permitiría a un grupo muy pequeño de indocumentados, con ciertos requisitos, obtener una calidad migratoria "legal", sin tener que abandonar ese país.

Aunque el tema de un acuerdo para regular la contratación de mexicanos no está en la mesa de discusiones en la actualidad, no está por demás hacer algunos señalamientos sobre las limitaciones que mostraba la propuesta mexicana. Por un lado la posibilidad de un programa de trabajador huésped temporal suscita muchas inquietudes por la ingrata experiencia de los programas braceros de los años cuarenta[18] a los sesenta, en donde fueron casi nulas las protecciones prometidas a los braceros y fueron sometidos a condiciones de sobreexplotación; situación que no resultaría fácil de remontar en virtud de que el gobierno mexicano continúa manteniendo una postura sumamente débil para conservar a toda costa las "buenas relaciones comerciales". Otra preocupación consiste en que no sería aceptable un nuevo programa de contrataciones que estuviera acompañado de la política antiinmigratoria, racista y xenófoba expresada en la franja fronteriza y al interior de aquel país; se tendría que acompañar del diseño completo de una postura binacional frente a la migración. Por último las indefiniciones que existían en esa propuesta, de la que nunca se contó con un texto final de su proyecto, que permitiera un análisis definitivo. Es muy grave que el presidente Fox haya dado su aval a un proyecto de este tipo, sin escuchar la opinión de los emigrantes, de los organismos gubernamentales, de los partidos y de los especialistas en el tema.

---

clandestina y entre otras destacan las medidas represivas: la formación y fortalecimiento del control y patrullaje fronterizo, condicionar los fondos de apoyo para el desarrollo al control de los flujos migratorios en los países expulsores (fondos de apoyo que en la actualidad sólo son el .33 por ciento del PIB de la UE).

[18] El 4 de agosto de 1942 se firmó el primer Convenio de Braceros y con ciertas modificaciones y precisiones, dicho convenio tuvo una duración de 22 años. Concluirían el 31 de diciembre de 1964.

En lo que se refiere al asunto del voto de los mexicanos en el extranjero es tarea primordial que se realicen las modificaciones necesarias al Cofipe; consensuar un título noveno para que se especifiquen los detalles de cómo ejercerán el voto los mexicanos en el extranjero en las elecciones de 2006. Pese a que el presidente Fox manifestó su simpatía por el sufragio de los mexicanos en el exterior, hasta la fecha esto no se ha visto concretado. Se han expresado opiniones en cuanto a las dificultades técnicas, aunque lo cierto es que se trata de un asunto que requiere una definición política.

Finalmente el tema migratorio tiene una estrecha y profunda vinculación con las condiciones de funcionamiento estructural de la economía mexicana. Todo indica que la política económica que se está aplicando en el gobierno del "cambio", resulta poco novedosa. Los tecnócratas en turno consideran que la economía mexicana se encuentra mejor de lo que esperaban, que la apertura e incorporación a la globalización han sido exitosas y que lo que se requiere es equilibrar el presupuesto y empezar a disminuir la deuda; de paso cumplir las exigencias de diversos organismos internacionales. La búsqueda de los equilibrios macroeconómicos al margen de la economía real es lo que justifica señalamientos como los anteriores. En mi opinión se continúan proyectando un conjunto de políticas económicas contraccionistas y recesivas del mercado interno, en aras de construir todas las redes de apoyo que exige el capital internacional, olvidándose de que hoy el capitalismo se sigue construyendo sobre bases nacionales y que el proceso de globalización en curso, ha desarrollado el perfeccionamiento de esas redes y no una perspectiva de integración, con la consecuente desaparición de los estados nacionales.

El resultado está a la vista: una profunda incapacidad de los blindajes externos para enfrentar la crisis recesiva de la economía estadounidense, lo que se traduce en incapacidad de sostener las promesas de campaña en cuanto al crecimiento y creación de empleos. La tendencia al incremento del flujo migratorio se sostendrá. La posibilidad de enfrentar el fenómeno migratorio en sus causas estructurales una vez más se nos escapa.

Otra visión, complementaria a la anterior, es que sí existe una *política de estado* en el tema migratorio en México, pero que tácitamente obedece a una concepción de país totalmente distinta a la nuestra. La soberanía y hasta el territorio son considerados como resabios de posturas y realidades ya caducas y la inserción a la globalización se da desde la perspectiva de un país "maquilador", subordinado a la tecnología e inversión extranjera, que requiere para lograr un crecimiento "más estable" profundizar la reestructuración económica (terminar los procesos de privatización en Pemex y CFE, reforma fiscal y laboral que den más garantías al capital extranjero), propuesta desde las naciones más industrializadas y desde los organismos internacionales hoy responsables de dicho proceso, en coordinación precisa con la amplia mayoría de los gobernantes en turno y con los grandes capitales ubicados en el sector exportador.

De tal manera que no se instrumentan proyectos que busquen la industrialización y crecimiento del mercado interno, que permitan revertir la profunda desigualdad en la distribución del ingreso y lograr salarios mejor pagados y empleo "decente",[19] que tienda a disminuir los diferenciales salariales entre ambos países para enfrentar las causas de la migración; de acuerdo con esta concepción todo ello hoy es imposible, ya que la globalización no lo permite. La apertura comercial pactada en el Tratado de Libre Comercio nos ha convertido en un "importante país maquilador", no por sus ventajas comparativas en cuanto al valor agregado a las mercancías por la tecnología, insumos y otras condiciones preferenciales, sino por contar con una fuerza de trabajo extremadamente barata y además con calidad de exportación que continúa compitiendo con regiones como Centroamérica o con países como China para ver quién se lleva el vergonzoso primer lugar de contar con la fuerza de trabajo "más barata" o "peor pagada".

De lo anteriormente presentado se puede concluir que la política migratoria no refleja la realidad o sólo un aspecto de ella y, por tanto, resulta parcial o autocomplaciente e irresponsable, en tanto las acciones instrumentadas han afectado profundamente la posibilidad de construcción soberana de recursos económicos y sobre todo humanos del país. Se aceptaron las condiciones establecidas por Estados Unidos y no se insistió en que el aspecto migratorio tuviera un avance que se plasmara en el Tratado de Libre Comercio, como tampoco se quiso reparar en que la política de estado aplicada por nuestro país vecino es unilateral, violatoria a nuestra soberanía y a los derechos humanos, laborales, políticos y sociales de los trabajadores migratorios mexicanos; que las reformas estructurales iniciadas en el gobierno de Miguel de la Madrid y continuadas en los gobiernos de Carlos Salinas, Ernesto Zedillo y Vicente Fox desarticulan la ya de por sí raquítica industria nacional y nos rearticulan en condiciones de mayor dependencia y atraso a la economía estadounidense. Perdemos, una vez más, la posibilidad real de enfrentar las causas estructurales de la migración, así como la de encontrar medidas que, aunque parciales, se fueran escalonando y permitieran la construcción de una política de Estado comprometida con los intereses nacionales. Lo anteriormente señalado no significa menospreciar los avances que significaron las acciones emprendidas, frente al anterior descuido y casi olvido del tema migratorio.

[19] La Oficina Internacional del Trabajo (OIT), en informe reciente señalaba que en el mercado laboral "...persiste el aumento del desempleo, una caída de los salarios reales y que la productividad se está reduciendo. Todo esto indica que la situación laboral continúa su deterioro en 2002, lo que en definitiva ha significado que el déficit de trabajo decente siga aumentando en la región (América Latina)". *Panorama laboral 2002*, Oficina Internacional del Trabajo, p. 10.

Política migratoria y ciudadanía en México

Margarita Favela Gavia

Introducción

EL GOBIERNO actual ha desplegado gran número de iniciativas relativas a la situación de los trabajadores mexicanos que migran a Estados Unidos, en lo que parece ser la etapa más reciente de un proceso que se inició en 1989 con la creación del Programa Paisano. ¿Qué significa este activismo, a qué se debe y hasta dónde puede llegar?, son algunas de las interrogantes que nos gustaría examinar en este ensayo. No se trata de un examen de la viabilidad de las propuestas de política concretas hechas por el presente gobierno, sino de un intento por construir una explicación que dé cuenta de las raíces sociales de esas iniciativas, su significado, sus alcances y sus limitaciones.

La hipótesis de este ensayo es que los cambios en la política hacia los migrantes responden al hecho de que en el contexto político mexicano, paulatinamente, los migrantes están siendo reconocidos como ciudadanos. Esto quiere decir que como resultado del activismo de las organizaciones de migrantes, posterior a la legalización de 1986 en Estados Unidos, y del desarrollo de la transición democrática en México, el gobierno mexicano ha empezado a reconocer la existencia de los derechos ciudadanos de los trabajadores que migran a Estados Unidos por razones económicas.

En la construcción de esta explicación hay dos vertientes teóricas que importan. La primera se refiere a la construcción de los derechos ciudadanos. Brevemente dicho, desde esta perspectiva los derechos ciudadanos son siempre el resultado de la lucha de los grupos subordinados por mejorar su situación. En este sentido el caso de los migrantes mexicanos no es la excepción. La segunda vertiente teórica que importa es la del análisis de la política pública como un producto de la estructura institucional y de la correlación de fuerzas dentro de un sistema político. En este sentido, como en cualquier área de política pública, los programas, instituciones y políticas que se diseñan y aplican relacionadas con el problema de los migrantes son el resultado tanto de las posibilidades que ofrece la estructura de toma de decisiones, como de la correlación de fuerzas entre los actores sociales involucrados.

Desde esta doble perspectiva resulta interesante observar los cambios experimentados por la política mexicana reciente hacia los trabajadores migrantes, para explicar la emergencia, extensión y límites de este proceso de ciudadanización de los migrantes mexicanos. Habremos, pues, de examinar el contenido de las políticas y su proceso de emergencia, para evaluar de qué manera y hasta qué grado reflejan un cambio en la correlación de fuerzas entre los actores sociales involucrados y de qué manera se relacionan con el proceso de democratización del sistema político mexicano.

Para abordar estas temáticas dividimos el artículo en tres apartados. En el primero hacemos un breve examen de las interrelaciones entre sistema político, ciudadanía y políticas públicas, en un intento de conformar un marco para analizar la ciudadanización de los migrantes mexicanos; concluimos este apartado con un breve recuento de la política de la "no política" y su relación con el sistema político autoritario que rigió la vida política del país durante más de 50 años. En el segundo apartado examinamos los varios procesos que confluyen en la emergencia del proceso de ciudadanización de los migrantes. En el tercer apartado revisamos los varios elementos de lo que consideramos una política ciudadana (emergente) hacia los migrantes mexicanos y sus imbricaciones con el proceso de transición democrática en que se haya inmersa la sociedad mexicana. En el último apartado, a manera de conclusión, trataremos de examinar qué es lo que sigue pendiente en la conformación de una política ciudadana integral hacia los migrantes.

Una nota necesaria sobre ciudadanía, sistema político y política pública[1]

Para entender la relación entre ciudadanización, sistema político y política pública comencemos por definir, ¿qué es ciudadanía? Ciudadanía es el conjunto de derechos y atribuciones que habilitan a un individuo miembro de un Estado, para ejercer ciertos grados de autonomía y control sobre su vida, en contra de las varias formas que asumen la estratificación, la jerarquía y la opresión política.[2] La existencia de la ciudadanía implica que todos aquellos titulares de ella tienen igualdad de derechos, es decir, igual derecho a la protección de la ley. La forma particular que estos derechos asumen depende, *grosso modo*, del

---

[1] La concepción de sistema político está tomada casi íntegramente de mi artículo "Reflexiones en torno a la participación ciudadana y la superación de la pobreza en México", *Acta Sociológica 36*, septiembre-diciembre de 2002: 35-58.

[2] Foweraker y Landman,1997, p. 2.

resultado histórico que en cada sociedad tuvieron las luchas específicas por la libertad de expresión, de creencia, de información, de asociación y de tránsito. Estos derechos denominados civiles y políticos se agregan a los derechos básicos referidos a la vida, la seguridad y la autodeterminación y, más recientemente a los llamados de la tercera generación.

Si bien todos los derechos (sean clasificados como humanos, individuales o ciudadanos) tienen como base el hecho biológico de la vida que anhela vivir en libertad y con autonomía, en cuanto derechos son ante todo una exigencia subjetiva que cada uno de los individuos hace a los otros, para que reconozcan su atribución de ejercer ese deseo de vida. Sin embargo ese reconocimiento sólo se transforma en derecho cuando es sancionado por la colectividad y se incorpora como norma de convivencia en dicha comunidad, organizada como estado. Finalmente, el respeto a esos derechos depende de las nociones de deber y obligación que se asocian a ellos, y a la posibilidad de aplicar sanciones a quienes los infringen.[3]

De esta manera en el arreglo institucional y en las prácticas cotidianas de una comunidad política es donde se hacen realidad los contenidos y los procedimientos para hacer efectivos esos derechos. Porque la estructura institucional de un régimen político, en tanto define las relaciones entre los ciudadanos y el Estado, define el contexto, las modalidades y los contenidos del ejercicio del poder y de la participación ciudadana, pues precisa las facultades y atribuciones de los detentadores del poder, así como los derechos individuales y colectivos de los destinatarios del poder, miembros de esa comunidad político-jurídica llamada Estado.[4] La estructura institucional del Estado establece, por un lado, los objetivos, contenidos y límites de los derechos ciudadanos de participación y representación, así como los procedimientos formales adecuados para que dichos derechos sean ejercidos; y por otro, define la relevancia, atribuciones y limitaciones de los diferentes órganos, instituciones y actores políticos para reducir la concentración del poder, evitar el bloqueo y permitir la cooperación

---

[3] La discusión sobre el significado, el origen, el desarrollo de los derechos del hombre es uno de los temas centrales de la filosofía y de la teoría política. Naturalmente aquí sólo pretendemos tener presentes algunos elementos indispensables para el desarrollo de nuestra argumentación.

[4] La estructura institucional básica de un Estado está plasmada en su Constitución. La Constitución es un instrumento creado con el objeto de controlar y limitar el poder político y para establecer ciertas formas de distribución y ejercicio del poder. Como norma suprema establece los procesos y órganos de creación de las normas inferiores, así como sus contenidos permitidos, obligatorios y prohibidos. Como sistema de normas y valores, es la cristalización de un conjunto de pactos entre los actores políticos que negociaron esa normatividad constitucional, y aunque está sujeta a los cambios que esos y otros nuevos actores políticos impulsen, ya sea mediante reforma racional, o bien a través de la ruptura institucional, conforma una estructura con vocación de permanencia que rige el funcionamiento de una comunidad política. Para profundizar sobre los elementos fundamentales de una Constitución véase Karl Loewenstein (1989) y para introducirse en la relación entre movimientos sociales y derechos ciudadanos véase Foweraker y Landman (1997).

en el proceso de gobierno. De este modo las estructuras institucionales del Estado no sólo asignan funciones estatales a diferentes órganos, sino que definen los derechos ciudadanos y a sus portadores, y por último, pero no menos importante, establecen los espacios y mecanismos para su ejercicio. Es de suponerse que estructuras institucionales diversas definan de diversa manera los contenidos y contornos de los derechos ciudadanos y establezcan diferentes medios y formas para su ejercicio: desde el simple reconocimiento de la nacionalidad hasta la participación en la toma de decisiones del proceso gubernamental.

Al definir los requisitos para disfrutar de los derechos de los ciudadanos *vis a vis* el poder del Estado, la normatividad en un sistema político establece quiénes son sujetos con derechos y el tipo de derechos de que disfrutan; por eliminación, define quiénes no son considerados ciudadanos. Con esta primera definición, se establecen los derechos y la forma en que pueden ser ejercidos, a través de la participación en la vida pública, de igual manera se establecen las esferas en las que dicha participación está permitida, el contenido y los límites de dicha participación. Así, se define la capacidad legal de los ciudadanos para influir en la selección de dirigentes, para postularse como representantes, para establecer límites al poder de las autoridades, para supervisar las acciones e influir sobre las decisiones de quienes están al frente de las instituciones públicas. De este modo, los arreglos institucionales definen quién es un ciudadano y quién no lo es, quiénes son actores políticos colectivos con derechos legítimos y quiénes no lo son, cuáles son sus derechos frente al poder público y cuáles sus obligaciones; y por tanto, definen quiénes y cómo pueden participar en los asuntos públicos y quiénes no.

A través de la definición de la estructura institucional se asientan los derechos de los ciudadanos a defender su integridad física y moral, a organizarse, a disponer de información y a participar, directamente o a través de la representación, en los asuntos públicos. Es la precisión de las formas en que dichos derechos y atribuciones pueden ser ejercidos, que los convierte en derechos reales. Cuando no existen las condiciones para el ejercicio de esos derechos, éstos se vuelven formales y de hecho inexistentes. En consecuencia, los ciudadanos que no pueden ejercer sus derechos, sólo formalmente son ciudadanos, de hecho son no ciudadanos, es decir, súbditos o parias.[5]

Para explicar por qué subrayamos la importancia del sistema político en el ejercicio de la ciudadanía, y para establecer posteriormente su relación con la

---

[5] Un súbdito es un individuo que vive sujeto a la voluntad de la autoridad de un individuo o un grupo, sin posibilidad de cuestionar, rechazar o cancelar su aplicación. Un paria es aquel individuo que por haber sido expulsado de la sociedad, carece de derechos. En ambos casos los conceptos se refieren a la ausencia real de facultades legales para defenderse de cualquier acto de autoridad.

política pública, veamos un poco más de cerca la estructura institucional del sistema político.[6] Tomándolo como unidad de análisis, identificamos cuatro subsistemas: 1. relaciones entre poderes y entre niveles de gobierno; 2. sistema electoral y de partidos; 3. sistema de representación de intereses de las organizaciones de masas; 4. sistema de seguridad pública. Las leyes, instituciones y prácticas que conforman a cada uno de estos subsistemas establece en conjunto las oportunidades con que cuenta la población para ejercer sus derechos y para participar en la toma de decisiones.

A fin de establecer las modalidades que estos subsistemas pueden adoptar, podríamos construir, con fines analíticos, dos tipos ideales: el de un sistema democrático-liberal y el de un sistema político autoritario. El hilo conductor de esta construcción conceptual es la medida en que las estructuras de los subsistemas facilitan u obstaculizan las oportunidades de la población para ejercer sus derechos e influir sobre la toma de decisiones.[7]

Refiriéndonos al primer subsistema, diremos que un sistema democrático-liberal, cuya relación entre los poderes está regida por la práctica de los pesos y contrapesos, donde la relación entre los niveles de gobierno está marcada por un efectivo federalismo, ofrece una mayor cantidad de canales institucionales para que la población ejerza sus derechos e intente incidir sobre la toma de decisiones; mientras que un sistema autoritario en el que uno solo de los poderes del Estado (normalmente el Ejecutivo) y uno solo de los niveles de gobierno (normalmente el denominado federal) ejerce un claro predominio sobre los demás.[8]

Respecto al segundo subsistema, diremos que en un sistema democrático-liberal los procesos electorales son el mecanismo para la asignación de poder, y para la selección de las políticas y de los gobernantes por parte de la ciudadanía.[9] Ello resulta de que la competencia entre partidos está regida por reglas que facilitan su acceso a la contienda electoral, en condiciones de igualdad y a partir de mecanismos basados en la proporcionalidad del voto. En contraste, en un sistema autoritario los procesos electorales tienen fines primordialmente de legitimación, pues al estar controlados por el gobierno carecen de competitividad. De esta manera, en los hechos, el derecho al voto está nulificado y

[6] Entiendo por sistema político el conjunto de instituciones, grupos, procesos y prácticas políticas caracterizados por un cierto grado de interdependencia recíproca. Es naturalmente, un modelo interpretativo simplificador de la realidad política que permite identificar las relaciones que considero fundamentales para realizar el análisis de la interacción sociedad/gobierno.

[7] Un examen detallado de estas relaciones se encuentra en Favela (2002).

[8] La relación entre los poderes del Estado y los niveles de gobierno es una parte fundamental de la ciencia política. Además, existen diversas interpretaciones del impacto que su arreglo tiene sobre la conducta de los actores políticos. Cfr. Linz y Valenzuela (1997); Mainwaring y Soberg (1997).

[9] La literatura sobre sistemas electorales y de partidos es muy amplia y también controvertida. Los tipos ideales que nosotros elaboramos encuentran referentes en Duverger (1955); Sartori (1986); Lijphart (1994); Mainwaring y Scully (1995).

las elecciones carecen de las características indispensables para servir como canales de transmisión de los intereses e intenciones de la ciudadanía hacia los representantes políticos.

Con respecto al tercer subsistema, el de la representación de los intereses sociales, también construimos dos situaciones ideales.[10] En un sistema democrático-liberal, la posibilidad de ser considerado como un interlocutor legítimo en una disputa política (pública o privada) depende fundamentalmente de la capacidad real de la organización en cuestión para movilizar a sus miembros y representar los intereses que aglutina. Esto conduce a un sistema plural de representación de los intereses sociales, que implica la posibilidad de contar con múltiples canales para la participación social sobre la toma de decisiones. Por el contrario, en un sistema autoritario, el gobierno ejerce un control mayor sobre las formas de representación social, normalmente a través de la organización piramidal corporativizada y sobre todo a través de la obligatoriedad del registro oficial, cuya obtención, además de posibilitar la manipulación del registro, en sí mismo implica una reducción de las posibilidades de organización legal de la población. Este sistema de representación implica una reducción sustantiva de los derechos de asociación, expresión y representación, y ofrece menor cantidad de oportunidades para que la población influya en la toma de decisiones.

Finalmente veamos el cuarto subsistema, al que denominamos de seguridad pública. En él incluimos las leyes, prácticas e instituciones (judiciales y policiacas) destinadas al mantenimiento del orden social. Estos elementos, si bien no garantizan la disponibilidad de canales institucionales para influir sobre la toma de decisiones, si son, en términos generales, un indicador del grado en que el sistema respeta los derechos individuales y tolera la disidencia, revela su propensión a la negociación y por tanto establece el costo potencial que tiene la participación política para los ciudadanos. Así, tenemos que un sistema democrático-liberal se caracteriza por el respeto a los derechos humanos, lo que implica no sólo el respeto a la integridad física de los acusados, sino también el derecho a un proceso judicial justo. En este caso, la seguridad pública no aparece como un obstáculo visible al ejercicio de la participación ciudadana. En contraste, en un sistema autoritario, el mantenimiento del orden social no reconoce la necesidad de respetar los derechos humanos de los ciudadanos, ni su derecho a un proceso justo, revelando una baja tolerancia a la disidencia, una escasa propensión a la negociación e imponiendo altos costos a su participación política.

[10] Las características de los sistemas de representación pluralista y corporativista han sido ampliamente discutidos por autores tales como Schmitter (1974, 1981, 1982, 1992); Lehmbruch (1977); Nollert (1995); Wallace y Jenkins (1995).

En resumen, un sistema autoritario puede ser definido como un sistema cerrado, caracterizado por:

1. un claro predominio de un poder sobre los otros (*i.e.* el Ejecutivo sobre el Legislativo y el Judicial) y de un nivel de gobierno sobre los otros (el federal sobre el estatal y el local); 2. una arena electoral dominada por un solo partido y, consecuentemente, elecciones no competitivas; 3. un sistema de representación de intereses de corte corporativo; y 4. un sistema de seguridad pública orientado primordialmente hacia la represión.

En conclusión, encontramos que, en conjunto, la estructura de un sistema político autoritario no ofrece los medios necesarios y suficientes para el ejercicio de los derechos ciudadanos y para la promoción de la participación que permita a la población incidir en la formulación de las políticas públicas, por vías institucionales.

Ahora bien, ¿cuáles son las implicaciones que esta estructura institucional tiene sobre la ciudadanía de los migrantes y sobre las características de las políticas públicas en el área? Vayamos por partes, veamos primero el efecto sobre la ciudadanía de los migrantes. Considerando que los migrantes son un grupo particular de ciudadanos que se trasladan, por diversas razones, a otra sociedad, podemos decir, en un principio, que un sistema autoritario tiene el mismo efecto represivo sobre su ciudadanía que sobre la del resto de los individuos que conforman el Estado. Es decir, bajo éste tipo de régimen, en general los individuos tienen pocas oportunidades de ejercer con libertad sus derechos ciudadanos y menores posibilidades aún de influir en los procesos de elaboración de las políticas públicas que afectan, directa o indirectamente su situación. Pero en caso de los migrantes la situación es aún más compleja porque al trasladarse a otro país, por un lado, quedan bajo la jurisdicción de autoridades, normas y sistemas institucionales ajenos y muchas veces desconocidos, en los cuales, dada su condición de extranjeros, tienen derechos limitados.[11] Y por otro lado, mientras se hallan fuera del territorio nacional carecen de la posibilidad de ejercer la mayoría de sus derechos ciudadanos, lo cual los hace doblemente vulnerables. Naturalmente, en tanto miembros de un Estado que restringe en los hechos el ejercicio de sus derechos, al igual que su posibilidad de influir sobre las políticas que ese Estado elabora sobre asuntos migratorios, estos ciudadanos se hallan en un estado de indefensión bastante agudo.

---

[11] Sólo recientemente en 1985 fue adoptada y proclamada por la ONU la "Declaración sobre los Derechos Humanos de los Individuos que no son Nacionales del país en el que Viven", en la que se establece que los derechos humanos y las libertades fundamentales deben garantizarse para los individuos que no son nacionales de los países en donde habitan. Cfr. Miguel Concha (1997).

Sin embargo, no tendría que ser así en un Estado democrático, en donde al existir posibilidades para ejercer sus derechos y para participar en el proceso de elaboración de políticas públicas relacionadas con su condición de migrantes, estos ciudadanos podrían, de manera más directa y clara, promover la adopción, por parte de su Estado de origen, de un conjunto de provisiones legales y mecanismos efectivos que garanticen el respeto de sus derechos humanos y les permitan ejercer la mayoría de sus derechos ciudadanos, tanto en su país de origen como en el país receptor. El Estado de origen tendría que fungir ante el Estado receptor como gestor de los derechos y garantías de sus ciudadanos en condición de migración.

En un sistema político autoritario, en donde los ciudadanos no disfrutan plenamente de sus derechos, es casi imposible pensar que los migrantes contarán con el respaldo de su Estado de origen para demandar el ejercicio de sus derechos en el Estado receptor. Ese es el trasfondo político de la histórica desprotección de que han sido objeto los ciudadanos mexicanos que trabajan en Estados Unidos. La postura oficial del gobierno mexicano que predominó durante los más de 50 años (1946-1997) en que tuvo plena vigencia el sistema político autoritario fue la de allanarse a los requerimientos de su contraparte estadounidense. Por ello, desde el inicio de la segunda posguerra, tanto el Programa Bracero como la denominada "política de la no política", son clara expresión de cómo el gobierno mexicano, en la medida en que el sistema estaba fundado en una estructura piramidal y cerrada, aunque formalmente compuesto por ciudadanos, en los hechos no respetó los derechos de tales ciudadanos, ni realizó gestiones efectivas para la defensa de los derechos de sus ciudadanos migrantes. La historia de la aplicación del Programa Bracero, las varias repatriaciones masivas, las innumerables violaciones a los derechos más elementales de los migrantes y la impunidad con que éstas se repetían a lo largo de los años, son muestra evidente de que esos mexicanos carecían de hecho de la condición de ciudadanos.

Veamos ahora en qué sentido ha ido cambiando la condición ciudadana de los migrantes mexicanos.

Las raíces y el contexto del proceso de ciudadanización de los migrantes

Los cambios que a lo largo de la última década ha venido experimentando la condición ciudadana de los migrantes y su expresión en las políticas públicas correspondientes, pueden entenderse como el resultado de la articulación de dos procesos: por un lado, la paulatina democratización del sistema político mexicano, y por otro, la creciente relevancia económica, política y social de las comunidades de migrantes mexicanos en Estados Unidos. Veamos por partes este proceso.

A finales de la década de los ochenta el sistema político mexicano comienza a experimentar un sostenido proceso de transición hacia la democracia. Paulatina, aunque accidentadamente, los arreglos institucionales autoritarios, verticales y monopolistas descritos en el apartado anterior, han ido siendo sustituidos por otros más abiertos, plurales y democráticos que más adelante examinaremos. Este proceso ha sido impulsado por una amplia gama de luchas donde individuos y toda clase de organizaciones sociales, populares y ciudadanas, así como los partidos políticos han exigido de manera reiterada y constante el respeto a los derechos humanos, a los derechos civiles y políticos de los ciudadanos mexicanos.

Estas luchas, no siempre incruentas, fueron impulsando las reformas en la legislación electoral y en la competencia electoral misma; al modificar las reglas del juego, fueron abriendo los espacios para que primero algunas alcaldías y gubernaturas y posteriormente el Congreso federal dejaran de estar en poder del partido oficial, rompiéndose así algunos de los eslabones básicos para el funcionamiento del sistema político autoritario. Con la emergencia de la pluralidad en el Poder Legislativo y el reforzamiento de la autonomía del Poder Judicial, a nivel federal, empezó a darse una efectiva distribución del poder entre las tres ramas. De igual modo, con el reconocimiento de los triunfos de la oposición en numerosos municipios, legislaturas locales y ejecutivos estatales, se fue rompiendo el monolitismo partidista que constituía una cadena fundamental para el ejercicio del predominio del Ejecutivo federal sobre los otros niveles de gobierno.

Concurrentemente, los cambios en la legislación y la estructura de la autoridad electoral también significaron la ruptura del monopolio partidista que impedía el desarrollo del sistema de partidos, la existencia de elecciones competidas y el libre ejercicio del voto por parte de los ciudadanos. En resumen, se fue transformando esa estructura que impedía que la arena electoral se conformara como un espacio para la distribución del poder entre los partidos, para que los ciudadanos, a través de los partidos, participaran en la elaboración de políticas y para que sancionaran con su voto la rendición de cuentas por parte del gobierno.

El otro tipo de cambios que ha venido a favorecer la emergencia y consolidación de la pluralidad política han sido las reformas constitucionales que desestructuraron algunas de las bases del sistema corporativo de representación de los intereses sociales. Así tanto la decisión judicial de considerar anticonstitucional la cláusula de exclusión, como las reformas a las formas de ejercer la propiedad ejidal, implican cambios que tendrán consecuencias positivas en la ampliación de la pluralidad política entre las organizaciones sociales, que jugaron durante más de 50 años, el papel de cadenas de transmisión y de control del sistema político autoritario.

Finalmente, la multiplicación de las denuncias y protestas de las cada vez más numerosas organizaciones interesadas en la defensa de los derechos humanos, han empujado el cambio en un conjunto de disposiciones legales y en las actitudes del gobierno, lo que ha resultado en la ilegalización de la tortura y la creación de mejores medios institucionales para proteger los derechos humanos de los ciudadanos y de los detenidos.

En conjunto, todos estos procesos impulsados por incontables movilizaciones sociales han resultado en la paulatina apertura del sistema político, en un proceso que tiende hacia la consolidación democrática. Este proceso de cambio en la estructura institucional del sistema político implica la construcción de nuevos espacios para el ejercicio de la ciudadanía y para la participación en la elaboración de políticas, y se convierte en un mecanismo impulsor de nuevos cambios democráticos.

Concurrente con este proceso de transición, al que no fueron ajenos los esfuerzos de variadas organizaciones de migrantes, ocurren otros procesos que resultan en el crecimiento de la importancia política económica y social de los migrantes mexicanos en Estados Unidos.[12]

A pesar de que el flujo migratorio responde a componentes históricos y estructurales asociados con ciertas tradiciones y con la asimetría entre las economías de México y Estados Unidos, es un hecho que a partir de la agudización de la crisis económica en este lado de la frontera, en la década de los ochenta el flujo migratorio hacia el otro lado de la frontera se ha incrementado sustantivamente.[13]

Algunas organizaciones de migrantes mexicanos en Estados Unidos empezaron a hacerse claramente presentes como actores políticos potencialmente relevantes en términos electorales en México desde los comicios de 1988. Se entrevistaron con candidatos presidenciales y aun careciendo de la posibilidad de ejercer el voto directo mientras se encuentren fuera del territorio nacional, los migrantes de diferentes maneras han hecho saber que por lo pronto dispo-

---

[12] Es necesario aquí mencionar que sólo haremos referencia a la actividad ciudadana de los migrantes en México. Queda pendiente examinar el mismo proceso en Estados Unidos y establecer su condición e implicaciones mutuas.

[13] Ese hecho ya por sí mismo implica un cambio en el peso relativo de esta parte de la población, pero otras tres circunstancias confluyen para que ese peso relativo tenga mayor significación. La primera es que a raíz de la legalización de trabajadores indocumentados que promovió el gobierno de Estados Unidos en 1986, las comunidades de migrantes acentuaron su activismo y no sólo ampliaron y profundizaron su intervención y su presencia en sus localidades de origen, sino que además intensificaron su lucha por la recuperación de sus derechos políticos como ciudadanos mexicanos. Varios de los ensayos que componen este libro claramente establecen este hecho.

nen de medios indirectos (los recursos que envían, los lazos familiares y el prestigio social del que a veces gozan en sus comunidades de origen), para hacer sentir su parecer en los procesos electorales locales.[14] La posibilidad de que este interés político se traduzca en un aumento de la relevancia política de los migrantes, resulta de la transformación de la arena electoral en un espacio competitivo, en un espacio en donde efectivamente el voto ciudadano incide en la distribución del poder entre partidos.

Otro aspecto del activismo político y civil de los migrantes es el que se ha reflejado en la decidida participación de algunas organizaciones en los programas de creación de infraestructura urbana en sus comunidades de origen. Algunas comunidades de migrantes organizadas en Estados Unidos se han convertido en promotoras importantes del desarrollo en ciertas localidades rurales mexicanas, impulsando convenios con gobiernos municipales y estatales en donde comprometen a las autoridades locales a invertir en el desarrollo de infraestructura urbana, a cambio de recibir de parte de dichas organizaciones, recursos financieros destinados al mismo propósito. Estos programas, conocidos como Dos por Uno o Tres por Uno, al dotar a las autoridades locales de recursos frescos, que además resultan muy importantes dada la tradicional pobreza de los municipios mexicanos, al promover el desarrollo local, implican un nueva apreciación de la relevancia de los migrantes en el contexto nacional, al menos de aquellas comunidades involucradas en estos procesos.[15]

Otra circunstancia que influye en este aumento de la significación de los migrantes es precisamente el monto que han alcanzado las remesas que ingresan al país por concepto de los envíos que estos connacionales hacen a sus familias en México. A pesar de que no existe una cifra oficial única sobre el monto de estas remesas, lo que sí es unánime es la opinión de su crecimiento sostenido en la última década y su beneficio neto para el país, no obstante que se discuta si los recursos se usan para satisfacer necesidades inmediatas de las familias, para la creación de capital social, o para la inversión productiva.[16]

Finalmente, la otra circunstancia que ha incidido en el aumento de la relevancia de los migrantes es el aumento del flujo indocumentado y la política es-

[14] Treinta representantes de mexicanos en el extranjero y organizaciones que luchan por el voto de mexicanos en el extranjero, entre las que destacan "Campaña Voto 2000" de California y "Brigadas por el Voto" de Texas, realizaron distintos encuentros con los tres principales partidos y sus candidatos presidenciales, una cita con el secretario de Gobernación y otra con el presidente Zedillo. Además planearon participar en el Foro Binacional de Organismos Ciudadanos "Reglamentación del Voto en el Extranjero". Su argumento era que los "mexicanos en el extranjero participan económicamente en el país", en consecuencia deben defender sus derechos políticos. *Proceso*, 6 de junio de 1999.

[15] Al respecto de este proceso, en el caso de Zacatecas, se pueden ver los artículos de Morán, García y Moctezuma en este mismo volumen.

[16] Así lo documentan los trabajos de Reyes *et al.*, y Rodríguez, contenidos en este libro.

tadounidense de control de las fronteras;[17] los casos de violación de los derechos humanos y de afectación de la integridad física de los migrantes indocumentados, han resultado en crecientes denuncias y en un fortalecido activismo, tanto de las propias organizaciones de migrantes como de organizaciones ciudadanas en ambos lados de la frontera.[18] Esta circunstancia, de nuevo, adquiere significación en el contexto mexicano, pues con el proceso de transición democrática, el respeto a los derechos humanos ha adquirido estatus de tema fundamental. Y aunque ello aún no signifique que no existen violaciones a estos derechos, sí implica que si los políticos aspiran a tener una carrera exitosa al menos tendrán que mostrar cierta sensibilidad respecto al tema de los derechos humanos, con los de los migrantes.

En síntesis, los procesos arriba referidos fueron confluyendo en una elevación de la relevancia política, económica y social de los migrantes, que en el contexto de la transición democrática fue obligando al Estado mexicano a redimensionar la importancia del trato hacia este segmento de la población y, por tanto, a diseñar políticas públicas que implicaban un paulatino reconocimiento de su condición de ciudadanos.

Veamos ahora cuáles fueron esas políticas y qué implicaciones tienen sobre la ciudadanización de los migrantes.

Las políticas hacia los migrantes como expresión de la ciudadanización

A finales de la década de los ochenta, con la puesta en marcha del Programa Paisano (1989), parece haber dado inicio una nueva fase en la política mexicana hacia los migrantes. Este programa nace enmarcado en el Programa Nacional de Solidaridad, instrumento de política social fundamental en la administración de Carlos Salinas, a través de la cual el gobierno intentó reconstruir sus bases sociales de apoyo, luego de que accediera al poder como consecuencia de un triunfo electoral seriamente cuestionado por la mayoría de los actores sociales y políticos del país.

El Programa Paisano, del que al parecer no existe un documento escrito *ex profeso* para su instalación, sustenta su acción en artículos, reglas y normas ya escritas. A partir de ellos se estipula que los objetivos fundamentales del programa son: asegurar un trato digno y conforme a derecho para los mexicanos que ingresan, transitan o salen del país; darles seguridad jurídica y orientarlos

---

[17] Junto con la legalización, en 1986 el SIN y algunos gobiernos estatales establecieron programas de control, que reafirmados en 1996, han implicado mayores peligros para los migrantes que cruzan la frontera ilegalmente.

[18] El ensayo de Roldán en este libro da cuenta de este proceso.

sobre sus derechos y obligaciones; impedir la comisión de abusos y extorsiones por parte de las autoridades migratorias y aduaneras mexicanas y afianzar los vínculos con las comunidades de mexicanos residentes en Estados Unidos y Canadá. En este sentido, al parecer, es la Secretaría de la Contraloría la que tendría la mayor responsabilidad en el programa, pues es ella la encargada de garantizar que los servidores públicos, de cualquier entidad y nivel, respeten la normatividad que rige sus labores.

El programa opera a través de la coordinación que realiza la Secretaría de Gobernación sobre las acciones de otras 16 secretarías, la PGR y la Profeco, el IMSS y el DIF.[19] En esencia, las entidades gubernamentales mencionadas tienen como tarea simplemente aplicar sus programas de trabajo generales también a la población de migrantes que regresan, de manera temporal o definitiva, al territorio nacional. Así por ejemplo, la Secretaría de Comercio, deberá organizar y promover programas orientados a fomentar la inversión y el desarrollo de proyectos productivos de los connacionales en nuestro país. La Secretaría del Trabajo deberá informar, orientar y vincular a los connacionales con las oportunidades de capacitación y empleo en el territorio nacional, así como elaborar estudios sobre el fenómeno migratorio y proporcionar a la Coordinación Nacional del Programa Paisano los datos sociodemográficos y laborales de los connacionales repatriados. El IMSS deberá promover la incorporación de los trabajadores migrantes y/o sus familias, al seguro de salud para trabajadores mexicanos en el extranjero. Y, en fin, la Profeco deberá ofrecer protección y apoyo a los migrantes en tanto consumidores. En este sentido destaca que sea con relación a esta agencia, y no a Hacienda, que se hace mención de las remesas que envían los migrantes a México. Se establece que Profeco deberá realizar estudios sobre el costo y calidad de los servicios de envío de dinero de Estados Unidos a México, sin que se haga mención alguna de la necesidad de la creación de un programa preferencial para facilitar estas operaciones.

Finalmente, dado que el programa pretende ser descentralizado, la Secretaría de Gobernación, además de coordinar los trabajos de las 20 dependencias federales involucradas, es la encargada de establecer reuniones con los comités de autoridades estatales y municipales en las entidades de mayor flujo migratorio y en las fronteras del país.

En resumen, el Programa Paisano tiene un objetivo mínimo: impedir que los migrantes mexicanos sean objeto de abusos y extorsiones de parte de auto-

---

[19] Las secretarías son, además de la ya mencionada Gobernación, Relaciones Exteriores, Hacienda y Crédito Público, Desarrollo Social, Contraloría General de la Federación (hoy Contraloría y Desarrollo Administrativo), Agricultura y Recursos Hidráulicos (hoy Agricultura, Ganadería, Pesca y Alimentación), Comunicaciones y Transportes, Comercio y Fomento Industrial, Educación Pública, Trabajo y Previsión Social; Salud, Medio Ambiente, Recursos Naturales y Pesca (hoy Medio Ambiente y Ecología) y Turismo.

ridades migratorias y aduanales en México y hacer extensiva la cobertura de las políticas del gobierno, en todas las áreas, a los ciudadanos migrantes y sus familias. ¿Qué es lo que la expresión de estos objetivos nos revela? Por un lado deja ver que los migrantes, en los hechos, no estaban contemplados como sujetos de las políticas públicas generales, puesto que tiene que ser un mandato especial el que ordene que sean considerados en los programas respectivos. Por otro lado refleja que los migrantes se hallaban al margen de la protección de la ley en territorio mexicano, pues cualquier autoridad migratoria, aduanal, policiaca o administrativa disfrutaba de completa impunidad para cometer abusos de cualquier tipo contra estos integrantes de la sociedad, de manera que explícitamente se tiene que promover la aplicación de la protección de la ley para ellos.[20]

Otra medida importante en este proceso de reconocimiento de los migrantes como ciudadanos mexicanos fue la promulgación, en 1997, de la Ley de No Pérdida de la Nacionalidad Mexicana. Esta decisión, que respondió a un reclamo muy antiguo de los migrantes mexicanos, permite recuperar la nacionalidad mexicana a aquellos que la hubieran perdido por haber obtenido otra nacionalidad. El efecto inmediato de esta ley fue la solicitud de recuperación de la nacionalidad de aquellos mexicanos que disfrutaban ya de la nacionalidad estadounidense. Sin embargo, el efecto a mediano y largo plazo es que impulsará a muchos más mexicanos a solicitar la ciudadanía en Estados Unidos, concientes de que ello no les hará perder la nacionalidad mexicana. Y es que la recuperación (o mantenimiento) de la nacionalidad, al menos formalmente, implica la decisión del Estado mexicano de respaldar a sus ciudadanos y de apoyarlos e impulsarlos en la defensa de sus derechos en las sociedades en donde residen.[21] Por otra parte esta ley, si bien no significa para los migrantes la posibilidad de ejercer el voto y menos aun el derecho a ser votados mientras permanezcan fuera del país, sí implica un cambio en la actitud gubernamental hacia este creciente segmento de la población, cambio que abre la posibilidad de un futuro

---

[20] Aquí vale la pena comentar que la cobertura de esa recomendación tendría que haber sido extensiva a toda la población, pues en los años de la creación del Programa Paisano, casi cualquier mexicano (o extranjero) que se viera en la necesidad de entrar en contacto con este tipo de "servidores públicos" tenía una alta probabilidad de ser extorsionado. Lo que confirma que tampoco los ciudadanos residentes en México gozaban de una ciudadanía plena. Hoy en día, aun cuando esta posibilidad no ha desaparecido del todo, ciertamente las extorsiones son mucho menos frecuentes y sobre todo, existen medios legales más eficientes para defenderse de ellas. Sin embargo continúan las denuncias y desde 1999 se ha propuesto el reforzamiento del programa con participación de ONG.

[21] Anteriormente, la solicitud de otra nacionalidad traía aparejado un "castigo", pues implicaba perder la mexicana, aunque la intención del nuevo ciudadano no fuera rechazar sus orígenes (como se interpretaba), sino simplemente la muy natural necesidad de mejorar su situación concreta de vida en su país de residencia. Por eso la ley en cuestión implica, en el fondo, la suspensión del "castigo" que el Estado mexicano aplicaba a aquellos individuos que optaban por otra ciudadanía. Implica, pues, reconocerles su derecho ciudadano a tratar de vivir mejor, aunque sea en otro país.

respeto de esos derechos, a partir de considerar como requisito de residencia para ejercer el derecho al voto, la pertenencia y actividad dentro de las asociaciones de migrantes que mantienen activas relaciones con las comunidades de origen.[22]

Finalmente veamos las iniciativas oficiales relacionadas con las organizaciones de las comunidades de migrantes.[23] El proceso se inicia con la creación, en 1991, dentro de la Secretaría de Relaciones Exteriores, del Programa de Comunidades Mexicanas en el Exterior. La intención original del programa era la difusión de la cultura, las tradiciones y la historia del país, así como de las luchas, logros y contribuciones de los mexicanos en Estados Unidos. También se buscaba mejorar la imagen de México en el exterior. El programa ha funcionado a través de los consulados, coordinando los trabajos de nueve secretarías, gobiernos estatales y municipales, numerosas asociaciones de mexicanos, organizaciones públicas y privadas interesadas en realizar encuentros, jornadas de información, programas de difusión, educación salud y deporte entre las comunidades de mexicanos residentes en Estados Unidos y las de origen en México.

Una de las iniciativas más importantes derivadas de este programa ha sido la creación de las Oficinas Estatales de Atención a Oriundos (OEAO) de las que para el año 2000 operaban en cada una de las 15 entidades federativas principales expulsoras de población. El objetivo de estas oficinas es incentivar y mantener la relación de las agencias gubernamentales con los mexicanos en el exterior, incentivar la formación y consolidación de las organizaciones de oriundos, promover el involucramiento de estas asociaciones en los estados y comunidades de origen, apoyar las labores consulares, gestionar obras de infraestructura local, canalizar proyectos de inversión, cultura, educación y deporte de los mexicanos en el exterior y ofrecer asesoría a los familiares en México.

El Programa de las Comunidades tiene una gran relevancia porque, en los hechos, implica un primer nivel de reconocimiento del derecho de los migrantes organizados a participar en las políticas públicas directamente relacionadas con su situación. ¿Por qué decimos que sólo equivale a un primer nivel de reconocimiento? Porque para que el reconocimiento fuera íntegro, en términos legales y políticos, dicha participación tendría que garantizar un funcionamiento autónomo y democrático de las asociaciones involucradas y, muy fundamentalmente, garantizar que las asociaciones participen en el diseño de los programas, la definición de las prioridades y la asignación de recursos, y no sólo funjan como canales para la aplicación de políticas que aún se deciden en los

---

[22] Véase al respecto el ensayo de Moctezuma en este libro.

[23] Para una información más detallada sobre el Programa de las Comunidades Mexicanas en el Exterior y de las Oficinas Estatales de Atención a Oriundos véase Gómez y Trigueros (2000).

espacios de poder habituales, de los que los migrantes y sus agrupaciones permanecen excluidos.

Ese parece ser aún el límite de la participación, pues el actual gobierno, luego de disolver la Oficina Presidencial para los Mexicanos en el Exterior, creó del Consejo Nacional para las Comunidades Mexicanas en el Exterior,[24] en cuyo seno los representantes de las comunidades de mexicanos en el exterior tienen simplemente el carácter de "órganos consultivos", es decir que pueden hacer propuestas, recomendaciones para el mayor acercamiento entre las comunidades en el exterior y las de origen e "implementar" estrategias de apoyo en diversas áreas (salud, educación, deporte, cultura, desarrollo económico y organización comunitaria) pero no realmente influir en la toma de decisiones. Será el consejo, conformado por los titulares de nueve secretarías y presidido por el Presidente de la República, el encargado de elaborar y presentar las políticas nacionales en la materia.

Complementariamente, se ha formado un Instituto de los Mexicanos en el Exterior, que como órgano desconcentrado de la Secretaría de Relaciones Exteriores, deberá llevar a la práctica las políticas y directrices que emanen del consejo. Dicho instituto, encabezado por un mexicano residente en Estados Unidos, tendrá presencia en los 47 consulados mexicanos que hay en el vecino país y contará con un consejo consultivo, compuesto por 100 connacionales que residan en el extranjero y otros 10 provenientes de las entidades con mayor emigración. Pero la puesta en marcha de los trabajos de este organismo está aún en una fase preliminar.

Algunas observaciones a manera de conclusión

Una primera conclusión del examen de la reciente política migratoria mexicana es que es el resultado de la interacción de dos procesos: la democratización del sistema político mexicano y el creciente activismo ciudadano, del cual forman parte las organizaciones de migrantes. En la medida en que la población reivindica y ejerce sus derechos, impone cambios en instituciones, leyes y prácticas, y obliga a las autoridades a elaborar políticas que den cuenta de las nuevas necesidades y demandas de los ciudadanos. La creación de programas y oficinas gubernamentales, la reorganización de institutos, la promulgación de leyes y la propuesta de otras varias políticas y actividades relacionadas con la situación y condición de los migrantes, son expresión de este proceso de reconocimiento gubernamental de la condición ciudadana de los migrantes mexicanos.

---

[24]El acuerdo que crea esta entidad fue publicado en el *Diario Oficial*, el 8 de agosto de 2002.

Sin embargo, hay que subrayar que, aunque hemos avanzado, lo hecho no es aún suficiente. Si bien la transición democrática es un proceso en marcha, aún no se alcanza la completa reforma del Estado, ni se ha consolidado la transición. Hoy existen más y mejores espacios para la participación y mayores garantías para el ejercicio de los derechos ciudadanos, incluyendo los de los migrantes, pero aún falta mucho para que todos gocemos de igual protección ante la ley, dentro y fuera del territorio nacional. La continuación del proceso depende no sólo de la movilización ciudadana, sino de la formalización de los cambios en el ámbito de las políticas públicas.

En lo que respecta a la política migratoria, sigue siendo necesaria una política integral. Porque si bien es cierto que ha mejorado la situación de los migrantes que ahora son residentes legales en Estados Unidos, la de todos aquellos que continúan siendo residentes indocumentados y sobre todo la de los miles que cada año intentan cruzar la línea fronteriza, no han mejorado en nada. Respecto a los primeros, el gobierno mexicano ha estado buscando con persistencia la negociación de un acuerdo migratorio que legalice la situación de alrededor de tres millones de ellos. Con relación al flujo constante y creciente de trabajadores mexicanos, el gobierno ha expresado reiteradamente su intención de convertir el NAFTA en un Acuerdo de Integración Económica, que contemple el libre tránsito de individuos. Sin embargo, estos dos objetivos parecen de muy difícil realización, dado que a la tradicional resistencia a esta propuesta se agrega el renovado rechazo a discutir el tema, luego de que los actos terroristas en Nueva York reforzaran el tono chovinista de la política exterior y de seguridad nacional del gobierno estadounidense.

Los objetivos explícitos de esa parte de la política migratoria mexicana son congruentes entre sí. Sin embargo, dadas las dificultades externas antes mencionadas, una política migratoria integral no puede dejar de lado la necesidad de articularse con una política de desarrollo económico, industrial, agropecuario y de servicios que genere en el mercado interno los empleos y los salarios que permitan retener a los potenciales migrantes en sus regiones de origen. Ninguna política migratoria podrá ser eficiente si no se articula con una política que ofrezca posibilidades de trabajo y de vida adecuadas para millones de mexicanos que hoy se ven empujados a emigrar.

Así pues, una política adecuada hacia los migrantes no debe buscar sólo permitir el libre paso de los individuos, o evitar la criminalización de los migrantes, ni simplemente promover la defensa de sus derechos humanos y del reconocimiento de sus derechos políticos y civiles, en México y en Estados Unidos. Debe tener el propósito de crear economías regionales que retengan a la población en su lugar de origen por la vía de ofrecerles cada vez mejores condiciones de trabajo y de vida en general. Así, aunque se mantenga viva una tendencia a la migración en algunas localidades, grupos e individuos, es necesario que el fenómeno deje de tener el carácter masivo que ha venido adquiriendo a medida que la economía mexicana ha sido incapaz de garantizar niveles de vida que superen la mera subsistencia, para más de la mitad de la población, tanto en el campo como en la ciudad.

Por ello es necesario recordar que el éxito de la política migratoria depende no sólo de la afirmación de los derechos de los migrantes sino también, y de manera muy importante, del fracaso o la ausencia de una efectiva política de desarrollo. Sin ella, no sólo se complicará la situación de los migrantes, en la medida en que se mantenga e incluso acentúe el carácter masivo del éxodo, sino que además es probable que se agudice la tendencia a la criminalización de sus actividades, con la consecuente elevación de violaciones a sus derechos, perpetuando el tema migratorio como un foco de tensión en la relación bilateral.

Bibliografía

Acuerdo Internacional sobre Trabajadores Migratorios y Contrato Tipo de Trabajo (1959), México, Secretaría de Relaciones Exteriores, Dirección General de Asuntos de Trabajadores Migratorios, Impreso en los Talleres Gráficos de la Nación.

AGUILAR, Adrián Guillermo, Boris Graizbord y Álvaro Sánchez Crispín (1996), *Las ciudades intermedias y el desarrollo regional en México*, México, Conaculta-UNAM-El Colegio de México,

ALARCÓN, Rafael (1995), "Transnational communities, regional development, and the future of mexican immigration", en *Berkeley Planing Journal*, Berkeley University.

————— (1988), "El proceso de «norteñización»: Impacto de la migración internacional en Chavinda, Michoacán", en T. Calvo y G. López (coords.), *Movimientos de población en el occidente de México*, México, Michoacán, CEMCA y el Colegio de Michoacán.

ALARCÓN GONZÁLEZ, Diana (1994), *Changes in income distribution in Mexico and trade liberalization*, San Diego, California, El Colegio de la Frontera Norte.

ALBA, Francisco (2000), "Integración económica y políticas de migración: un consenso en revisión", en Rodolfo Tuirán (coord.), *Migración México-Estados Unidos. Opciones de política*, México, Conapo-Segob-SER.

————— (1999), "La cuestión regional y la integración internacional de México: una introducción", *Estudios Sociológicos*, 17:51 septiembre-diciembre, 611-631.

ALLEN, James Paul y Eugene Turner (1997), *The ethnic quilt: population diversity in Southern California*, Northridge, California, The Center for Geographical Studies, California State University.

APPELBAUN, Richard P. y Gary Gereffi (1994), "Power and Profits in the Apparel Commodity Chain", en Edna, Bonacich, Cheng Lucien *et al.*, *Global Production. The apparel industry in the Pacific Rim*, Philadelphia, Temple University Press.

ARROYO ALEXANDRE, Jesús y Rodolfo García Zamora (2000), "Remesas y crecimiento económico regional: propuestas para la formulación de políticas públicas", en Rodolfo Tuirán (coord.), *Migración México-Estados Unidos. Opciones de política*, México, Conapo-Segob-SER.

ASOCIACIÓN MEXICANA DE UNIONES DE CRÉDITO DEL SECTOR SOCIAL, A.C. (AMUCSS), (2000), *Propuesta de un sistema financiero al servicio del desarrollo rural.*

ÁVILA PALAFOX, R. y T. Calvo Buezas (comps.) (1993), *Identidades, nacionalismos y regiones*, Universidad de Guadalajara y Universidad Complutense de Madrid.

AYALA-ESPINO, José (1988), *Estado y desarrollo. La formación de la economía mexicana*, México, FCE.

BALLESTEROS CORONEL, Mary (2002), "Del campo a la Internet", *La Opinión*, Los Ángeles, abril 08.

BAKER, George (1995), "Sector externo y recuperación económica en México", *Comercio Exterior*, vol. 45, núm. 5, México, mayo.

BEN S., Shippen Jr., (1999), "Unmeasured skills in inter-industry differentials: Evidence from the Apparel industry", *Journal of Labor Research*, Farfax, invierno.

BENERÍA, L. y M. Roldán (1987), *The Croosroads of Class and Gender*, Chicago y Londres, The University of Chicago Press.

BLANTON, Richard E., Stephen A. Kowalewski, Gary Feinman y Jill Appel (1982), "Monte Alban's hinterland, Part I: The preHispanic settlement patterns of the central and southern parts of the valley of Oaxaca, Mexico", en *Memoirs of the Museum of Anthropology*, núm. 15, Ann Arbor, University of Michigan.

BLUESTONE Y HARRISON (1982), *The Deindustrialization of America*. Nueva York, Basic Books, Inc., Publishers.

BLUMERBERG, Evelyn y Paul Ong (1994), "Labor Squeeze and Ethnic Racial Recomposition in the United States Apparel Industry", en Edna Bonacich, Cheng Lucien *et al.*, *Global Production, The apparel industry in the Pacific Rim*, Philadelphia, Temple University Press, pp. 309-327.

BONACICH, Edna y Richard P. Appelbaun (2000), *Behind the Label. Inequality in the Los Angeles Apparel Industry*, Berkeley, University of California Press.

————— Cheng Lucien *et al.* (1994), "The Garment Industry in the Restructuring Global Economy", en Edna Bonacich, Cheng Lucien *et al*, *Global Production. The apparel industry in the Pacific Rim*, Philadelphia, Temple University Press.

————— (1994), "Asian in the Los Angeles Garment Industry", en Paul Ong, Edna Bonacich y Lucien Cheng (eds.), *The New Asian Migration in Los Angeles and Global Restructuring*, Philadelphia, Temple University Press.

BONFIL BATALLA, Guillermo (1987), *La teoría del control cultural en el estudio de procesos étnicos*, Brasil, CIESAS, Universidad de Brasilia.

BONNEMAISON, Joel (1981), "Voyaje autour du territoire", *L'espace Geographique*, núm. 4, Paris, Editions Belin.

BRAVO, Benjamin (comp.) (1992), *Diccionario de Religiosidad Popular*, Benjamin Bravo, México.

BROWN, Bruce C. (2001), "Wages and employment in the U.S. apparel industry", *Contemporary Economic Policy*, Hungtinton Beach, octubre.

BUSTAMANTE *et al.* (1998), "Characteristics of Migrants: Mexicans in the United States. Binational Study of Migration between Mexico and the US", en *Migration Between Mexico and the United States. Binational Study/Estudio Binacional México-Estados Unidos Sobre Migración*, vol. 1, Austin, Texas, Mexican Ministry of Foreign Affairs-U.S. Commission on Immigration Reform, Morgan Printing, pp. 91-162.

CALAVITA, Kitty (1992), *Inside the State. The Bracero Program, Immigration, and the INS*, New York, Routledge.

CANTÚ GUTIÉRREZ, Juan José (1986), "Algunas consideraciones sobre la evolución de la migración indocumentada de mexicanos hacia los Estados Unidos de América", ponencia presentada en la III Reunión Nacional sobre la Investigación Demográfica en México, México D.F., Sociedad Mexicana de Demografía.

CARTON DE G. *et al.*, "Caracteristiques des Migrations Rurales au Mexique a L' interieur du pays et vers les Etats Unies", *Migrations et Societé*, París, en prensa.

CASTAÑEDA, Jorge (2001), "Los ejes de la política exterior de México", *Nexos*, vol. XXIII, núm. 288, México, diciembre.

CASTLES, Stephen y Mark J. Miller (1998), *The Age of Migration. International Population Movements in the Modern World*, 2a. edición, Inglaterra, Macmillan Press.

———— [1993] (1998), *The Age of Migration. International Population Movements in the Modern World*, Londres, Macmillan Press.

CENIET (1982), *Los trabajadores mexicanos en Estados Unidos*, México, Secretaría del Trabajo y Previsión Social.

CHÁVEZ LOMELÍ, A.M., Carolina A. Rosas y Patricia Zamudio (2002), "Cambios en la migración del estado de Veracruz: consecuencias y retos", en *Encuentro sobre la población en el sureste*, Tapachula, Somede/Ecosur.

CHENG y Gerefy (1994), (IBARRA)

CHEVALIER, F. (1970), *Land society in colonial Mexico: The great hacienda.* (Trad. por Alvin Eustis y Lesley Bird Simpson), Berkeley y Los Ángeles, California University Press.

CHRISTALLER, W., *Central places in Southern Germany.* 1933 (Trad. por C. W. Baskin, 1966), N. J., Englewood Cliffs .

COESPO (1999), *Plan Veracruzano de Población 1999-2004*, México, Gobierno del Estado de Veracruz.

COHEN, Jeffrey H. (2001), "Transnational migration in rural Oaxaca, Mexico: Dependency, development, and the household", *American Anthropologist* (4), pp. 954-967, diciembre.

COMISIÓN ECONÓMICA PARA AMÉRICA LATINA (2000), *Globalización y desarrollo*, Santiago de Chile.

CONCHA, Miguel (1997), *Los derechos humanos de los excluidos*, México, Academia Mexicana de Derechos Humanos.

CONSEJO NACIONAL DE POBLACIÓN (Conapo) (1986), *Encuesta en la frontera norte a trabajadores indocumentados devueltos por las autoridades de los Estados Unidos de América*, diciembre de 1984, México, D.F., Conapo.

———— (2001a), *Informe de trabajo sobre la situación actual de la migración internacional de mexicanos hacia los Estados Unidos*, México, Consejo Nacional de Población.

———— (2001b), "La migración de mexicanos a Estados Unidos", en *La Población de México en el nuevo siglo*, México.

———— (2001c), *La población de México en el nuevo siglo*, México.

———— (2001d), "Migrantes mexicanos en Estados Unidos", *Boletín Migración Internacional*, núm. 15, http://www.conapo.gob.mx/publicaciones/Boletines/PDF/bolet15.pdf

———— (2001e), *Programa Nacional de Población 2001-2006*, México.

———— (2002a), *La migración internacional de mexicanos hacia los Estados Unidos: presente y futuro*, México, Consejo Nacional de Población.

———— (2002b), *Importancia de las remesas en el ingreso de los hogares mexicanos*, México, Consejo Nacional de Población.

———— (2002), *Información sociodemográfica*, México, Consejo Nacional de Población.

CORONA, Rodolfo (2001), "Monto y uso de las remesas en México", *El Mercado de Valores*, vol. LXI, núm. 8, México, agosto.

———— (2000), "Monto y uso de las remesas en México", en Rodolfo Tuirán, *Migración México-Estados Unidos: Opciones de política*, México, Consejo Nacional de Población, pp. 167-190.

———— y Carlos Zazueta (1979), *Trabajadores mexicanos en Estados Unidos: primeros resultados de la Encuesta Nacional de Emigración* (diciembre 1978-enero 1979), México, CENIET (mimeo).

———— y Rodolfo Tuirán (1998), "Tamaño y características de la población mexicana en edad ciudadana residente en el país y en el extranjero durante la jornada electoral del año 2000", en IFE, *Informe final de la Comisión de Especialistas que estudia las modalidades del voto de los mexicanos residentes en el extranjero*, México, Instituto Federal Electoral, Anexo I, Subcomisión Sociodemográfica, cuadros 2-4.

CORTÉS, F., (2000), *La distribución del ingreso en México en épocas de estabilización y reforma económica*, México, Ed. Porrúa.

———— (2002), "Marginalidad, marginación, pobreza y desigualdad en la distribución del ingreso", en *Papeles de Población*, núm. 31, UAEM, enero-marzo.

CUAMEA-VELÁZQUEZ, Felipe (1997), "Inmigration Policies in Historical Perspective: The Cases of France, the Former West Germany, and the United States", *Estudios Fronterizos*, 34, julio-diciembre, pp. 139-166.

———— (1996), "Inmigración ilegal: de nuevo en el centro del debate", *Comercio Exterior*, 46:6, junio, pp. 465-470.

CYPHER, James, M. (2001), "Developing Disarticulation Within Mexican Economy", *Latin American Perspectives*, vol. 28, núm. 3, USA, mayo.

———— (2000), "El modelo de desarrollo por la vía de exportaciones: el caso de México", Segunda Conferencia Internacional: Los Retos Actuales de la Teoría del Desarrollo, Red Eurolatinoamericana de Estudios sobre el Desarrollo Económico Celso Furtado, Zacatecas, México, 17-20 de octubre.

DE BARROS LAIRA, Roque (1989), *Cultura, Um conceito antropologico*, Brasil, J. Zahar editor, Rio de Janerio.

DE LA PEÑA, Guillermo (1994), "Globalización: las nuevas condiciones de la nación y de la cultura. La cultura política mexicana. Reflexiones desde la antropología", *Revista de Estudios sobre Culturas Contemporáneas*, Universidad de Guadalajara, vol. VI, núm. 16/17.

DELGADO WISE, Raúl y Héctor Rodríguez (2001), "The Emergence of Collective Migrants and Their Role in Mexico's Local and Regional Development", *Canadian Journal of Development Studies*, vol. XXII, núm. 3.

———— y Oscar Mañán (2000), "Mexico: the Dialectics of Export Growth", *Working Papers in International Development*, Working Paper núm. 00.10.2, Halifax, Canadá, Saint Mary's University, octubre.

———— y Héctor Rodríguez (2002), "El nuevo panorama de la migración internacional y sus potencialidades para el desarrollo regional", en Jesús Arroyo y Alejandro Canales, *El norte de todos: migración y empleo en tiempos de globalización*, UCLA-Juan Pablos Editores, pp. 116-138.

———— (2000), "Las nuevas tendencias de la migración internacional: el caso de Zacatecas", *Comercio Exterior*, México, Bancomext, vol. 50, núm. 5, pp. 371-380.

DÍAZ DE COSSÍO, R., G. Orozco y E. Gonzáles (1997), *Los mexicanos en Estados Unidos*, , México, Sistema Técnico de Ediciones, S, A.

DINERMAN, Ina R. (1978), "Patterns of adaptation among Households of U.S.-Bound Migrants from Michoacán, México", en *International Migration Review*, vol. XII, núm. 4, invierno, pp. 485-501.

DISKIN, Martin y Scott Cook (1975), *Mercados de Oaxaca*, México, Instituto Nacional Indigenista.

DOUGLAS, S. Massey, Joaquín Arango y otros (2000), "Teorías sobre la migración internacional: una reseña y una evaluación", en *Trabajo. Migraciones y mercados de trabajo*, Centro de Análisis del Trabajo, A.C., Universidad Autónoma Metropolitana, año 2, núm. 3, enero-junio, segunda época.

DURAND, Jorge (1998), *Política, modelos y patrón migratorios; el trabajo y los trabajadores mexicanos en Estados Unidos*, San Luis Potosí, El Colegio de San Luis.

————— (1998), "¿Nuevas regiones migratorias?", en René Centeno (coord.), *Población, desarrollo y globalización*, México, Sociedad Mexicana de Demografía y El Colegio de la Frontera Norte, pp. 104-106.

————— y Douglas S. Massey (1992), "Mexican Migration to the United States: A Critical Review", *Latin American Research Review*, 27:2, 3-42.

—————, Douglass S. Massey y René Zenteno (2001), "Mexican Immigration to the United States: Continuities and Changes",. *Latin American Research Review. 36* (1): 107-126.

————— (2001), "Mexican Immigration to the United States, Continuities and Changes", *Latin American Research Review*, 36:1, 107-127.

—————, Emilio Parrado y Douglas Massey (1996), "Migradollars and Development: a Reconsideration of the Mexican Case", *Estados Unidos: International Migration Review*, vol. 30, núm. 2.

DUSSEL, Enrique (1996), "From Export-Oriented to Import-Oriented Industrialization: Changes in Mexico's Manufacturing Sector, 1984-1994", en Gerardo Otero, *Neoliberalism Revisited: Economic Restructuring and Mexico's Political Future*, Boulder, Colorado, Westview Press.

DUVERGER, Maurice (1955), *Political Parties*, Londres, Methuen and Co.

El Cambio Social en la Región de Guadalajara: notas bibliográficas.1995 Universidad de Guadalajara (IMAZ)

EL SOL DE ZACATECAS, varios números, Zacatecas.

El Universal, 5 de enero de 2002.

EQUIPO BINACIONAL DE MIGRACIÓN (1997), *Binational Study, Migration between Mexico & the US / Estudio Binacional, sobre migración México-Estados Unidos*, Reporte final del estudio promovido por los gobiernos de México y Estados Unidos.

ESCOBAR LATAPÍ, Agustín (2000), "Propuestas para la legalización del mercado de trabajo agrícola binacional", en Rodolfo Tuirán (coord.), *Migración México-Estados Unidos. Opciones de política*, México, Conapo-Segob-SER.

ESCOBAR, Agustín, Frank D. Bean y Sydney Weintraub (1999), *La dinámica de la emigración mexicana*, México: CIESAS-Miguel Ángel Porrúa.

ESPINOZA VALLE, Víctor A. (1993), *Reforma del Estado y empleo público*, México, Instituto Nacional de Administración Pública.

ESSLETZBICHLER, Jurgen, y David L. Rigby (2001), "Industrial and regional restructuring in the U.S. women's dress industry", *Environment and Planning A*, vol. 33, núm. 8, agosto.

FAIST, T. (2000), *The Volume and Dynamics of International Migration and Transnational Social Spaces*, Oxford, Clarendon Press.

Farm Labor Needs and Farm Workers in California 1970 to 1989 (1991), *Report for the State Employment Development Department* (EDD), abril, California (Sánchez).

FAVELA GAVIA, Margarita (2002), "Reflexiones en torno a la participación ciudadana y la superación de la pobreza en México", *Acta Sociológica* núm. 36, sepiembre-diciembre.

―――― (2002), "La estructura de oportunidades políticas de los movimientos sociales en sistemas políticos cerrados: una vista al caso mexicano", *Estudios Sociológicos*, XX, 58, enero-abril.

FEDERACIÓN DE CLUBES ZACATECANOS UNIDOS DEL SUR DE CALIFORNIA, Revista, varios números, Los Ángeles, California.

FOWERAKER, Joe y Todd Landman (1997), *Citizenship Rights and Social Movements: A Comparative and Statistical Analysis*, Oxford, Oxford University Press.

FUJII, Gerardo (2000), "El comercio exterior manufacturero y los límites al crecimiento económico de México", *Comercio Exterior*, vol. 50, núm. 11, México, noviembre.

GAMIO, Manuel (1969), *El emigrante mexicano. La historia de su vida*, México, UNAM.

GARCÍA, B., H. Muñoz y O. Oliveira (1982), *Hogares y trabajadores en la ciudad de México*, México, El Colegio de México, UNAM.

GARCÍA Y GRIEGO, Manuel (1988), "Hacia una nueva visión del problema de los indocumentados en Estados Unidos", en Manuel García y Griego y Mónica Verea (coords.), *México y Estados Unidos frente a la migración de los indocumentados*, México, coed. UNAM y Miguel Ángel Porrúa.

GARCÍA ZAMORA, Rodolfo y Miguel Moctezuma (2001), "Trabajadores temporales contratados por Estados Unidos. Informe sobre el programa piloto del Gobierno de Zacatecas", ponencia presentada en la Mesa Redonda Binacional. Programa de Trabajadores Temporales México-Estados Unidos, Guadalajara, México, mayo.

GARCIA-CASTRO, Ismael (2000), *Migración, mercado de trabajo y mujeres en la economía de California: el caso de las trabajadoras mexicanas de la costura Los Ángeles*, Facultad de Historia, UAS, tesis de maestría en Estudios de Estados Unidos y Canadá, noviembre.

GARZA, Gustavo y Fernando A. Rodríguez (1998), *Normatividad urbanística en las principales metrópolis de México*, México, El Colegio de México.

GENDREAU, Mónica y Gilberto Jiménez (1995), "Impacto de la migración y de los media sobre las culturas regionales tradicionales", ponencia presentada en el XX Congreso la Asociación Latinoamericana de Sociología. Comisión de Trabajo Migración y Fronteras Ciudad de México, 2-16 de octubre.

GIJÓN CRUZ, Alicia Sylvia, Martha W. Rees y Rafael G. Reyes Morales (2000), "Impacto de las remesas internacionales", Ciudades, RNIU, año 12, núm. 47, julio-septiembre, pp. 34-42.

GIMÉNEZ MONTIEL, Gilberto y Mónica Gendreau (2002), "La migración internacional desde una perspectiva sociocultural", Migraciones Internacionales, vol. 1, núm. 2, El Colegio de la Frontera Norte.

GOLDRING, Luin (1997), "El Estado mexicano y las organizaciones transmigrantes: ¿reconfigurando la nación, ciudadanía y las relaciones entre Estado y sociedad civil?", XIX Coloquio de Antropología e Historias Regionales, El Colegio de Michoacán, 22-24 de octubre.

GÓMEZ ARNAU, Remedios y Paz Trigueros (2000), "Comunidades transnacionales e iniciativas para fortalecer las relaciones con las comunidades mexicanas en los Estados Unidos", en Rodolfo, Tuirán, (coord.), Migración México-Estados Unidos. Opciones de política, México, Consejo Nacional de Población, Secretaría de Relaciones Exteriores, Secretaría de Gobernación, pp. 263-298.

GÓMEZ, Remedios (1996), "La migración de mexicanos a Estados Unidos y la relación bilateral", El Cotidiano, 78, septiembre, pp. 107-112.

GONZÁLEZ DE LA ROCHA, Mercedes y Agustín Escobar Latapí (eds.) (1991), Social responses to Mexico's economic crisis of the 1980s. U.S.A., Center for US Mexican Studies, University of San Diego.

GONZÁLEZ GUTIÉRREZ, Carlos (1993), "The Mexican Diaspora in California", en A.F. Lowenthal y K. Burgess, The California-Mexico Connection, Stanford Univ. Press Ca. chapter 12.

GONZÁLEZ LOMELÍ, Miguel (1994), Iglesia del Convento de Nuestra Señora de Jala, Una propuesta para su rescate y puesta en valor, Casa de la Cultura de Jala.

——— (1990), Judea Tradicional de Jala, Serie Tradiciones, Talleres Gráficos, Ny.

GUILLÉN, Héctor (1997), La contrarrevolución neoliberal, México, Era, 1997.

HELD, David, Anthony McGrew, David Goldblatt y Jonathan Perraton (1999), Global Transformation. Politics, Economics, and Culture, Stanford, California. Stanford University Press.

HUM, Tarry (2001), "The promises and dilemmas of immigrant ethnic economies", en Marta López-Garza y David R. Díaz (eds.), Asian and Latino Immigrant in a Restructuring Economy. The metamorphosis of Southern California, Stanford, California, Stanford University Press.

Ibarra, Guillermo y Adriele Robles (2002), "Trabajadores inmigrantes mexicanos en la economía de Los Ángeles: el caso del valle de San Fernando", en Alejandro Mercado y Elizabeth Gutiérrez (coords.), *Fronteras y comunidades latinas en América del norte*, México, Cisan, Universidad Nacional Autónoma de México.

INEGI, 2000, *XII Censo General de Población y Vivienda 2000*, tabulados de la muestra censal, cuestionario ampliado, México.

————— (2001), *Indicadores Sociodemográficos de México (1930-2000)*, México.

————— (2001), *Anuario Estadístico del Estado de Nayarit*, 1991, 2001.

————— y Gobierno del Estado de Veracruz-llave (2001), *Anuario Estadístico, Veracruz-Llave*. Aguascalientes, Ags., INEGI.

Jiménez, Gilberto y R. Pozas (coords.) (1994), *Modernización e identidades sociales*, Mexico, IIS-UNAM.

Johnson, E.A.J. (1965), *Market towns and spatial development in India*, Nueva Delhi.

————— (1970), *The organization of space in developing countries*, Cambridge, Mass.

Jones, R. (1988), *Micro-Service Regions of Mexican Undocumented Migration* en National Geographic Research 4:11-22.

Kowalewski, Stephen y Laura Finsten (1983), "The economic systems of ancient Oaxaca: A regional perspective", en *Current Anthropology*, núm. 24, pp. 413-441.

La Jornada, 14 de febrero de 2002.

La Paloma, boletín bimestral del PCME, SRE, septiembre 1990, diciembre1995.

Lagunas, J.A.(1993), *Mexican Communities in the USA: What are they?* Hunter College, N:Y. 04-06-93 (doc).

La Weekly, marzo 8-14, 2002.

Lehmbruch, Gerhard (1977), "Liberal Corporatism and Party Government", *Comparative Political Studies*, núm. 10: 91-126.

Light, Ivan, Rebecca Him, Connie Hum (2001), "¿Globalización, cadenas de vacantes o redes de migración? Empleo de inmigrantes e ingreso en Los Ángeles y su área metropolitana", en Mónica Gambrill (comp.), *La globalización y sus manifestaciones en América del norte*, México, Centro de Investigaciones de América del Norte de la Universidad Nacional Autónoma de México.

—————, Richard B. Bernard y Rebecca Kim (1999), "Immigrant Incorporation in the Garment Industry of Los Angeles", *International Migration Review*, vol. 33. núm. 1, primavera. pp. 5-25.

Lijphart Arendt (1994), *Electoral systems and party systems*, Oxford, Oxford University Press.

Lin, Jennifer H. (2002), Garment District, Los Angeles, Urban Planning Deparment, School of Public Policy and Social Research, University of California, Los Angeles, http://www.bol.ucla.edu/~jennylin/206aweb/Midterm/midterm.html

LINZ Juan J. y Arturo Valenzuela (eds.) (1997), *La crisis del presidencialismo*, Madrid, Alianza

LOEWENSTEIN, Karl (1989), *Teoría de la Constitución*, Barcelona, Ariel.

LÓPEZ CASTRO, Gustavo (1986), *La casa dividida: un estudio de caso sobre la migración a Estados Unidos en un pueblo michoacano*, Zamora, México, El Colegio de Michoacán.

LOUCKY, Soldatenko (2001).

LOWENTHAL, Abraham y Katrina Burgess (1995), *La conexión México-California*, México, Siglo XXI Editores.

LOYO, Gilberto (1969), "Prólogo a Gamio, Manuel", en *El emigrante mexicano. La historia de su vida*, México, UNAM.

LOZANO, Fernando (2000), "Experiencias internacionales en el envío y uso de las remesas", en Rodolfo Tuirán (coord.), *Migración México-Estado Unidos. Opciones de política*, México, Secretaría de Gobernación, Conapo, Secretaría de Relaciones Exteriores.

MACÍAS, Julián (2002), *El desarrollo regional en el sur de Zacatecas*, tesis de maestría en Economía Regional, Unidad Académica de Economía, UAZ.

MACIAS, Saúl (2001), "Migración Laboral en PueblaYork", en Isaías Aguilar Huerta *et al. Integración y globalización en América del norte,* Puebla, México, Benemérita Universidad Autónoma de Puebla.

MAINWARING SCOTT y Matthew Soberg (1997), *Presidentialism and Democracy in Latin America*, Cambridge, U.K. Nueva York, Cambridge University Press.

———— y Timothy R. Scully (1995), *Building Democratic Institutions: Party Systems in Latin America*, Stanford, Ca., Stanford University Press.

MARCELLI, Enrico A. y Davis M. Heer (1997), "Unauthorized mexican immigrants in the Los Ángeles County Workforce", *International Migration*, 35 (1).

———— y Wayne Cornelius (2001), "The Changing Profile of Mexican Migrants to the United States: New Evidence from California and México". *Latin American Research Review*, vol. 36, núm. 3.

MARROQUÍN, Alejandro (1978), *La ciudad mercado (Tlaxiaco)*, México, D.F., Instituto Nacional Indigenista.

MARTIN, Philip (1992), *Farm Labor in California: Past, Present and Future.* A Supplemental Report for the Farm Worker Service Coordinating Council. California.

———— (2001), "Migration and Development: The Mexican-US Case", Chile, CEPAL, Simposio sobre migración internacional en las Américas, 4 al 6 de septiembre de 2001.

———— y Jonas Widgren (2002), "International Migration: Facing the Challenge", Washington D.C, Population Reference Bureau, *Population Bulletin*, vol. 57, núm. 1, marzo.

MARTÍNEZ, Jesús (1999), "Los emigrados y la nación mexicana: la evolución de una relación", en Miguel Moctezuma y Héctor Rodríguez (comps.), *Impacto de la migración y las remesas en crecimiento económico regional*, México, Senado de la República.

MARTÍNEZ, Rubén (1995), "Fighting 187: The Different Opposition Strategies", *NACLA Report on the Americas*, 29:3, noviembre-diciembre, 29-34.

MASSEY, D. (1987) "Understanding Mexican Migration to the US", en *American Journal of Sociology* (92).

———— *et al.* (1991), *Los ausentes. El proceso social de la migración internacional en el occidente de México*, México, Consejo Nacional para la Cultura y las Artes/Alianza Editorial, Col. Los Noventa.

———— *et al.* (1987), *Return to Aztlan: The Social Process of International Migration From Western Mexico*, Berkeley, University of California Press.

McCARTHY, Kevin F. y Georges Vernez (1997), *Immigration in a Changing Economy. California's Experience*, Santa Mónica, Rand.

MEYERS, Deborah W. (2001), "The Regional Map: Flows and Impacts of Remittances in LAC", Remittances as a Development Tool, A Regional Conference, Inter-American Development Bank, mayo 17, 2001.

MILLER, Spring y Anne Seymour (2001), "Third Binational Roundtable on Mexico-U.S. Migration: The New Bilateralism", *Mexico-U.S. Advocates Network News*, vol. 3, núm. 12, agosto.

MINES, Richard (1981), *Developing a Community Tradition of Migration: A Field Study in Rural Zacatecas, Mexico and California Settlement Areas*, La Jolla, California, Center for U.S.-Mexican Studies, University of California, San Diego, Monograph Series, núm. 3.

MITTELBACH, Frank G., Joan W. Moore y Ronald McDaniel (1966), *Intermarriage of Mexican-Americans*, Los Angeles, Advance Report 6, Mexican-American Study Project, Universidad de California.

MOCTEZUMA, Miguel (2000), "La organización de los migrantes zacatecanos en los Estados Unidos", *Cuadernos Agrarios*, nueva época, núm. 19-20, México.

———— (1999), *Redes sociales, comunidades filiales, familias y clubes de migrantes. El circuito migrante Sain Alto, Zac. Oakland, Ca.*, tesis de doctorado, El Colegio de la Frontera Norte, diciembre.

———— (2001), "Clubes zacatecanos en los Estados Unidos. Un capital social en proceso", ponencia presentada en Segundo Seminario sobre Migración Internacional, Remesas y Desarrollo Regional, Zacatecas, México, septiembre.

———— y Héctor Rodríguez (2000), Programa 3x1 y Mi Comunidad: Evaluación con migrantes zacatecanos y guanajuatenses radicados en Chicago, Illinois y Los Ángeles, California, 12 de octubre.

Mohar, Gustavo (2001), "Historia reciente y debate en Estados Unidos sobre migración y presencia de los Mexicanos", *El Mercado de Valores*, vol. LXI, núm. 8, agosto, México.

Montoya Briones, José de Jesús (1996), *Jerez y su gente. Región de vírgenes, nomadismo y resistencia cultural*, , México, Plaza y Valdés Editores/Instituto Nacional de Antropología e Historia.

Morales, Patricia (1982), *Indocumentados mexicanos*, México, Ed. Grijalbo.

Morán Quiroz, Luis Rodolfo (2001), "Asociaciones de extranjeros en Alemania", reporte de estancia posdoctoral en la Universidad de Bayreuth, Alemania. Proyecto financiado por el Consejo Nacional de Ciencia y Tecnología (Conacyt), México, inédito.

——— (2002), "El impacto material y cultural de los envíos de los migrantes: la jerarquía en las contribuciones al cambio y mantenimiento del imaginario local", contribución para el libro *Remesas y desarrollo regional*, Universidad Autónoma de Zacatecas, México/Universidad de Kassel, Alemania, septiembre.

Mummert, Gail (1988), "Mujeres de migrantes y mujeres migrantes de Michoacán: nuevos papeles para las que se quedan y las que se van", en T. Calvo y G. López (coords.), *Movimientos de población en el occidente de México*, Zamora Michoacán, CEMCA y el Colegio de Michoacán, pp. 281-297.

Nollert, Michael (1995), "Neo-corporatism and Political Protest in the Western Democracies: A Cross-National Analysis", en J. Craig Jenkins y Bert Klandermans (eds.), *The Politics of Social Protest*, Minnesota, Minn., University of Minnesota Press.

OCDE (1999), *Trends in international migration*, Continuous Reporting System on Migration, París, OCDE.

Ong, Paul y Abel Valenzuela Jr. (1996), "The Labor Market: Immigrant Effects and Racial disparities", en Roger Waldinger y Mehdi Bozorgmeher (eds.), *Ethnic Los Angeles*, Nueva York, Russell Sage Foundation.

Organización Internacional del Trabajo, (2002), Panorama laboral.

Padilla, Juan Manuel (2001), *Dinámica demográfica en Zacatecas en los años recientes* (inédito).

Palerm, Juan Vicente (1992),"A Season in the Life of a Migrant Farm Worker in California", *The Eastern Journal of Medicine*, 157-3, septiembre, 362-366.

Papail, Jean (2001), "Remesas e inversiones de los exmigrantes internacionales radicados en áreas urbanas de Jalisco, Guanajuato y Zacatecas", ponencia presentada en Segundo Seminario sobre Migración Internacional, Remesas y Desarrollo Regional, Zacatecas, México, septiembre.

Pardo, Ma. del Carmen (1991), *La modernización administrativa en México. Propuesta para explicar los cambios en la estructura de la administración pública, 1940-1990*, México, El Colegio de México.

PASTOR Jr., Manuel (2001), "Economy and Ethnicity. Poverty, race, and immigration in Los Ángeles County", en Marta López-Garza y David R. Díaz (eds.), *Asian and Latino Immigrant in a Restructuring Economy. The metamorphosis of Southern California*, Stanford, California, Stanford University Press.

PÉREZ, Nancy (2002), "Evaluación del Programa para las Comunidades Mexicanas en el Exterior, en el área de difusión (su aplicación en los Estados Unidos de América)", tesis, México, Facultad de Ciencias Políticas y Sociales, UNAM.

PETRAS, James (2001), "La revolución informática, la globalización y otras fábulas imperiales", en John Saxe-Fernández y James Petras, *Globalización, imperialismo y clase social*, Buenos Aires, Lumen.

———— y Henry Veltmeyer (2001), *Globalization Unmasked. Imperialism in the 21st Century*, Canadá, Zed books, Fernwood Publishing Company.

PIORE, Michael (2002), "The Reconfiguration of Work and Employment Relations in the United States at the Turn of the Century", en *The ILO symposium L´avenur du Travail de l´emploiet et Protecion Sociale, Dynamique du Changement et Protection des Travailleurs*, Francia, Lyon, enero.

———— y Charles Sabel (1984), *The Second Industrial Divide. Possibilities for Prosperity*, Nueva York, Basic Books, Inc., Publishers.

PLAN ESTATAL DE DESARROLLO ZACATECAS 1999-2004, p. 67.

PORTES, Alejandro (2001), "Inmigración y metrópolis. Reflexiones acerca de la historia urbana", en *Migraciones Internacionales*, 1, El Colegio de la Frontera Norte, julio-diciembre. pp. 111-134.

PRESIDENCIA DE LA REPÚBLICA, (2000), *Sexto Informe de Gobierno*, México, 2000.

PRÍA, Melba (2002), "Mexicanos en Estados Unidos. Presencia e impacto en sus comunidades de origen", ponencia presentada en el foro de Migración y Desarrollo que convocó la Comisión de Población, Fronteras y Asuntos Migratorios de la H. Cámara de Diputados, 24 de mayo.

QUINONES, Sam (2002), "Turbulent times in local Zacatecan clubs", en *LaWeekly*, marzo 8-14.

RAMÍREZ, Moisés (2002a), "Atrae Centroamérica a las maquilas", *Reforma*, México, D.F., 26 de febrero.

———— (2002b), "Ahuyenta a maquila la falta de incentivos", *Reforma*, México, D.F., 25 de febrero.

Reforma, 20 de enero de 2002.

REICHERT, Josh y Douglas S. Massey (1980), "History and Trends in U.S. Bound Migration from a Mexican Town", en *International Migration Review*, vol. XIV, núm. 4, invierno, pp. 475-491.

———— (1979), "Patterns of U.S. Migration from a Mexican Sending Community: A Comparison of Legal and Illegal Migrants", en *International Migration Review*, vol. XIII, núm. 4, pp. 509-623.

REYES MORALES, Rafael G. y Alicia Sylvia Gijón Cruz (2002), "Características de la migración internacional actual en el estado de Oaxaca, México", *Entre Redes*, núm. 10, julio, pp. 15-18 (revista electrónica).

———— (2001a), Arthur D. Murphy, Ignacio E. Silva Leyva, Jesús J.F. Segura y José Luis Balderas Gil, "Migración en los valles centrales de Oaxaca", *Ciudades*, RNIU, año 12, núm. 50, abril-junio, pp.45-54.

————, Antonio Yúnez Naude y Alicia Sylvia Gijón Cruz, "El papel de las remesas en el desarrollo de comunidades transnacionales de los valles centrales de oaxaca", en *Memorias de la Tercera Conferencia Binacional sobre Migración*, University of Pennsylvania-Universidad de Guadalajara-El Colegio de México-University of California, Davis, Puerto Vallarta, Jal., 15-16 de marzo (en preparación).

———— *et al.* (2001), *First Annual Report, 2001 Migration, Remittances and Economic Development between Oaxaca and California*, report presented to the John D. and Catherine T. McArthur Foundation in March, 2002.

———— (2001b), Rosa Reyes Martínez y colaboradores, *Impacto de las remesas internacionales en el desarrollo de las localidades expulsoras de población en Oaxaca, México*, reporte presentado a UC Mexus – Conacyt, enero.

RODRÍGUEZ, H. (2000), [1988-1998]: "El cambio estructural en la economía veracruzana", en *Notas*, núm. 111.

RODRÍGUEZ, Héctor (1999), "Resultados de la Encuesta sobre Migrantes Internacionales en nueve localidades del estado de Zacatecas", en Miguel Moctezuma y Héctor Rodríguez, *Impacto de la migración y las remesas en el crecimiento económico regional*, México, Senado de la República, pp. 123-145.

ROLDÁN DÁVILA, Genoveva (1999), "Migración y derechos humanos de los trabajadores mexicanos", en Ángel Bassols Batalla (coord.), *La Gran Frontera. Franjas Fronterizas México-Estados Unidos. Transformaciones y problemas de ayer y hoy*, tomo II, México, UNAM, Instituto de Investigaciones Económicas, p. 370.

———— (1995), "La política migratoria estadounidense y la Ley 187 (Save Our State S.O.S.)", *Momento Económico*, 77, enero-febrero, pp. 39-43.

———— (2001), "Política migratoria y derechos humanos", *Diversa*, núms. 2-3, México, agosto.

ROMERO C., Gilbert (1991), *Hispanic Devotional Piety*, MaryKnoll, N.Y. Orbis Books.

ROQUE DE BARROS, Laira (1989), *Cultura. Um conceito antropológico*, Río de Janeiro, Jorge Zahar Editor.

ROUSE, Roger (1994), "Mexican migration and the social space of postmodernism", en *Diáspora*, 1 (1), La Jolla, San Diego, Center for U.S. Mexican Studies, University of California.

———— (1987), "Migration and the politics of family life: Divergent projects and rethorical strategies in a mexican trasnational migrant community", mecanoescrito, La Jolla, San Diego, Center for U.S.-Mexican Studies, University of California.

SANDOVAL, Juan Manuel (2001), "El plan Puebla-Panamá como regulador de la migración laboral mesoamericana", en Armando Bartra (coord.), *Mesoamérica. Los ríos profundos. Alternativas plebeyas al Plan Puebla-Panamá*, México, 2001.

SANTIBÁÑEZ, Jorge (2002), "Asociación dudosa: marginación y migración", *Enlace Informativo Sin Fronteras*, núm. 68, febrero.

SARMIENTO, Socorro T. (1996), "Who subsidices whom latina/o immigrants in the Los Ángeles garment industry, Whom", *Humboldt Journal of Social Relations*, vol. 22, núm. 1, pp. 37-40.

SARTORI, Giovanni (1986), "The Influence of Electoral Systems", en B. Grofman y Arendt Lijphart (eds.), *Electoral Laws and Their Political Consequences*, Nueva York, Agathon.

SASSEN, Saskia (1995), "Immigration and Local Labor Markets", en Alejandro Portes (ed.), *The Economic Sociology of Immigration. Essays on Networks, Ethnicity, and Entrepreneurship*, Nueva York, Russell Sage Foundation.

———— (1997), "New employment regimes in cities", en Frank Moulart y Allen J. Scott (eds.), *Cities, Enterprises and Society on the Eve of the 21st Century*, Londres y Washington, pp. 129-151.

———— [1996] (1999), *Guests and Aliens*, Nueva York, New Press.

SAXE-FERNÁNDEZ, John (2001), "Globalización del terror y guerra", *Memoria*, núm. 154, diciembre.

———— (1999), "Globalización e imperialismo", en John Saxe-Fernández (comp.), *Globalización: Crítica de un Paradigma*, México, Plaza y Janés.

———— (2001a), "América Latina-Estados Unidos en la posguerra fría", en John Saxe-Fernández y James Petras, *Globalización, imperialismo y clase social*, Buenos Aires, Lumen.

———— y Omar Núñez (2001), "Globalización e imperialismo: la transferencia de excedentes de América Latina", en John Saxe-Fernández y James Petras, *Globalización, Imperialismo y Clase Social*, Buenos Aires, Lumen.

SCHMITTER, Philippe (1982), "Reflections on Where the Theory of Neo-Corporatism Has Gone and Where the Praxis of Neo-Corporatism May Be Going", en Philippe Schmitter y Gerhard Lehmbruch (eds.), *Patterns of Corporatist Policy-Making*, Londres, Sage.

———— (1981), "Interest Intermediation and Regime Governability in Contemporary Western Europe and North America", en Suzanne Berger (ed.), *Organizing Interest in Western Europe*, Cambridge, Cambridge University Press.

———— (1992), "Corporatismo (Corporativismo)", en *Relaciones corporativas en un periodo de transición*, editado por Matilde Luna y Ricardo Pozas. México, D. F., IIS-UNAM.

———— (1974), "Still the Century of Corporatism?", *Review of Politics*, núm. 36, pp. 85-131.

SCOTT, Allen J. (1996), "The Manufacturing Economy: Ethnic and Gender Division of Labor", en Roger Waldinger y Mehdi Bozorgmeher (eds.), *Ethnic Los Angeles*, Nueva York, Russell Sage Foundation.

———— (1998), *Regions and the World Economy. The coming shape of global production, competition, and political order*, Oxford/Nueva York, Oxford University Press.

———— (2000), *The Cultural Economy of Cities*, Londres, Thousand Oaks, Nueva Delhi, Sage Publications.

————, John Agnew, Edward W. Soja y Michael Storper (2001), "Global City-Regions", en Allen J. Scott (ed.), *Global city-regions. Trends, theory, policy*, Oxford, Oxford University Press.

SCOTT, Gregory (1998), *Sewing with Dignity: Class Struggle and Ethnic conflict in Los Angeles Garment Industry*, P h D. Dissertation in Sociology, University of California Santa Barbara.

Segundo Informe sobre las Violaciones a los Derechos Humanos de los Trabajadores Migratorios Mexicanos en su Tránsito hacia la Frontera Norte, al cruzarla y al internarse en la Franja Fronteriza Sur Norteamericana, Comisión Nacional de Derechos Humanos, México, Dávalos, Héctor y Genoveva Roldán (coords.) (1996).

SHIPPEN Jr., Ben S. (1999), "Unmeasured Skills in Interindustry Wage differentials: Evidence from the Appareal Industry", en *Journal of Labor Research*, vol. 20, núm.1, invierno, pp. 161-169.

Síntesis del Estudio binacional México-Estados Unidos sobre migración, 2000. Boletín editado por el Consejo Nacional de Población, año 1, núm. 4/noviembre-diciembre, 1997/ISSN 1405-5589, p. 1. Posteriormente se publicó el *Estudio binacional sobre migración*, ed. Secretaría de Relaciones Exteriores y Commission on Immigration Reform.

SMITH, Robert C. (2001), "Migrant membership as an instituted process: Transnationalization, the State y the extra-territorial conduct of mexican politics", Sociology Dept, Barnard College, Broadway, N.Y., octubre 8.

———— (1995), *Los Ausentes Siempre Presentes: The Imagining, Making and Politics of a Transnational Migrant Community Between Ticuany, Puebla, Mexico and New York City*, Submitted in Partial Fulfillment of the Requirements for the Degree of Doctor, Columbia University, 1995.

———— (1998), "Closing the Door on Undocumented Workers", NACLA Report on the Americas, 31: 4, enero-febrero, 6-9.

Spener, David (2001), "North American free trade and changes in the nativity of the garment industry workforce in the United States", *International Journal of Urban and Regional Research*, junio.

Storper, Michael y Richard Walker (1989), *The Capitalist Imperative. Territory, Technology, and Industrial Growth*, Basic Blackwell, Cambridge.

Taylor y Martin (1997), *Poverty amid Prosperity: Immigration and Changing Face of Rural California*, Washington, The Urban Institute Press.

Taylor, Edward J. y Antonio Yúnez-Naude (1999), *Education, migration and productivity. An analytic approach from rural Mexico*, París, OCDE.

Tello, Carlos (1996), "La economía mexicana: Hacia el tercer milenio", *Nexos*, núm. 223, México, julio.

Tienda, Marta (1989), "La década de los noventa: una perspectiva sociológica de la inmigración mexicana", en Jorge A.Bustamante y Wayne A.Cornelius, *Los flujos migratorios hacia Estados Unidos*, FCE.

Torres, Federico (1998), *Uso productivo de las remesas en El Salvador, Guatemala, Honduras y Nicaragua*, Chile, CEPAL, Documento de Trabajo LC/MEX/R.662.

Trigueros, Paz (1994), *Sorgo, campesinado y migrantes. El papel de la migración internacional en la reproducción de una comunidad campesina que adoptó la modernización de la agricultura*, tesis de doctorado, Centro de Estudios Urbanos y de Desarrollo Urbano, El Colegio de México.

Tuirán, R. (2001), Intervención en la ceremonia de presentación del Programa de Trabajo de los 210 Consejos Municipales de Población, Jalapa, Ver., 15 de agosto.

———— (coord.) (2000), *Migración México-Estados Unidos: continuidad y cambi*, México, Conapo.

———— (2000), "Desarrollo, comercio y migración: el caso de México", ponencia presentada en el seminario: Los Acuerdos de Libre Comercio y sus Impactos en la Migración, Guatemala, 15-16 de noviembre.

———— (coord.) (2000), *Migración México-Estados Unidos. Opciones de política*, México, Consejo Nacional de Población, Secretaría de Gobernación, Secretaría de Relaciones Exteriores.

————, Carlos Fuentes y Luis Felipe Ramos (2001), "Dinámica reciente de la migración México-Estados Unidos", *El Mercado de valores*, vol. LXI, núm. 8, México, agosto.

Unger, Kurt (1990), *Las exportaciones mexicanas ante la reestructuración industrial internacional: la evidencia de las industrias química y automotriz*, México, El Colegio de México-Fondo de Cultura Económica.

Unikel, Luis, en colaboración Crescencio Ruiz Chiapetto y Gustavo Garza Villareal (1976), *El desarrollo urbano de México: Diagnóstico e implicaciones*, 2a. edición, México, El Colegio de México.

United States Census Bureau (2002), http://www.census.gov/

VALENZUELA ARCE, José M. (coord.) (1992), *Decadencia y auge de las identidades*, Tijuana, Baja California, El Colegio de la Frontera Norte.

VALENZUELA FEIJÓO, José (1996), *El neoliberalismo en América Latina. Crisis y alternativas*, La Paz, Bolivia, CIDES-UMSA.

VALENZUELA M., Basilia y Adrián de León Arias (1992), "Estado actual y perspectivas de la migración hacia EU", en *Migración internacional en las fronteras norte y sur de México*, México, Conapo, Dirección de Estudios Socioeconómicos y Regionales.

VALENZUELA-CAMACHO, Blas (2000), *Los efectos de la reestructuración económica de Los Ángeles sobre los sectores de manufactura diversificada. El caso de las industrias de confección y del mueble. 1970-1995*, tesis de maestría en estudios de Estados Unidos y Canadá, Facultad de Historia, Universidad Autónoma de Sinaloa.

―――― y Anthony O'Malley (2001), *Transending Neoliberalism. Community-Based Development in Latin America*, Canadá, Kumarian Press.

VELTMEYER, Henry (2000), *El capital global y las perspectivas de un desarrollo alternativo*, México, UNESCO-UAZ-COBAEZ.

VERDUZCO IGARTÚA, Gustavo (1995), "La migración mexicana a Estados Unidos recuento de un proceso histórico", *Estudios Sociológicos*, núm. 39, septiembre-diciembre: 573-594.

VERNEZ, George (ed.) (1990), "Effects of IRCA on US-Mexico relations", en *Immigration and International Relations*, Proceedings of a Conference on the International Effects of the 1986 Immigration Reform and Control Act (IRCA), Santa Monica, Cal, Rand Corporation.

VILLAREJO, Don y D. Runsten (1993), *California´s Agricultural Dilemma: Higher Production and Lower Wages*, California California Institute for Rural Studies, diciembre.

VILLASEÑOR, Blanca y José Morena (2002), "Breve visión sobre las medidas de control migratorio en la frontera norte de México", Foro Migraciones 2000-2001, *Migración: México entre su dos fronteras*, México.

WALDINGER, Roger (1996), "Ethnicity and Opportunity in the Plural City", en Roger Waldinger y Mehdi Bozorgmeher (eds.), *Ethnic Los Angeles*, Nueva York, Russell Sage Foundation.

―――― (2001a), "The Immigrant Niche in Global City Regions: Concept, Patterns, Controversy", en Allen J. Scott (ed.), *Global City-Regions. Trends, Theory, Policy*, Oxford, Oxford University Press, 2.

―――― (2001b), *Strangers at the Gates. New Immigrants in Urban America*. University of California Press. 1.

―――― y Mehdi Bozorgmeher (1996), "The Making of a Multicultural Metropolis", en Roger Waldinger y Mehdi Bozorgmeher (eds.), *Ethnic Los Angeles*, Nueva York, Russell Sage Foundation.

WALLACE, Michael y J. Craig Jenkins (1995), "The New Class, Postindustrialism and Neocorporatism: Three Images of Social Protest in the Western Democracies", en J. Craig Jenkins y Berth Klandermans (eds.), *The Politics of Social Protest*, Minneapolis, Minn, University of Minnesota Press.

WALLER MEYERS, Deborah (2000), "Remesas de América latina: revisión de la literatura", *Comercio Exterior*, vol. 50, núm. 4, México, abril.

————— y Demetrios G. Papademetriou (2002), "Un nuevo contexto para la relación migratoria de México y E.U.", en *Foreign Affairs*, en español, ITAM, ed. América Latina y el Mundo, México, primavera, vol. 2 núm. 1, p. 182.

WARD, Peter (1989), *Políticas de bienestar social en México, 1970-1989*. México, Nueva Imagen.

WASLIN, Michael (2001), "Immigration Policy in Flux", *NACLA Report on the Americas*, 35: 3 noviembre-diciembre, pp. 34-38.

WEINSTEIN, Richard S. (1996), "The First American City", en Allen J. Sott y Edward Soja, *The City. Los Angeles and the Urban Theory at the End of Twenty Century*, Berkeley, Los Ángeles, Londres, University of California Press.

WIHTOL DE WENDEN, Catherine (1999), *Faul-il Ouvrir les Frontiers?*, París, La bibliotèque du citoyen, Presses de Sciences PO.

YÚNEZ-NAUDE, A. y J.E. Taylor (1999), *Manual para la elaboración de matrices de contabilidad social con base en encuestas socioeconómicas aplicadas a pequeñas poblaciones rurales*, documento de trabajo, núm. XIV, CEE, México, El Colegio de México

ZENTGRAF, M., Kristine (2001), "Through Economic Restructuratuion, Recesion, and Rebound. The Continuing Importance of Latina Immigrant in the Los Angeles Economy", en Marta López-Garza y David R. Díaz (eds.), *Asian and Latino Immigrant in a Restructuring Economy. The metamorfosis of Southern California*, Stanford, California, Stanford University Press.

ZLOTNIK, H. (1998), "International Migration 65-96: an Overview", *Population and Development Review*, 24: 459-468, Hartley Library per HB.

Semblanza de los autores

Ana Margarita Chávez Lomelí
Maestra en demografía por El Colegio de México. Ha desempeñado actividades de asesoría en temas demográficos para la Subsecretaría de Asuntos Religiosos de la Secretaría de Gobernación y para el Consejo Estatal de Población de Veracruz. Sus trabajos de investigación sobre migración los ha presentado en diversos foros académicos.

Raúl Delgado Wise
Doctor en ciencias sociales por la Universidad de Pensilvania, Estados Unidos. Ha publicado seis libros y escrito más de 60 ensayos, entre capítulos de libros, cuadernos de investigación y artículos en revistas especializadas. Recibió el premio anual de investigación económica "Maestro Jesús Silva Herzog" en 1993. Es miembro de la Academia Mexicana de Ciencias, del SNI así como de varias asociaciones académicas de Canadá, Estados Unidos, Latinoamérica y Europa. Actualmente preside el proyecto para la creación de la red internacional sobre migración y desarrollo y es director del Programa de Maestría y doctorado en estudios del desarrollo de la Universidad Autónoma de Zacatecas.

Margarita Favela Gavia
Doctora por la Universidad de Tulane en Nueva Orleáns. Ha sido becaria de la Fundación Ford Mc Arthur, del Programa Fulbrigth y de Conacyt para estudios de posgrado y una beca de investigación de la Fundación Tinker. Es miembro del SNI. Ha escrito artículos para varias revistas, nacionales y latinoamericanas y capítulos en libros. Sus principales temas de investigación son la relación entre los movimientos sociales y las estructuras políticas, y los procesos de democratización. Actualmente es investigadora del Centro de Investigaciones Interdisciplinarias en Ciencias y Humanidades y es coordinadora del Programa de Investigación de las Entidades Federativas.

Rodolfo García Zamora
Doctor en economía, por la Universidad Autónoma de Barcelona, España, es profesor-investigador de la Facultad de Economía de la Universidad Autónoma de Zacatecas; miembro del SNI y de diversas asociaciones internacionales de economía y sociología. Ha sido profesor visitante en varias universidades del país y del extranjero. Es autor de varios libros y artículos sobre migración y economía.

Alicia Sylvia Gijón Cruz
Entre 1984 y 1989 fue jefa de los departamentos de control químico y de producción de peptonas en Bioxon de México. Es ingeniera industrial química, maestra y doctora en planificación del desarrollo regional por el Instituto Tecnológico de Oaxaca (ITO). Es catedrática de la Universidad Autónoma Benito Juárez de Oaxaca desde 1985 y tiene una amplia experiencia en investigación tanto en México como en el extranjero. Ha publicado artículos sobre el impacto de la migración internacional y transnacionalismo en *Field Methods* y *Ciudades*.

Raúl Hinojosa Ojeda
Es profesor de la Escuela de Políticas Públicas e Investigación Social de la Universidad de California en Los Ángeles desde 1991; y a partir de 1995 es director del NAID Center. Ha sido profesor visitante en el BID (1993-1995), en el Banco Mundial (1991), en la Universidad de Stanford (1987-1988), en la Universidad de California en Berkeley (1988-1991). Tiene una vasta producción de publicaciones que abarcan temas relativos a la adaptación de los latinos en Estados Unidos, relaciones fronterizas, políticas públicas migratorias e integración regional.

Guillermo Eduardo Ibarra Escobar
Doctor en economía y profesor-investigador de la Escuela de Estudios Internacionales y Políticas Públicas de la Universidad Autónoma de Sinaloa. Director del Centro de Estudios de la Globalización y el Desarrollo Regional de la UAS. Es miembro del SNI. Presidente de la Asociación Mexicana de Estudios sobre Canadá.

Cecilia Imaz B.
Doctora en ciencia política; profesora titular de la Facultad de Ciencias Políticas y Sociales de la UNAM; investigadora visitante en los institutos de Estudios Latinoamericanos de las universidades de Estocolmo y Columbia. Autora de diversos artículos sobre emigración mexicana.

JOSÉ MIGUEL MOCTEZUMA LONGORIA

Doctor en ciencias sociales con especialidad en estudios de la población de El Colegio de la Frontera Norte. Profesor-investigador del doctorado en estudios del desarrollo de la Unidad de Posgrado en Ciencia Política de la Universidad Autónoma de Zacatecas y miembro del SNI. Ha escrito diversos libros y artículos sobre migrantes.

LUIS RODOLFO MORÁN QUIROZ

Doctor en ciencias sociales con especialidad en estudios regionales, por El Colegio de la Frontera Norte y estancia posdoctoral en la Universidad de Bayreuth, Alemania, con un proyecto de investigación sobre asociaciones de extranjeros. Ha impartido varios cursos a nivel de licenciatura y posgrado en la Universidad de Guadalajara y universidades privadas. Ha escrito diversos artículos para libros y revistas y participado en varios coloquios de investigación. Es profesor-investigador en la Universidad de Guadalajara-DECUR

MARÍA EUGENIA PÉREZ HERRERA

Pasante de licenciatura en economía por la Universidad Veracruzana. Ha desarrollado diversas investigaciones sobre migración internacional y remesas en el estado de Veracruz. Actualmente es becaria del proyecto Migración en el Centro de Veracruz: causas, consecuencias y dinámicas del flujo.

RAFAEL G. REYES MORALES

Fue profesor de la UNAM (1978-1979) y es profesor-investigador del ITO desde 1983. Es ingeniero industrial mecánico por el Instituto Tecnológico de Oaxaca (ITO) y maestro en ciencias por la Universidad de Strathclyde, Gran Bretaña. Cursó en el ITO el doctorado en planificación del desarrollo regional dentro del padrón de excelencia del Conacyt. Ha dirigido seis proyectos de investigación financiados por el Conacyt e instituciones internacionales. Publica artículos en las revistas: *Ciudades*, *Field Methods*, *Alteridades* y *Conexión Sur*.

HÉCTOR RODRÍGUEZ RAMÍREZ

Profesor-investigador de la Escuela de Graduados en Administración Pública y Política Pública del Tecnológico de Monterrey, Campus Monterrey.

GENOVEVA ROLDÁN

Licenciada en economía, maestra en relaciones internacionales. Responsable de la investigación del Segundo Informe sobre las Violaciones a los Derechos Humanos de los Trabajadores Migratorios Mexicanos en su Tránsito hacia la Frontera Norte, presentado por la Comisión Nacional de Derechos Humanos, autora de diversos artículos y capítulos de libros referidos al tema migratorio. Actualmente es miembro del personal académico del Instituto de Investigaciones Económicas.

CAROLINA ALEJANDRA ROSAS

Pasante de doctorado en estudios de población por El Colegio de México. Autora de diversos libros y artículos. Actualmente trabaja su tesis doctoral sobre migración internacional desde una perspectiva de género.

MARTHA JUDITH SÁNCHEZ GÓMEZ

Doctora en sociología por El Colegio de México. Posdoctorado en la Universidad de California-Berkeley. Premio: Distinción Universidad Nacional para Jóvenes Investigadores. Beca Fulbright García Robles. Ha escrito diversas publicaciones en los temas de migración, género y etnicidad. Actualmente es investigadora del Instituto de Investigaciones Sociales de la UNAM.

PAZ TRIGUEROS LEGARRETA

Doctora en sociología con especialidad en población por el Centro de Estudios Demográficos y Desarrollo Urbano de El Colegio de México. Es investigadora nacional por el SNI. Ha participado en varios proyectos internacionales de investigación, y es autora de numerosos artículos y capítulos de libros sobre migración. Actualmente es profesora-investigadora titular en el Departamento de Sociología de la UAM-Azcapotzalco.

ANTONIO YÚNEZ NAUDE

Es profesor-investigador desde 1976 y coordinador del Precesam en el CEE, El Colegio de México. Es doctor en economía por la London School of Economics and Political Science, Universidad de Londres y miembro del SNI (nivel 3). Sus publicaciones recientes incluyen un libro publicado en 2002 por Texas A&M-University of Guelph-El Colegio de México; un capítulo en un libro de la CEPAL (2002: 21-35); y dos artículos en *Economic Development and Cultural Change* (2003: 977-997) y *The World Economy* (2003: 97-122).

PATRICIA EUGENIA ZAMUDIO GRAVE

Doctora en sociología en Northwestern University, Estados Unidos. Investigadora del CIESAS-Golfo, Xalapa, Veracruz. Y es autora de diversas publicaciones sobre migración, ciudadanía, derechos humanos y salud mental.

Índice

Nuevas tendencias y desafíos de la migración internacional México-Estados Unidos

se terminó de imprimir
en la ciudad de México
durante el mes de diciembre
del año 2004.
La edición, en papel de
75 gramos, consta
de 2,000 ejemplares más
sobrantes para reposición
y estuvo al cuidado de
la oficina litotipográfica
de la casa editora.

ISBN 970-701-555-1
MAP 390185-01